KB099510

잇스토리 영상화 기획소설 시리즈

작가 이 린(李 潾)

불의와 부조리에 맞서,

투쟁하는 사람들이 등장하는 이야기를 좋아한다.

선의 해부

<The Anatomy Of Good>

Part 1.

(본 소설은 영상화를 위해 기획 및 발행된 도서입니다.)

창작공간 잇스토리

목　차

프롤로그 001

1장 : 재회 004

2장 : 질문 082

3장 : 탐구 164

4장 : 덫 280

이 이야기는 허구입니다.

작중의 “대한민국”은, 현실과는 다른 평행 세계(우주)의 대한민국으로 인명, 사건, 설정, 단체, 정치 상황, 법과 제도, 일부 학술 용어, 심리 검사 등의 모든 요소 역시 허구이거나 현실과 다릅니다.

작중에서 묘사되는 수사 과정은 과장되거나 축소된 점이 있으며, 현실과는 다른 점이 있을 수 있습니다.

본 이야기는 방화, 살인, 자해, 신체 훼손, 아동 학대, 동물 학대, 차별적인 발언, 사회 문제 등을 다룹니다. 필자는 작중에 등장하는 비윤리적인 상황이나 발언 등을 옹호하지 않습니다.

프롤로그 : '그럼에도 불구하고'

유 진은 오늘도 사이코패스 연쇄 살인마를, 인간의 추악함과 잔학함을 마주했다. 하지만 그의 신념은 스러지지 않았다.

자정, 태양 빛이 잠든 시각. 인간이 빚어낸 빛이 감도는 빌딩 숲속 사이의 한 사무실에서, 진은 정신건강의학과 의사와 마주했다. 그가 만난 의사는 형사들의 정신건강을 위한 복지 프로그램을 담당해 온 사람이었다.

의사는 그의 정신 상태를 걱정했다. 훼손된 시신을 매일같이 마주하고, 죄책감이 없는 사이코패스들과 싸우는 사람이 어찌 제정신일 수 있겠는가? 실제로, 강력계의 수많은 형사가 인간에 대한 극단적인 비관론 -인간은 어차피 망가진다- 에 사로잡혀 괴로워하지 않았던가.

그러나, 진은 달랐다. 그는 의사를 향해 단호히 읊조렸다.

"착각하시는 것 같습니다만… 저는 낙관론자가 아닙니다."

전혀 예상치 못한 답에, 의사의 눈이 커졌다. 그는 진을 낙관론자라고 판단했다. 그러나 진이 들려주는 말은 상상조차 하지 못했던 내용이었다.

"저는 그저, 인간에 대한 기대를 버린 것뿐입니다."

진은 인간에 대한 기대를 버린 지 오래였다. 그는 인간이 추악하다는 것을, 세상 그 누구보다 잘 알았다. 마음에 들지 않는다는 이유로 한 집단을 학살하고, 재미있다는 이유로 생명을 죽이는 게 인간이었기 때문이다. 그는 살인을 게임으로 여기는 범죄자들을 너무나 많이 보았다.

“하지만.”

보통이라면 이 대화는 이어지지 않았으리라. 인간은 추악하다는 결론 뒤에 이어질 말이 세상에 있겠는가. 하지만 진은 말을 이어나갔다.

“사람이니까요. 인간이니까.”

의사는 진을 멍하니 바라보았다. 그는 진이 무엇을 말하고자 하는지 이해할 수 없었다.
진은 그런 의사를 향해, 담담히 자신의 의견을 펼쳤다. 그는 친부모한테 버림받았을 때 ‘세상에 믿을 사람 하나 없다’라는 교훈을 얻었다. 하지만 그런 그를 불지옥에서 구한 사람은 난생처음 본 남성이었다. 그를 입양한 사람은 결혼과 출산을 단 한 번도 생각해본 적이 없는 독신주의자 여성이었다. 진은 사람한테 상처받았으나 역설적이게도 사람한테 구원받았다.

“그래서, 그냥 받아들이기로 했습니다. 원래 인간은 추악하면서 아름다운 존재라고.”

불 속에 버려졌던 아이에게 손을 내민 남성과 여성. 진은 그들에게서 희망을 보았다. 인간은 희망이자 절망이었으며, 빛이자 어둠이었다. 그러므로 인간은 가능성 그 자체였다. 진은 인간이 아닌 '인간이 지닌 가능성'을 믿었다. 그렇기에 그 어떤 상황에서도 꺾이지 않을 수 있었다.

"결함투성이이기에, 영원히 발전한다. 제가 생각하는 인간이란, 이런 존재입니다."

진의 두 눈이, 어둠 속에서 불타올랐다.

1. 재회

스산한 가을바람이, 폐공장에서 대치 중인 형사와 건장한 남성을 스쳐 지나갔다. 극악무도한 범죄를 저질러 온 남성은 형사를 잡기 위해 성난 황소처럼 달려들었지만, 형사의 옷자락에 스치는 것조차 버거운 모양새였다. 하지만 남성은 형사를 잡을 수 있다고 굳게 믿는 눈치였다. 그렇지 않다면, 제 몸이 몇 분 전과 다르게 무뎌졌음에도 발악할 리 없었다.
형사는 남성의 움직임이 눈에 띄게 느려졌다는 것을 간파했다. 지금이 기회다. 그는 남성의 손아귀에 잡힐 생각이 없었다. 그래서 지금껏 아슬아슬한 거리를 유지한 것이었다. 하지만 상황이 변했다! 최대한 힘을 아끼기 위해, 절제된 동작으로 남성의 공격을 피해 온 형사가 처음으로 크게 움직였다. 그는 순식간에 남성과의 거리를 좁히더니, 다리에 힘을 실어 남성을 가격했다.
유 진의 공격이 남성의 무릎 뒤에 꽂혔다. 힘이 제대로 실렸는지, 남성은 크게 휘청이며 풀썩 무릎을 꿇었다. 진은 이를 놓치지 않았다. 결국, 남성은 순식간에 제압당했다. 진은 그런 그를 내려다보았다.

'이런 자를 교화할 방법을, 찾을 수 있을까?'

범죄자의 교화. 세상 모든 사람의 염원이자, 형벌의 존재 이유. 이 난해한 주제를 평생의 과제로 삼은 형사가 바로, 유 진(劉 辰)이었다. 어깨선에 닿을락 말락 한 길이의 검은 머리칼을, 낮은 높이로 질끈 묶고 모자가 달린 트렌치코트를 입은 30대 초반의 경찰대 출신 여성 형사. 민첩함과 명석함을 무기로 전장을 누비는 베테랑.

"유 경위!"

어느새 가까이 다가온 목소리에, 진이 뒤를 돌아보았다. 고막을 찢을 듯이 울리는 경찰차의 사이렌 소리, 그를 향해 바삐 다가오는 발걸음 소리. 그리고 자신을 부르는 직속상관 박경일의 목소리. 언제나 모든 일이 끝나갈 무렵에 나타나는 여러 소리가 어지러이 뒤섞여, 진의 귓가에 흘러들었다.

"이, 이게 다 뭐야?! 설마… 또 연장질했냐?"

애석하게도, 경일은 조직폭력배를 상대로 홀로 분투한 진을 걱정하지 않았다. 그의 시야에 두 팔과 두 다리가 멀쩡한 진은 들어오지 않았다. 그저 폐공장에 펼쳐진 아비규환만이 경일의 시선을 사로잡았다. 몰골이 엉망인 폭력 조직의 조직원들. 부서진 가구 여러 개. 마지막으로, 바닥에 나뒹구는 각목 조각까지. 한바탕 집단 난타전이 벌어진 모양새였다. 그 순간, 싸움의 잔재를 바라보던 경일의 머릿속에 의문점 하나가 스멀스멀 기어들었다. 아무리 베테랑 형사라 할지라도, 조직폭력배를 상대로 상처 하나 없는 게 정상인가? 고작 한 명이 저 많은 사람을 상대로?

"설마요. 그냥 자기들끼리 싸우던데요."

경일의 머릿속에 기어든 의문점이 반은 해소된 순간이었다. 하지만 아직 반이 남았다. 대체 어떻게 했길래 저들은 아군끼리 서로 물어뜯었는가.

"이간질했습니다."

당당한 진의 태도에, 경일은 할 말을 잃고 말았다. 이간질이라니. 그것도 형사라는 작자가!

"문제 있습니까?"
"……사이코패스들만 상대하더니, 결국 미쳐 버렸군." 경일이 혀를 끌끌 찼다.
"대체 왜 그런 결론이 나오는 겁니까?"

저를 이상한 사람 취급하는 경일의 태도에, 진은 불쾌했는지 눈을 찌푸리며 반발했다. 그는 범죄 조직을 무너뜨릴, 가장 안전하면서 쉬운 방법을 택한 것뿐이었다. 그렇기에 경일이 내린 말도 안 되는 결론이 불쾌할 수밖에 없었다.
그렇게 두 사람이 서로를 향해 날을 세우는 사이, 형사들과 과학수사대의 수사관들이 현장을 살피기 시작했다.

*

서울경찰청 광역수사대. 진이 몸담은 곳은, 지역과 지역을 넘어서 벌어지는 흉악 범죄를 담당하는 부서이자 '광수대'로 불리는 곳이었다. 진은 광수대의 많고 많은 부서 중, 매우 잔인하거나 난해한 사건을 해결하는 팀에 속해있다. “특수사건전담팀”이라고 불리는, 팀이라고 부르기도 민망한 수사팀에. 팀장 유 진, 팀원 유 진. 우스운 상황이었다.

“그냥 솔직히 말씀하시죠, 윤수현 경위님.”

날이 잔뜩 선 목소리에, 전담팀 회의실로 복귀하던 진이 발걸음을 멈췄다. 경찰이 연루된 사건인가? 그는 호기심에 가던 길을 멈추고, 발걸음을 돌려 소리의 근원지를 향해 걸어가기 시작했다.

“뭐라고 말입니까. ‘내가 죽였습니다, 지금까지 발견된 사람들도 다 내가 죽인 겁니다.’라고 거짓 자백이라도 할까요?!”
“누가 봐도 수상하니까 그러지! 당신이 사이코패스라는 소문, 여기 있는 사람은 다 안다고!”

억울함에 항변하는 수현을 향해 비난이 터져 나왔다. 수현은 오늘 새벽, 시신이 유기된 현장을 최초로 목격한 사람이자 현장 감식을 담당하는 과학수사관들을 호출한 형사였다. 여기까지만 본다면, 새벽에 집을 나선 현직 형사가 사건 현장을 우연히 발견한 것뿐이었다. 그러나 그는 오로지 세 치 혀가 지닌 힘을 이용해 이전에 담당했던 사건의 피의자를 자살로 몰아넣었다는 소문의 주인공이었다. 따라서 형사들의 눈에 비추어진 수현은 수상하다 못해 유력한 용의자이자 사이코패스였다. 물론 소문은 말 그대로 소문에 불과할지도 몰랐으나, 그들은 아니 땐 굴뚝에 연기가 날 리 없다는 말을 굳게 믿었다.

"정말, 그놈의 소문……."

수현이 한숨을 내쉬었다. 그리고 무심한 어조로 말을 이어 나갔다.

"그건 말 그대로 '소문'일 뿐이에요. 맹세컨대, 나는 단 한 명도 해치지 않았어."

형사들이 보기에, 수현의 얼굴에는 망자에 대한 동정이나 안타까움과 같은 감정이 단 한 톨도 비추어지지 않았다. 그런 그의 태도에 주변의 공기가 얼어붙었다. 수현은 자신에게 날아드는 경멸 서린 시선을 묵묵히 받아냈다.

수현은 당당했다. 그는 피의자한테 단 한 번도 폭력을 쓴 적이 없었다. 증거는 충분했고, 조작되지 않았다. 피의자의 자살은, 담당 형사였던 자신을 진흙탕에 빠뜨리기 위한 최적의 행위였을 뿐이었다. 그렇기에 끝까지 악의를 버리지 않은 피의자한테 미안함이나 안타까움을 느낄 이유는 없었다. 소문 때문에 피해를 본 사람은 저였고, 소문의 덕을 본 사람은 자살한 피의자였다. 죄책감을 느껴야 할 사람은 자신이 아니었다.

한편. 복도에 울려 퍼지는 대화를 들으며 열심히 걸어간 끝에, 진은 드디어 낯선 경찰의 실루엣과 마주할 수 있었다. 다른 형사야 누군지 뻔히 알기에 굳이 볼 필요는 없다. 진이 궁금한 것은, 범죄와 연루된 것으로 추정되는 경찰의 얼굴이었다. 그래서 그는 동료 형사들의 뒤로 다가가, 바른 자세로 의자에 앉아 있는 형사의 얼굴을 유심히 뜯어보았다. 당혹감이 밀려온 것은, 그때였다.

'뭐야… 저 사람이 왜 여기에……?!'

그를 처음 만났던 24년 전에도, 지금도. 북유럽처럼 추운 지방에 사는 백인과 동북아시아인의 느낌이 동시에 느껴지는, 수려한 외모의 남성은 전혀 늙지 않았다. 그는 시간의 영향을 일절 받지 않는 것일까. 그때도 지금도 남성은 20대 후반에서 30대 초반으로 보인다. 다른 점이 있다면, 지금은 손에 책을 들고 있다는 것 정도.

진의 시선은 남성의 얼굴에서 떠날 줄을 몰랐다. 그에게 있어 남성은 구원자요, 악몽과도 같은 과거를 떠올리게 만드는 신호탄이었다.

*

24년 전, 해가 완전히 저문 어느 날 밤. 어느새 여덟 살일 때로 돌아간 진이, 화마의 손길이 아직 닿지 않은 방향을 향해 달음질치고 있었다. 어느새 그는 굳건히 닫힌, 잠금장치가 주렁주렁 달린 철제문 앞에 다다랐다. 하지만 철제문에 가까이 다가가지는 못했다. 문 앞을 가로막은 장애물 때문이었다. 장애물의 높이는 성인의 키에 한참 못 미쳤으나, 여덟 살 아이의 키보다는 높았다. 결국, 그는 주변에 있는 창문으로 향했다. 그러나 닫힌 창문 역시 그를 구원해 주지는 못했다. 누군가가 창문과 창틀이 맞닿은 부분에 강력 접착제와 시멘트를 발라놓았기 때문이다. 지금 열려 있는 창문은, 천장에 있는 작은 창문 겸 통풍구뿐이었다.

"살려주세요! 제발 살려주세요!"

진이 열리지 않는 창문을 마구 두드렸다. 하지만 창문은 꿈적도 하지 않았다. 당연한 일이었다. 여덟 살 아이에게 열리지 않는 창문은 큰 난관이었다. 그런 그가 할 수 있는 일은, 그저 손이 빨갛게 물들도록 유리창을 두드리는 것뿐이었다.

우드득.

그때, 육중한 철문에서 굉음이 흘러나왔다. 듣지도 보지도 못한 소리에, 아이는 저도 모르게 고개를 돌려 철제문을 바라보았다.
우드득. 또 한 번의 굉음이 지나갔다. 굳게 잠겨있던 두꺼운 철제문이, 빠르게 우그러들기 시작했다. 마치 손으로 종이를 마구 구기는 것만 같은 광경이었다. 믿을 수 없는 상황에 어린 진은 문을 쳐다보았다. 그의 시선이 닿은 문짝은 종잇장처럼 구겨지며 둥근 축구공과 같은 모양이 되었다.

"괜찮아요?"

낯선 남성의 목소리에, 철제 공으로 전락한 문짝을 바라보던 아이가 퍼뜩 정신을 차렸다. 그러자 무형의 힘을 사용해 철제 공을 오른손 위에 둥둥 띄운 남성이 그의 시선을 사로잡았다. 이를 본 아이는, 남성에게 기이한 능력이 있다는 것을 직감했다. 그리고 자신에게도 저런 능력이 있었으면 좋겠다고 생각했다.

한편, 남성은 한때 난공불락의 철제문이었던 고철 덩어리를 휙 던졌다. 그러고는 무형의 힘을 사용해 출입구를 가로막은 장애물을 순식간에 치워버렸다. 이렇게 범상치 않은 모습을 보인 그는 눈물범벅인 아이를 향해 허겁지겁 달려가, 자세를 낮췄다. 그러자 진을 쫓아 이제 막 거실 문턱을 넘은 불길이 순식간에 사그라들었다. 아이는 제 앞에 나타난 영웅을 멍하니 올려다보았다. 영웅은 큰 키에 하얀 피부 그리고 따뜻한 느낌의 어두운 갈색 머리칼과 홍채를 지닌, 20대 후반에서 30대 초반으로 보이는 미형의 남성이었다. 늘씬한 패션모델을 연상케 하는 체형에, 때 묻지 않은 순수한 분위기까지. 하지만 묘하게 묻어나는 퇴폐미가 매력적인.

살았다. 아이는 안도의 한숨을 내쉬었다. 현실과는 동떨어진 불가사의를 몸소 겪었으나, 아무래도 좋았다. 그저 이곳에서 나갈 수 있게 된 것만으로도 충분했다.

"걱정하지 말아요. 여기서 나가기만 하면 되니까."

아이는 자신을 안아 드는 수현의 온기를 느끼며, 그의 품에 파고들었다. 수현은 그런 아이를 말없이 꽉 안아주었다. 그러고는 발걸음을 옮겨, 자신의 힘이 미치지 않은 방의 불씨를 모두 잠재운 다음 집에서 완전히 나왔다. 덕분에 아이는 마침내 지옥에서 빠져나올 수 있었다. 그는 두 팔로 수현의 목을 꽉 껴안으며, 울창한 나무들과 함께 점점 멀어지는 단독주택을 두 눈에 담았다. 불이 났던 건물은 말이 좋아 단독주택이지, 실질적으로는 외딴곳에 있는 산장에 가까웠다.

지옥의 형태를 충분히 눈에 담은 아이는 눈을 천천히 감았다. 그런 다음, 서늘하면서도 따스한 체온을 위안 삼아 잠에 빠져들었다. 그렇게 한참을 잔 아이는, 폭신한 촉감과 고요한 분위기에 눈을 떴다. 그리고 곧바로 주변을 살펴, 자신이 1인실 침대 위에 누워있다는 사실과 제 곁에 낯선 사람이 있다는 사실을 깨달았다.

"안녕. 널 구해준 남자의 말을 듣고 찾아왔어. 너를 이 병원에 데려다 놓았다고 하더라."

20대 후반의 여성이 따스한 웃음을 지으며 입을 열었다. 그러자 아이가 공허한 눈빛으로 그를 올려다보았다. 여느 8살 아이에게서 절대 찾아볼 수 없는 눈빛이었다. 여성은 그런 아이를 보며 씁쓸함을 애써 집어삼키더니, 다시 입을 열었다. 저와 아이가 있는 장소는 민간 병원이었지만, "국가정보원(국정원)"이 미리 손을 써두었기에 무엇이든 말할 수 있는 상황이었다.

"언니는 국가와 사람들의 안전을 위해, 그림자 속에서 일하는 '국가정보원'의 요원이야." 요원이 국정원 소속임을 증명하는 공무원증을 진에게 보여주며 말했다.
"……말하면 안 되는 거. 뭔지 알 것 같아요. 그러니까, 걱정하지 않으셔도 돼요."

침묵하던 아이가, 드디어 말문을 열었다. 그러자 여성이 복잡한 눈빛으로 아이를 바라보더니, "그렇구나."라고 나직이 대답했다. 이를 끝으로, 둘 사이에 침묵이 내려앉았다. 하지만 이는 얼마 가지 않아, 요원이 입을 여는 것으로 막을 내렸다.

“경기도 도원(桃源)시 소재의 단독주택에서, 방화 사건이 발생했어.”

여성의 말을 들은 어린 진이, 일순간 얼어붙었다. 요원의 입에서 나온 말이, 제가 겪은 일이라는 사실을 직감한 탓이었다.

“다행히, 한 사람 덕분에 혼자 있던 아이는 목숨을 건졌단다.”
“그 애 부모님은요? 누가 불을 지른 거예요?”

아이가 갈라진 목소리로 연달아 질문을 던졌고, 답은 한참 만에 돌아왔다.

“……아이의 부모는 어디에서도 찾을 수 없었어. 그리고 범인은…….” 여성이 마른침을 삼키더니, 힘겹게 문장을 이어 나갔다. “유력한 범인은, 아이의 부모로 추정되는 상황이야. 부모가 아이를 집에 가두고, 도망갈 시간을 벌기 위해서 타이머가 설정된 장치로 집 밖에서 불을 지른…….”

버려졌다. 이 세상에 내 편은 없다. 이어지는 요원의 말을 들으며, 어린 진은 본능적으로 깨달았다. 그의 곁에는 고막을 찢을 듯한 이명(耳鳴)만이 맴돌았다.

*

'초능력이 있는 인간일 거라고 생각했는데. 시간의 영향을 전혀 받지 않은 걸로 봐서는… 인간이 아니라, 불멸하는 초월적인 존재일 수도 있겠구나.'

예상치 못한 재회에, 진은 수현의 목에 걸려있는 경찰 공무원증을 빤히 내려다보았다. 윤수현. 그는 이름 석 자를 곱씹었다. 고마움 그리고 반가움과 같은 따스한 감정들이 밀려들었다.

"무슨 일입니까?"

진이 감정을 억누른 채 입을 열었다. 그러자 수현을 제외한 형사들의 시선이 따갑게 쏟아졌다. 하지만 그는 쏟아지는 적의 속에서도 당당했다. 익숙하기도 하거니와, 이런 것 하나하나에 모두 반응할 필요는 없었기 때문이다. 저들은 물어뜯을 기회만을 노리는 맹수다. 등을 보여봤자 손해 보는 사람은 진 자신이다.

"오랜만이에요, 유 진 경위님."

그 순간, 수현이 쏟아져 내리는 적의를 걷어냈다. 수현은 악의라고는 찾아볼 수 없는, 순수하고 화사한 웃음을 지은 채였다. 진은 그런 수현을 물끄러미 바라보며 생각에 잠겼다.

'나는 저 사람한테 이름을 가르쳐 준 적이 없다. 이름이 적힌 공무원증을 목에 걸고 있지도 않고. 하지만, 저 사람은 내가 누구인지 안다.' 진이 재빠르게 생각을 이어 나갔다. '저 사람이 평범한 인간이었다면, 스토킹을 의심하는 게 타당하다. 그렇지 않은 이상, 24년 전에 구한 이름 모를 아이를 알아보는 건 불가능하니까. 하지만…….'

진은 수현이 평범한 존재가 아니라는 것을 잘 알고 있었다. 그야, 이 세상의 어떤 인간이 두꺼운 철제문을 우그러뜨리는 무형의 힘을 행사하고, 아무런 도구 없이 화마를 가볍게 제압할 수 있으며…… 시간의 흐름을 피할 수 있겠는가? 그렇기에 그는 수현이 기이한 능력을 사용해 저에 대하여 알아냈으리라고 추측했다.

"두 분, 서로 아는 사이입니까?"

진이 순식간에 추리를 마친 그때, 딱딱한 어투가 진의 귓가를 파고들었다. 그러자 진이 입술을 달싹여 무언가 말하려 했다. 하지만, 진보다 수현이 좀 더 빨랐다.

"유 경위님, 경찰대 시절 선배님이에요."

수현이 살포시 웃으며 악의 없는 거짓말로 상황을 이끌었다.

"예. 윤 경위, 제 후배입니다."

진이 침착하게 답하며 지금 이 상황을 타개하기 위해 고민했다. 그는 인간이 아닌 존재로 추정되는 은인에게 묻고 싶은 게 많았다. 하지만 이대로라면 대화는 쉽지 않을 터였다. 수현의 본모습을 알

리 없는 형사들은, 그를 사람을 해친 사이코패스 형사라고 생각하는 게 분명했다. 최악의 경우, 말을 섞기는커녕 접근조차 쉽게 할 수 없을지도 모르는 일이었다. 그러니, 어떻게든 수현의 무고함이 증명돼야 한다. 여기까지 생각이 미치자, 진이 입을 열었다. 그는 확실한 증거가 나올 때까지는 중립을 지켜야 한다고 말할 요량이었다. 그러나 때마침 들이닥친 우군 덕분에, 설득할 필요가 없어졌다.

"윤수현 경위님은 결백합니다! 피해자의 사망 추정 시각에, 윤 경위님은 노숙자들이 모여 사는 곳을 찾아간 것으로 확인되었습니다. 그 사람들이 윤 경위님께 새벽마다 도시락을 받았다고 증언하더군요."

형사는 밝혀진 사실을 줄줄 읊기 시작했다. 그의 말에 따르면 국과수는 수현이 도시락을 옮기는 데 사용한 전기 자동차가 찍힌 도로 CCTV, 도시락 업체 관계자의 목격 증언, 수현의 카드 결제 기록과 스마트폰 GPS 이동 경로 등을 상세히 분석하였다. 그리고 이를 통해 "윤수현은 범인이 아니다."라는 결론을 내놓았다.

이렇게 수현의 무고함이 증명되자, 그를 비난하던 형사의 얼굴이 일그러졌다. 극성맞은 성격인 그는 수현의 호출에 급히 출동하는 감식반의 뒤를 쫓았었고, 얼마 뒤 "사이코패스 형사"라는 소문의 주인공을 단박에 알아보았다. 그는 처음 만난 수현에게 소문을 들먹이며 "솔직히 말해. 네가 한 거지? 너 같은 사악한 사이코패스가 아니고서야, 이런 일을 저지를 만한 사람이 세상에 어디 있다고!"라고 말했다. 이에 수현은 그렇게 의심스러우면 내 알리바이부터 확인해 보라고 대꾸했다. 그렇게 두 형사는 평행선을 달렸다. 결국, 이들의 마찰을 보다 못해 한 사람이 나섰다. 두 형사보다 높은 직위에 있는 형사는 수현에게 "그러니까, 윤수현 경위는 꼭두새벽부터 노숙자들한테 도시락을 나눠주면서 시간을 보냈고. 얼마 뒤 귀가하던 중에 시신을 발견했다는 것 아닌가. 업무 때문에 새벽에 집을 나섰다고 했으면 그러려니 했겠지만… 요즘같이 팍팍한 세상에, 굳이 새벽부터 봉사를? 신빙성이 떨어지는군그래."라고 말했다. 그러자 수현은 "그렇게까지 말한다면, 알겠어요. 결백이 입증될 때까지 광수대에서 대기하도록 하죠. 얼마든지 확인해 봐도 좋아요."라고 말했다. 형사는 당당함을 내비치는 수현을 바라보더니, 그를 범인 취급한 형사에게 "윤 경위의 알리바이가 입증되기 전까지, 자네도 대기하게. 다른 사람들은 저 둘을 지켜보도록."이라는 명령을 내렸다. 이로 인해, 수현을 비난하던 형사도 발이 묶이고 말았다.

이제야 자유를 되찾은 형사는 잔뜩 굳은 얼굴로 수현을 노려보더니, "사이코패스 주제에."라고 말하며 자신의 자리로 돌아갔다. 그러자 다른 형사들도 흥미를 잃고는 자신의 자리로 돌아갔다. 수현은 그런 그들의 뒷모습을 빤히 바라보았다. 불쾌한 일을 겪었는데도, 그는 화를 낼 생각이 없었다. 수현은 화사하게 웃으며 진을 바라보았다.

"오랜만이에요. 오늘부터 특수사건전담팀에서 일할 윤수현입니다."

수현은 깊을 수(邃)에 햇살 현(晛)이라는 글자로 만들어진 이름을 알려주었다. 이름의 주인과 어울리는, 부드러운 글자의 조합이었다.

"유 진입니다. 근데, 어쩌다 전담팀에…?" 진이 작고 낮게 속삭이듯이 말했다.
"경찰청장 눈 밖에 나서, 좌천당했거든요."

아무렇지 않게 웃으며 아주 작은 목소리로 답하는 수현을 보는 진의 시선이 흔들렸다. 저처럼 꺾이지 않으려 애쓰다, 특수사건전담팀에 버려진 사람이 나타났다는 사실이 위안 아닌 위안으로 다가왔다. 진은 수현을 올려다보았다. 그러자 수현이 물끄러미 그를 바라보았다.

"궁금한 게 많아요."

진이 읊조리듯 말하자, 수현이 고개를 끄덕였다. 하지만 문답을 주고받기에는 보고 듣는 사람들이 너무 많았다. 그들은 잠시 눈빛을 주고받았다. 그러고는 인적이 드문 곳을 향해 발걸음을 옮겼다. 진이 앞서 걷는 동안, 수현은 한두 발자국 정도 거리를 둔 채 그의 뒤를 따라 걸었다. 그렇게 얼마나 걸었을까. 사람들이 서서히 사라지고, 두 사람은 아무도 없는 옥상에 다다랐다. 진은 옥상의 문을 단단히 잠근 다음, 목소리를 낮추며 말문을 열었다.

"당신, 그때 날 구해줬던 사람 맞죠? 기이한 능력으로 철제문을 아무렇지 않게 뜯어내고, 순식간에 불길을 잠재웠던!"

"맞아요. 그나저나, 잘 지냈어요? 아픈 데는 없고요?" 수현이 싱긋 웃으며 물었다.
"예. 덕분에 무사히 어른이 될 수 있었습니다."
"당연한 일을 한 것뿐인걸요. 어쨌든, 건강하다니… 정말 다행이네요."

수현의 얼굴과 눈빛에는 안도감과 따스함이 깃들어 있었다. 진은 그런 수현의 시선을 똑바로 받으며 입을 열었다.

"그때나 지금이나…… 다른 사람을 걱정하고 위하는 것도, 그대로군요."
"의사니까요. 습관이에요." 수현이 천진난만한 웃음을 지으며 답했다.

의사라…. 진이 중얼거렸다. 그를 추궁하던 형사들은, 수현을 윤경위라고 부르지 않았던가. 잡힐 듯 말 듯한 이야기에, 진은 상념에 잠겼다. 분명, 수현은 좌천당했다고 했다. 즉 수현의 원래 계급은 최소한 경감이라는 의미이니, 그렇다면 그는…….

"왜요? 나 같은 사이코패스는… 의사하면 안 돼요?"

진을 빤히 보던 수현이, 장난기가 묻은 말을 던졌다. 그러자 진이 수현을 올려다보았다.

"아니, 그게 아니고……."

진이 고개를 저었다. 의사에 대한 그의 신념은 확고했다. 의사는 아무나 해서는 안 된다. 그렇지 않으면 환자가 상처 입으니까. 의사 자격은, 사람을 살리기 위해서라면 뭐든 할 수 있는 사람한테 있는 것이었다. 이를테면, 자신을 구하기 위해 불 속으로 뛰어든 수현 같은 사람 말이다.

"성범죄 감찰팀. 맞죠? 특채로 경감이 된 의사!"

진의 목소리가 낮게 울렸다. 그러자 수현이 일순간 굳었다. 화사하고 천진난만한 웃음만이 깃들던 그의 얼굴에, 처음으로 그림자가 드리워졌다.

"전임 경찰청장을 몰아낸, 현대판 암행어사가… 당신이었다니."

진이 눈을 반짝였다. 그가 말한 "암행어사"란, 조선 시대에 왕의 특명을 받고 비밀리에 지방 관리를 감찰하고 백성을 살피는 임시 벼슬을 이르는 말이었다.
그렇다면, "성범죄 감찰팀"은 어째서 "현대판 암행어사"라고 불리는가? 이는 감찰팀이 암행어사와 유사한 까닭이었다. 감찰팀은 경찰 간부의 성범죄를 단죄하기 위해, 경찰청장의 지시로 만들어진 2인조 소수 정예 수사팀이었다. 이 때문에 감찰팀원의 신원과 감찰팀 회의실의 위치는 업무 특성상 경찰청장만 알고 있으며, 만일 이들의 신원을 누설할 시에는 강력한 처벌을 받게 된다. 이러한 규정은 경찰청장에게도, 감찰팀이 수사했던 사건의 피의자와 피해자들에게도 적용되었다. 그렇기에 감찰팀을 마주한 사람들은, 감찰팀원의 신상을 누설하지 않겠다는 비밀 서약서를 써야 했다. 또한, 감찰팀에서 일한 기록은 경찰청 내부 데이터베이스에서 공식적으로 조회되지 않으며 감찰팀에서 일한 기간의 커리어는 다른 부서에서 일한 기록으로 대체된다. 같은 이유로, 수현이 특채로 경찰 조직에 발을 들였다는 사실 역시 경찰청 내부 기록에서 찾을 수 없으며 그의 경찰 커리어 또한 '그럴듯하게 꾸며진 가짜'이다.

"하, 생각하면 할수록 어이없네. 중립성을 위해 외부 전문가를 팀장으로 임명하기까지 했으면서, 수사하지 말라고 했다니. 말도 안 돼."

진이 쯧, 하는 소리를 내며 혀를 찼다. 세간에 알려진 "성범죄 감찰팀"은 경찰 간부들의 성범죄를 단죄하기 위해, 당시 경찰청장의 지시로 만들어진 수사팀이었다. 하지만 청장의 목적은 성범죄 근절이 아니었다. 감찰팀 설립은, 그저 분노에 휩싸인 여론을 잠재우기 위한 얕은 술책에 불과했다.

경찰청장은 감찰팀을 이끌 팀장 자리에 현직 의사를 앉히겠다고 선언했다. 성범죄 피해자 대부분이 외상을 입는다는 게 이유였다. 게다가 현직 의사라면 경찰 간부와 관련이 없으니, 중립성을 보장받을 수 있었다.

하지만 특별 채용 공고에도, 지원자는 없었다. 청장이 내건 보수가 영 시원치 않았던 탓이었다. 물론 적은 액수는 아니었지만, 의사들의 관심을 끌기에는 부족했다. 그러던 중, '사람을 살리는 것과 다를 바 없는, 의미 있는 일인데… 지원자가 한 명도 없네. 그럼 내가 해야지.'라고 생각한 수현이 지원했고, 그렇게 성범죄 감찰팀의 유일무이한 지원자가 나타난 것이었다. 물론, 지원자의 정체는 경찰청장만이 알고 있었다.

사실, 애매한 액수의 보수는 청장의 계략이었다. 그는 지원자가 없으니, 어쩔 수 없이 감찰팀 설립을 관둘 수밖에 없다고 할 요량이었다. 하지만 지원자가 있다는 사실이 언론에 알려졌으니, 오리발을 내밀 수는 없는 상황이었다.

결국, 경찰청장은 어쩔 수 없이 수현을 감찰팀의 팀장으로 임명했다. 그러나 상황을 대충 넘기려는 생각을 포기한 것은 아니었다. 그래서 수현에게 적당히 수사하고, 적당히 사건을 뭉개라는 명령을 내렸다. 이는 누구에게나 친절한 수현을, 만만하고 이용하기 좋은 멍청이라고 여긴 탓에 생긴 일이었다. 하지만 청장은 몰랐다. 수현의 '상냥함'은 '무력함'이 아니며, 한결같은 웃음의 근원은 멍청함이 아니라는 사실을.

수현이 지닌 상냥함의 근원은 용기였다. 웃음의 근원은 낙관론이었다. 그는 물러터지지도, 멍청하지도 않았다. 오히려 그 반대였다. 수현은 세상이 어떻게 돌아가는지 아주 잘 알고 있었다. 그래서 조직을 좀먹는 암세포를 제거하기 위해, 본명 대신 "성범죄 감찰팀장"이라는 명의로 내부고발을 단행했다. 이로 인해 경찰청장은 파면 위기를 맞았고, 결국 직을 사임할 수밖에 없었다. 그렇게 암세포는 사라진 것처럼 보였다.

"맞아요, 말도 안 되죠? 그런데, 더 말도 안 되는 일이 일어났답니다."

수현이 쓴웃음을 지었다. 그리고 알려지지 않은 진실을 낱낱이 고하기 시작했다. 결과부터 말하자면… 암세포가 잘려 나간 자리에는, 또 다른 암세포가 자라났다. 그만큼 이 나라의 경찰 조직은 부패한 상태였다.

모든 일은 전임 경찰청장의 뒤를 이은 후임, 즉 현직 경찰청장 '김한성'과 그의 친아들 때문에 벌어졌다. 한성의 아들이 성폭행을 저질렀다는 신고를 받은 수현은 망설임 없이 칼날을 겨누었다. 하지만 한성의 방해 때문에, 수현이 쥔 칼은 녹으로 잔뜩 뒤덮였다. 한성은 거액의 돈으로 피해자의 입을 막은 것도 모자라, 피해자가 진술을 번복하도록 만들어 사건을 무마했다. 이로 인해 수현은 경찰청장과 그의 아들을 음해하려 한다는 의심을 샀고, 청장의 아들은 오로지 수현의 경찰 커리어를 망가뜨릴 목적으로 자살을 택했다.

끝은 청장의 격노였다. 그는 수현을 파면하려 했으나, 이내 마음을 바꿨다. 외과 의사 나부랭이를 무리하면서까지 경감 자리에 앉혀놓을 때는 언제고, 인제 와서 파면했다가는 조롱거리가 될 게 뻔했다. 분명 제 식구 감싸기냐는 비난도 날아들 터였다. 게다가 수현은 전임 청장의 업무 태만을 고발한, 익명의 내부고발자였다. 이런 탓에, 한성은 수현 대신 수현의 파트너를 파면하기로 마음먹었다. 하지만 차라리 자신을 파면하라는 수현의 태도에 폭발해, 수현을 경위로 좌천시켰다. 그리고 그가 피의자를 자살로 몰아넣은 사이코패스라는 소문을 퍼뜨리며 "진실을 함구하지 않는다면, 감찰팀의 도움을 받은 피해자들의 신상을 유포할 거야."라고 협박했다. 그래서 수현은 침묵했다. 그렇게 수현은 날개가 꺾인 채 특수사건전담팀에 버려졌다. 부실 수사로 영구 미제가 되어버렸거나, 담당 형사가 수사를 포기한 사건들의 종착지이자 무덤에.

“그런 사연이…….”

저와 비슷한 사연에, 진이 앓는 소리를 냈다. 그러고는 쓴웃음을 지으며 말을 이어갔다.

“정말, 당신도 고생이네요. 좌천만 해도 엄청난 불명예인데, ‘사이코패스 형사’라는 악의 섞인 헛소문까지 따라다니니.”

수현은 진을 물끄러미 바라보았다. 그리고 특유의, ‘눈을 뗄 수 없을 정도’로 매력적인 웃음을 지으며 기묘한 답을 내놓았다.

“100% 헛소문이라고 할 수는 없어요. 반은 맞고, 반은 틀리니까.”

진은 수현의 입에서 나온, 부정도 긍정도 아닌 아리송한 답을 곱씹었다. 그러고는 수현이 말했던 이야기를 기반으로 추측해 낸 사실을 입에 담았다.

“……그러니까. 절반은 사이코패스이고, 절반은 사이코패스가 아니다… 라는 겁니까?”
“네, 맞아요.” 수현이 즉답했다.

진은 침묵했다. 반은 사이코패스라니, 대체 무슨 의미인가. 하지만 스마트폰에서 흘러나온 진동 탓에, 그는 생각을 잠시 멈출 수밖에 없었다. 손을 뻗어 전화기를 확인하는 진의 눈에 박경일이라는 이름 석 자가 들어왔다. 그는 전화기를 귓가로 가져가, 경일과 몇 마디를 나누고는 전화를 끊었다.
그의 손에 들린 휴대전화기는 업무용 겸 개인용이었다. 과거, 경찰들에게는 업무용 휴대전화기가 제공되었다. 하나 이러한 제도는 오래가지 못하고 역사의 뒤안길로 사라지고 말았다. "업무용 휴대전화기"라는 명칭과는 달리, 개인적인 목적에 쓰이는 등 악용된 경우가 너무나 많았기 때문이다.

"일단, 돌아가죠. 계장님 호출이에요."

진이 수현을 향해 말했다. 그러자 수현이 고개를 살짝 끄덕이며 진의 뒤를 따랐다.

*

경일은 자신의 앞에 서 있는 진과 수현을 바라보았다. 진은 여느 때와 같이 무슨 생각을 하는지 알 수 없는 얼굴이었다. 그는 시선을 거둬, 수현을 바라보았다. 형사라기보다는 모델이나 연예인을 연상시키는 잘생긴 외모는 그렇다 치고…… 유니섹스(unisex) 스타일인지 뭔지 하는 흰색 와이셔츠에 검은 끈 모양의 넥타이라. 경일이 눈을 가늘게 뜨며 수현의 늘어진 넥타이를 쳐다봤다. 수현이 직접 리본 모양으로 묶은 것 같았다. 취향 참 독특하군. 그는 고개를 저으며 개인적인 감상을 밀어낸 다음, 진과 수현에게 사건 파일들을 내밀었다. 맨 위에는 수현이 오늘 새벽에 발견한 시신과 관련된 사건 파일이 떡하니 놓여 있었다.

'장기 적출 사건…….'

진이 맨 위에 놓인 파일 표지에, 급히 휘갈긴 듯한 "장기 적출 6"이라는 손글씨를 읽으며 마음속으로 중얼거렸다.
장기 적출 사건은, 경찰 조직의 명운이 걸렸다고 해도 과언이 아니었다. 문제의 사건은 약 2년 전에 처음 발생했다. 피해자들은 인적이 뜸해지는 밤늦은 시간대 혹은 새벽에 '귀가 도중' 납치당했으며, 납치당한 날로부터 며칠이 지난 오전에 인적이 뜸한 골목길에서 나체로 발견되었다. 그것도 온전한 형태가 아니라, 흉부와 복부의 장기가 적출되고 추락으로 인해 온몸이 으스러진 상태로. 여기에 잘려 나간 손발과 목은 덤이었다. 이런 피해자들에게서는, 불법 장기 밀매업자들이 주로 사용하는 약물이 검출되었다. 담당 부검의는 다양한 사실을 고려한 끝에, 피해자는 장기 적출 때문에 사망했으며 사후에 손발과 목이 잘려 나갔다고 판단했다. 또한 온몸이 으스러진 것은, 목과 손발이 잘려 나간 이후라는 의견을 내놓았다. 이에 경찰은 장기 밀매업자들, 즉 '장기 밀매 조직'이 벌인 일이라고 여기며 수사를 진행했으나…… 얼마 가지 않아 난항을 겪었다. 이는 범인들의 주도면밀한 움직임 때문이었다. 그들은 납치한 피해자를 도용한 명의로 빌린 렌터카와 훔친 자동차에 태운 직후, 피해자의 휴대전화 전원을 껐다. 그리고 CCTV의 사각지대와 차량 통행량이 적은 지역을 골라서 다니는 것도 모자라, 피해자를 태운 차량을 바꾸기까지 했다. 물론, 살해당한 피해자를 유기할 때도 같은 과정을 거쳤다. 이런 탓에, CCTV와 인근 자동차에 설치되어 있던 블랙박스 등을 이용한 동선 추적은 무용지물이었으며 그 누구도 범인들의 아지트를 알 수 없었다. 또한 워낙 인적이 뜸한 시간대에 벌어진 일이었기에 납치와 시신 유기가 이루어지는 상황을 목격한 사람이 없었다. 피해자들의 소지품이 그 어디에서도 발견되지 않는 상황도, 범인으로 추정되는 자의 DNA와 지문 등이 전혀 발견되지 않았다는 점도 수사의 진전을 방해하는 수많은 요소 중 하나였다.

결국, 경찰은 이 나라의 장기 밀매업자들을 모조리 소탕하는 방법을 선택했다. 그러자 더는 피해자가 나오지 않았다. 이에 경찰과 검찰은 "장기 적출 사건"의 종결을 당당히 선언했다. 하지만… 이로부터 약 1년 뒤. 장기 적출 사건이 모두의 기억에서 잊힐 무렵, 그러니까 오늘. 검경의 선언은, 광수대 첫 출근을 앞둔 수현이 시신을 발견함과 동시에 무참히 퇴색됐다.

"윗선에서 빨리 해결하라고 난리다. 그러니, 어떻게든 알아서 해봐."

경일이 사건 파일을 바라보는 진을 향해 말했다. 그리고 "이번에도 지원은 기대하지 마."라는 말을 덧붙였다. 그러자 진이 얼굴을 잔뜩 찌푸리며 불쾌함을 표출했다.

원래 살인 사건에는 공소시효가 있었기에, 법이 정해놓은 기간 안에 범인을 잡지 못하면 처벌을 할 수 없었다. 하지만 세상이 바뀌었다. 살인 사건에 공소시효가 웬 말이냐는 여론에 국회의원들이 움직였고, 결국 공소시효 제도는 폐지됐다. 이로 인해 형사들은 눈코 뜰 새 없이 바쁜 나날을 보내야 할 운명이었다. 하지만 이전보다 바빠진 사람은 유 진 한 명뿐이었다. 형사들은 과거 사건들을 바로잡는 대신, 수사 기록이 담긴 서류들을 특수사건전담팀으로 보내느라 바빴다. 그러면서 지금 일어나는 사건을 해결하는 것만도 벅차다는 허울 좋은 변명으로 진의 속을 긁어놓았다. 그들은 그저, 서울경찰청장의 눈 밖에 난 진과 거리를 두고 싶은 것뿐이었다. 참으로 기만적이기 짝이 없는 태도였다.

"그거, 다 핑계 아닌가요?"

조용히 분노를 태우던 진과 달리, 수현은 천진난만한 웃음을 지으며 입을 열었다. 그의 악의 없는 웃음이, 예리한 칼날이 되어 경일을 후벼팠다. 그러자 경일은 잔뜩 굳은 얼굴로 그를 노려보았다.

"됐어요. 내가 능력이 없는 것도 아니고."

진이 수현과 경일의 신경전에 끼어들었다. 그는 손을 뻗어 경일이 내민 서류들을 낚아챘다. 그러고는 그대로 홱 돌아섰다. 여태껏 혼자 잘 해왔다. 혼자 몸부림치는 것도 익숙해졌다. 그는 눈을 천천히 감았다 뜨며 발걸음을 옮기기 시작했다. 특수사건전담팀으로, 내가 있어야 할 자리로. 진의 뒷모습이 서서히 작아졌다. 그런 그의 등을 물끄러미 바라보던 수현 역시, 조용히 뒤따라 걷기 시작했다. 그들의 발소리가 형사들의 말소리에 스며들었다.

얼마 지나지 않아, 진과 수현의 발걸음이 멈췄다. 진은 전담팀 회의실의 문을 열고 안으로 들어갔다. 그러고는 서류를 책상 위에 던지듯이 올려놓았다. 그러자 서류가 책상 면을 타고 스르륵 미끄러졌다.

'됐어. 미덥지 못하고 비협조적인 수십, 수백 명보다…… 협조적이고 믿을만한 한 사람이 나아.'

진이 이를 악물며 분노를 삭였다. 그때, 전담팀 회의실의 문이 닫히는 소리가 났다. 뒤늦게 따라온 수현이 들어오며 낸 소리였다. 진은 그를 보기 위해 뒤돌아보았다. 그러자 수현이 조심스레 회의실의 문을 닫는 모습이 눈에 들어왔다.

"…아까, 나한테 선배라고 했죠? 나보다 훨씬 더 오래 살았으면서, 왜 그랬어요? 후배라고 해도 됐잖아요."

진이 갑작스레 떠오른, 사소한 궁금증을 꺼냈다. 그러자 수현이 눈을 동그랗게 뜨며 이해할 수 없다는 듯이 답했다.

"경찰 경력만 따지면, 경위님이 선배일 텐데요?"
"그건……." 진이 감찰팀의 발족일과 자신의 경찰 생활이 시작된 날을 떠올린 다음 말을 이었다. "맞는 말이기는 한데……."
"그렇죠? 그러니까, 남들 앞에서는 후배 취급해 줘요." 수현이 싱긋 웃었다.
"후배 취급이라니요?"
"반말이 듣고 싶다는 뜻이에요."
"후배 취급하고 말 놓는 거 하고, 무슨 상관인지 모르겠습니다만.” 진이 어이없어했다.
“그, 그게. 나한테 반말하던 친한 선배님들이, 오래전에 다 돌아가셨거든요. 경위님을 보니까, 왠지 모르게 그 선배님들이 생각나서. 어떻게, 안 될까요?”

간절함이 담긴 말이 쏟아지자, 진은 짧게 앓는 소리를 내며 고민에 빠졌다. 이렇게까지 간절히 애원하는데, 매몰차게 거절하기에는 양심이 콕콕 찔려왔다. 게다가 수현은 자신의 목숨을 구한 은인이 아닌가. 결국, 진은 내키지 않았으나 수현의 청을 들어주기로 하였다.

“……그렇게까지 말한다면, 좋아요.”
“고마워요! 나는 이 말투가 익숙하니까, 경위님만 말 놓으면 돼요.”

수현의 말에, 진이 한숨을 내쉬었다. 그러고는 잠시 생각에 잠기더니, 또 다른 질문을 끄집어냈다.

“너… 신이야? 불로불사에 전지전능. 뭐 그런 거야?”
“불로불사인 건 맞지만, 전지전능하지는 않아요.”
“뭐? 그럼 나를 어떻게 알아본 거야? 내 이름은 또 어떻게 안 거고?” 진이 표정을 구겼다.
“아, 그건… 며칠 전에 국정원 요원이 알려줬어요. 어떤 상황에서 재회하게 될지 모르는 데다가, 경위님이 나를 보고 어떻게 반응할지도 모르니… 만일을 대비해서 경위님의 이름하고 직급, 경찰대 졸업 시기 정도는 알고 있으라던데요."

수현이 싱긋 웃으며 답했다. 그러고는 자신이 어떤 존재인지 설명하기 시작했다. 그는 자신을 "늙지도 죽지도 않는 것만 빼면, 평범한 인간"이라고 했다. 하지만 설득력이 떨어지는 이야기였다. 애초에 불로불사인 인간이 평범할 리 없었다. 여전히 해결되지 않은 의문에, 진은 그에게 이것저것 물었다. 이에 수현은 "나는 많은 것을 할 수 있어요. 하지만, 반대로 못 하는 것도 많아요. 예를 들자면, 시간에 간섭하거나 죽은 사람은 살려내는 건 불가능해요. 정신질환을 치료할 수도 없고, 타인의 정신에 간섭할 수도 없어요. 나를 포함한 사람들의 외형을 바꾸거나, DNA를 조작할 수도 없고요. 미래를 예지하거나 과거를 읽어낼 수도 없죠."라고 차분히 말했다. 그리고 "나를 제외한 대상에 영향을 끼치는 데는 조건이 있어요. 일단, 목표물을 확실히 인지해야 해요. 그리고 그 목표물이 내 시야에서 벗어나면 안 되고요. 공간과 공간을 잇는 '차원 문'을 여는 것도, 목적지의 주소를 알아야만 할 수 있어요."라는 말과 "나도 이 행성의 사람들처럼, 공부하지 않으면 모르는 것투성이예요. 왜냐면, 내게 '모든 것을 아는 지혜의 눈' 같은 건 없거든요."라는 말을 덧붙였다.

진은 그제야 수현의 말을 이해할 수 있었다. 수현은 모두를 행복하게 하거나 구원할 수 없었다. 그 역시, 다른 사람들과 마찬가지로 과거를 짊어진 채 현재를 살아가는 존재였다. 여기까지 생각을 마친 진은 다시 사건에 집중하기로 했다. 그는 손을 뻗어 "장기 적출 6"이라고 적힌 서류를 집어 들며, 표지를 펼쳤다. 그러자 수현이 조금 더 가까이 다가와 서류에 시선을 주었다.

'나체로 발견된 신원 미상의 남성. 오늘 새벽 4시 무렵 인적이 뜸한 골목길에서, 현직 형사 윤수현에 의해 발견. 사망 추정 시각은 어제 새벽 1시에서 2시 사이. 발견 당시, 목과 손발이 잘려 나간 상태였으며 흉부와 복부의 장기가 적출된 것으로 추정됨. 장기 적출로 인해 목숨을 잃은 상황으로 보이며, 온몸이 으스러진 것은 사후 추락 때문으로 보인다. 손발과 목이 잘린 시점 역시 사후. 소지품은 발견되지 않았고, 범인으로 추정되는 자의 DNA나 지문도 없었음.'

진은 정보를 간략히 정리해 마음속으로 읊었다. 그리고 서류철 안에 있던 현장 사진들과 부검 당시 촬영한 사진들을 한 장도 빠짐없이, 꼼꼼히 살폈다. 물론 현장에 있던 수현 역시, 사진을 살폈다.

"……이런. 빠진 게 하나 있네요?"

수현이 입을 달싹이자, 진이 고개를 들어 수현을 바라보았다. 수현은 그런 진을 바라보면서, 오늘 새벽에 보았던 시신 유기 현장을 떠올리며 말을 이었다.

"시신 유기 현장 주변의 건물 중, 3층보다 높은 건물은 없었어요. 반면에, 시신은 5층보다 훨씬 높은 고층 건물에서 추락한 것 같은 모양새였고요."
"그렇다면…… 사후 추락은, 시신 유기 현장 주변의 건물이 아닌 다른 곳에서 이루어졌겠네."

진이 고개를 끄덕이며 대꾸했다. 그러고는 손을 뻗어, "장기 적출 1"이라고 적힌 서류를 집어 들었다. 여섯 번째 사건인 "장기 적출 6"과는 다르게, 첫 번째 사건을 기록한 서류는 꽤 두꺼웠다. 그가 서류 표지를 넘기자 철해진 자료들이 눈에 들어왔다. 부검 당시의 사진과 시신 유기 현장을 촬영한 사진이, 진과 수현에 의해 차례로 해체되기 시작했다. 어느새 책상 위는 과거의 흔적들로 가득 찼다.

첫 번째 피해자의 이름은 한가온. 사망 당시 21세, 여성. 전과 없음. 흉부와 복부의 장기 적출로 인해 목숨을 잃은 상황으로 보이며, 사후 추락으로 인해 온몸이 으스러진 것으로 추정. 알몸인 상태로 발견됐으며 사후에 목과 손발이 잘려 나갔다. 밤늦은 시간에 귀가 도중 납치당했고, 납치 이틀째 되는 날 오전에 인적이 뜸한 골목길에서 발견. 시신 유기 현장 주변의 건물 중, 3층보다 높은 건물은 없음. 그의 소지품이 어디에 있는지는 여전히 미스터리이며, 범인의 DNA와 지문 역시 발견되지 않음.

진은 수현과 함께 계속해서 서류를 읽어 나갔고, 얼마 뒤 모든 서류를 다 읽을 수 있었다. 첫 번째 사건부터 여섯 번째 사건까지의 살해 방식, 시신이 유기된 장소의 특징, 시신을 훼손한 방식 등이 모두 같았다. 필시 동일범의 소행이다. 진이 이를 악물었다. 반드시 네 놈들을 잡을 거다. 외면받거나 떠넘겨진 사건은 특수사건 전담팀 소속인 내 소관이니까. 그가 중얼거렸다.

"내 생각은 이래."

진이 자신의 생각을 수현에게 말하기 시작했다. 그는 일련의 사건이 장기 밀매를 위한 적출 과정에서 피해자가 목숨을 잃은 ‘치사’ 사건이 아닌 사람을 죽이기 위해 장기를 적출한 ‘연쇄 살인’이며, 장기 적출이라는 행위는 수사에 혼선을 주기 위한 장치일 뿐이라고 확신했다. 만일 장기 밀매업자들의 소행이었다면, 대대적인 단속이 끝난 지금… 추가 피해자가 나오지 않았으리라. 하지만, 경찰을 비웃듯이 새로운 피해자가 모습을 드러냈다. 그러니 장기 밀매 조직이 벌인 짓이라는 추측은 버리고, 다른 범죄 조직이 벌인 계획 살인이자 연쇄 살인일 가능성에 무게를 두는 것이 옳다. 또한, 여태껏 벌어진 사건들이 계획 살인이자 연쇄 살인이라면 범인이 피해자를 고른 이유가 분명히 있으리라. 진은 그리 생각했고, 그래서 그 이유를 찾을 생각이었다. 여기까지가, 진의 입에서 흘러나온 설명이었다.

한편, 설명을 마친 진에게서 강인한 의지를 느낀 수현은 천천히 눈을 깜빡였다. 모두가 외면한 사건을 붙잡는 것은 아무나 할 수 있는 게 아니다. 하지만 대부분은 진의 의지를 비웃어 넘겼으리라. 그를 대하는 경일과 형사들의 태도만 보아도 뻔하지 않은가. 그러나 수현은 달랐다. 그는 올곧은 답을 붙잡기 위해 몸부림치는 것이 얼마나 어려운지 잘 알았다. 숨 쉬는 것조차 버거운 세상에서, 두 다리를 딛고 똑바로 서는 것도. 한결같이 나아가는 것도. 모두 초인적인 행위였다. 그러나, 역설적이게도 이는 인간의 영역이었다. 신(神)도, 영웅도, 성자도 아닌 보통 사람이 할 수 있는 일이었다. 수현은 끊임없이 뻗어나가는 생각의 뿌리를 정리하고는, 입을 열었다.

“알겠어요. 그럼, 우리… 시신 유기 현장하고 국과수에 가는 거죠? 경위님은 사건 현장과 피해자의 시신을 직접 보지 못했으니까요."

*

"경위님. 나하고 다니면 안 불편해요?"

조수석에 앉은 채 밖을 보던 수현이 진을 향해 물었다. 질문에 담긴 의도는 뻔했다. "피의자를 자살로 몰아넣은 사이코패스"라는 소문의 당사자와 같이 다녀도 되겠냐는, 나름의 걱정이었다.

"상관없어."

망설임이라고는 찾아볼 수 없는 어투에, 수현이 그를 물끄러미 쳐다보았다. 그러자 진이 담담하게 말을 이어 나갔다.

"어차피 헛소문일 뿐이잖아. 그리고, 네가 정말 나쁜 사람이었다면… 나를 구하지 않았겠지. 파트너를 지키기 위해 나서지도, 피해자의 안위를 위해 오명을 뒤집어쓰지도 않았을 거고. 물론, 노숙인한테 도시락을 주지도 않았을 테지."

대부분의 평범한 사람은, 목숨을 앗아가려고 작정한 불길 속으로 몸을 던지지는 않는다. 하지만 수현은 뛰어들었다. 아무리 죽지 않는다고 해도, 가진 것이라고는 목숨뿐인 아이를 구하기 위해 손을 내밀었다. 분명, 보답을 바라고 한 일이 아니었다. 진은 그리 생각했다.

생각을 마친 진은 수현의 입에서 나왔던 알쏭달쏭한 이야기를 곱씹었다. 수현은 자기 자신을 '반은 사이코패스'라는 식으로 말했다. 그가 거짓말을 할 이유는 없었기에, 진은 의문을 잠시 접어두기로 했다. 조만간 물어볼 기회가 생길 것이다.

"그러니까, 주변에서 뭐라 하든 상관없어. 난, 내가 직접 본 것만 믿어."

진의 대답에, 수현이 살포시 웃었다. 진은 그런 수현을 흘끗 보았다. 그러자 일순간, 수현의 시선과 마주쳤다.

"경위님은 어쩌다가 전담팀에 오게 된 거예요?"

수현이 아픈 기억을 들쑤시자, 진은 저도 모르게 찌푸렸다. 그러자 그가 급하게 덧붙였다.

"얘기하기 싫으면, 안 해도 돼요."

진은 입술을 깨물었다. 그리고 자신을 만류하는 수현에게 덤덤히 과거를 풀어놓기 시작했다. 당시 부득이한 사정으로 파트너 없이 지내던 때에, 서울경찰청의 우두머리라는 작자가 뇌물을 받았다는 제보를 입수한 것부터 뇌물 수수죄를 입증할 증거를 찾지 못해 결국 전담팀으로 쫓겨난 이야기까지. 그는 하나도 빼놓지 않고 낱낱이 털어놓았다. 그렇게 수많은 살인 사건을 해결한 스타 형사의 몰락사(史)가 공중에서 흩어졌다.

“경위님도… 나랑 똑같네요?”
“그래. 말 더럽게 안 들어서 눈 밖에 났지. 좌천은 피했지만, 진급이 밀렸고.”

그들이 서로에 대해 조금씩 알아가는 동안, 마침내 진의 전기 자동차가 스르륵 멈춰 섰다. 이렇게 시신 유기 현장에 도착한 그들은 약속이라도 한 듯 사적인 이야기를 잠시 미루어 둔 채, 현장을 살폈다. 전담팀을 나서기 전에 확인했던 “장기 적출 6”이라는 제목의 서류 속에 없는 단서가 있을지도 모른다는 희망을 품은 채로. 하지만 새로우면서도 영양가 있는 단서는 끝끝내 찾을 수 없었다. 이에 진과 수현은 현장에서 물러나, 흔히 “국과수”라고 불리는 “국립과학수사연구원”으로 향했다. 그러고는 곧바로 신원 미상자의 시신이 있는 시신 보관실로 향했다. 보관실 안은 싸늘했다. 하지만 진과 수현은 개의치 않고 부검이 끝난 피해자의 시신을 살폈다. 담당 부검의의 손길이 닿은 상태였기에, 시신은 어느 정도 수습이 된 상태였으나… 훼손이 워낙 심했던 탓에, 완벽히 수습했다고 하기에는 힘든 모양새였다.

“높은 곳에서 떨어진 사람은… 언제 봐도 처참하네요.”

수현의 말에, 진이 말없이 고개를 끄덕였다. 그러고는 팔짱을 끼며 잠시 생각에 잠기더니, 이내 수현을 똑바로 바라보며 입을 열었다.

“장기 적출과 사후 추락. 같은 장소에서 일어났다고 생각하는데. 어때?”
“나도 그렇게 생각해요. 장기를 적출한 장소와 시신을 떨어뜨린 장소가 다르면, 들킬 위험만 커지니까요. 물론…… 일이 벌어진 장소는 범인들 소유의 건물일 테고요.”

수현이 문장을 끝맺자, 두 사람 사이에 오가던 목소리가 멎었다. 하지만 그들의 생각은 멈추지 않고 이어졌다. 둘은 이전 수사팀의 앞을 가로막았던 “이미 죽은 사람을, 왜 높은 곳에서 떨어뜨린 뒤에 유기했는가?”라는 질문 앞에 다다랐다. 하지만 진과 수현이 내놓은 답은, 이전 수사팀이 내놓은 “나를 잡아보라는, 경찰 조직을 향한 도발이자 피해자에 대한 모욕이 분명하다.”라는 답과 거리가 멀었다.

“……암매장하는 게 더 나았어.”

진이 한참 만에 입을 달싹였다. 그러자 수현이 고개를 살짝 끄덕이며 한 마디 얹었다.

“네. 아니면 염산 통에 넣은 다음, 몰래 처리하는 것도 나쁘지는 않죠.”
“하지만 범인은 시신을 ‘굳이’ 높은 곳에서 떨어뜨리고, 유기했지. 즉, ‘높은 곳에서 떨어뜨리는 의식’과 ‘시신 유기’를 반드시 해야만 하는 이유가 있다는 거야.”

그 순간, 진의 코트 주머니에서 진동음이 울렸다. 이에 진은 스마트폰을 꺼내 들어 전화를 받았고, 국과수의 감식 담당자에게서 피해자의 이름이 이동건이라는 정보를 전달받았다. 또한 동건이 실종되었다는 신고가 실질적으로 두 번이나 있었다는 사실도 전달받았다. 첫 실종 신고는 어제 오전 10시 28분. 동건의 직장 동료들은 동건이 단 한 번도 결근하거나 지각한 적이 없어, 무슨 일이 생긴 게 분명하다며 경찰에 연락을 취했다. 하지만 경찰은 동건이 29세 남성이라는 말을 듣고, 단순 가출일 가능성이 크다며 기다려 보라는 말과 함께 전화를 끊었다. 그렇게 시간이 흐르고, 오늘. 장기 적출 사건이 다시 시작되었다는 소식이 언론을 타고 퍼지자, 두 번째 신고가 접수되었다. 신고자는 역시나 동건의 직장 동료였다. 경찰은 어제와 달리 신고를 무시하지 않았다. 아니, 무시할 수 없었다.

새로운 단서가 모습을 드러내자, 진과 수현은 수사 방향을 결정했다. 지금까지 장기 적출 사건을 수사한 수사팀은, 장기 적출 사건을 이름 그대로 '단순 납치 후 장기 적출'이라고만 생각했다. 이런 탓에, 피해자들의 일생이나 인간관계를 조사한 적이 없었다. 또한, 피해자의 동선을 분석해서 범인을 잡으려 했으나 결국 실패했다. 이러한 사실에 주목한 두 명의 형사는, 동건의 동선을 파악하는 과정을 과감히 생략하고 피해자들의 과거와 인간관계에 대해 자세히 알아보기로 했다. 과거에 실패했던 수사법을 굳이 답습할 필요는 없었으므로.

시신 보관실에서 나온 진과 수현은 기록을 통하여 동건에게 전과가 없다는 사실과 그가 살해당한 것을 제외하면 범죄 피해를 당한 적이 없다는 정보 그리고 그가 각종 사건이나 사고에 관련된 적도 없다는 정보 등을 확인했다. 그들이 이어서 살핀 기록에 따르면, 다른 피해자들 또한 피살된 점을 제외하고는 범죄 피해를 입은 적이 없었으며 각종 사건이나 사고에 관련된 적도 없었다. 이렇게 기본적인 정보를 손에 넣은 두 형사는 먼저 동건의 과거와 인간관계를 알아보기로 하며 동건의 아버지를 찾아 나섰고, 얼마 뒤 그를 만날 수 있었다. 남성은 제 아들이 무엇을 좋아했는지, 취미가 무엇이었는지와 같은 이야기를 진과 수현에게 상세히 풀어놓았다. 그리고 "어릴 때부터 의사를 꿈꾸던 동건이는, 학교 동아리에서 작은 동물이나 곤충을 해부하며 생물학에 정을 붙였고 마침내 꿈에 그리던 의대에 입학했지요. 그러던 어느 날, 갑자기 자퇴하겠다는 말을 꺼내더군요. 그래서 이유를 물었더니, '해부학 실습 시간이 지옥 같다. 지금까지 해 왔던 동물 해부와는 차원이 다르다. 도저히 못 버티겠다.'라는 답을 들었습니다. 그렇게 꿈을 포기한 동건이는, 다른 대학의 경영학과에 입학했고 졸업한 뒤 평범한 직장인으로 살아왔습니다. 하지만 의사라는 직업에 대한 동경과 미련은 버리지 못한 것 같더군요."라는, 추측이 섞인 증언을 덧붙였다.

그로부터 얼마 뒤, 진과 수현은 이동건 아버지의 협조를 받아 동건이 살던 원룸에 발을 들일 수 있었다. 수현은 책장을 한 가득 채운 의학 관련 서적을 찾아냈고, 책의 출판일이 십여 년 전부터 최근 사이라는 사실을 알아냈다. 이에 두 사람은 이동건 아버지의 추측이 타당하다는 판단을 내렸다. 그런 다음 비밀번호가 설정되지 않은 컴퓨터를 뒤져, 동건이 게임 커뮤니티와 주식 그리고 암호화폐 등의 투자 사이트를 들락거렸다는 사실을 확인했다. 이렇게 피해자에 대한 정보를 수집한 두 형사는, 새로운 단서를 찾아 다시금 발걸음을 옮겼다. 다음 차례는 동건의 동창들과 직장 동료들이었으므로, 두 사람은 잠시 흩어지기로 했다.
그렇게 시간은 흐르고, 어김없이 날이 저물었다. 탐문을 마친 진과 수현은 얻은 정보를 교환하기 위해 전담팀 회의실로 돌아왔다.

"이동건 씨의 직장 동료들은, 하나같이 이동건 씨가 성실하고 착하다고 했어요. 배려심 깊고, 약속 잘 지키고, 예의 바르고. 신고했던 대로 지각이나 결근을 단 한 번도 하지 않았던데요?"

수현이 테이블 앞 의자를 끌어내 앉으며 운을 뗐다. 이에 진 역시 의자를 뒤로 빼 앉았다.

"……그래? 내가 들은 말과는 다르네?"

진이 눈살을 찌푸리며 답했다. 그러자 수현이 대체 무슨 일이냐는 표정을 지었고, 이를 본 진은 자신이 보고 들은 바를 낱낱이 입밖에 냈다.

"이동건. 초등학교 때, 잦은 지각에 같은 반 친구를 때리고 물건을 훔치는 건 일상. 그래서 부모가 매일 같이 찾아와 담임 교사한테 사정하고, 피해 학생과 보호자들 앞에서 무릎 꿇고 사죄하며 '한 번만 용서해달라, 아이 때문에 피해 본 건 모두 배상하겠다'라는 말을 달고 살았다지?"

진이 잠시 말을 멈추고 작게 쯧, 하며 혀를 찼다. 그러고는 말을 이어 나갔다.

"하지만 중학교 때부터는 얌전히 지냈더라고. 문제를 일으킨 적이 단 한 번도 없었어. 의대 자퇴를 선언하기 전까지는. 아니, 자퇴 선언이 아니라… 동급생을 성폭행하기 전까지는 말이지."

"……자퇴가 아니라, 자퇴를 가장한 퇴학이었던 거예요?!"

"맞아. '학교의 명예'를 위해, 학교가 앞장서서 피해자의 입을 막았어. 피해자에게 '졸업할 때까지 전액 장학금'을 주는 대가로."

진이 말을 마치자, 수현의 얼굴에 불쾌감이 떠올랐다. 사람을 살리는 데 앞장서야 할 인재를 키우는 학교가, 범죄를 덮는 데 급급했다니. 부조리하고 참담하기 짝이 없는 일이었다.

진과 수현은 동건의 아버지에게 연락해 말하지 않은 진실을 추궁했다. 그러자 동건의 아버지가 한숨을 내쉬며, 동건의 초등학생 시절 이야기를 들려주었다. 그러고는 떨리는 목소리로 "부끄러운 이야기라, 차마 말할 수 없었습니다. 죄송합니다. 다만, 못난 아들놈이 대학생 때 그런 일을 저질렀다는 건… 처음 듣습니다. 믿어주십시오."라고 말해왔다. 이에 진은 "초등학생 때 무슨 일이 있었길래, 이동건 씨가 얌전해진 겁니까?"라고 물었고, 동건의 아버지는 "아이가 걱정돼, 정신과 진료를 받은 적이 있었습니다. 아이가 아직 어리니, 지켜보자고 하더군요… 그 이후로는, 문제를 일으키지 않아서 '드디어 철이 들었구나'라고 생각했습니다."라고 증언했다.

'순수한 탐구심을 채우기 위한 동물 해부가 아니라, 동물 해부를 가장한 동물 살해 같은데…….'

진은 화면이 꺼진 스마트폰을 만지작거리며 침묵했다. 그가 잡아들인 사이코패스 살인자들은, 어린 시절에 살아있는 동물을 해친 적이 있었다. 이런 탓에, 진은 사이코패스 살인자의 어린 시절을 마주한 것만 같은 기분에 사로잡혔다.

"경위님. 이동건 사건은 여청계에 맡기는 게 어떨까요?"

그런 그에게, 수현이 조심스레 제안을 건넸다. 성범죄는 수사와 피해자의 심리 치료를 병행해야 한다. 하지만 지금의 그는 성범죄 감찰팀의 수장이 아닌 특수사건전담팀의 형사여서, 심리 치료와 같은 도움을 줄 수 없다. 그렇기에, 여청계라고 불리는 "여성청소년계"에 인계하자고 제안한 것이다. 여청계는 성범죄 피해자의 심리 치료 등 사후 대책을 담당하는 "해바라기 센터"와 협업하므로… 이동건 사건의 피해자에게는 안성맞춤일 터였다. 이에 진은 흔쾌히 찬성했고, 수현은 스마트폰을 꺼내 들어 여청계의 대표 번호를 입력한 다음, 전화를 받은 여청계의 계장에게 사정을 설명했다. 그러자 계장은 수현의 부탁을 수락하며 즉시 성범죄 수사에 착수하겠다고 말했고, 수현은 감사하다는 말과 함께 통화를 마쳤다.
그 순간, 날카로운 진동음이 침묵을 깨부수었다. 소리의 근원지는 진의 스마트폰이었다. 이에 그는 코트 주머니에서 스마트폰을 꺼내, 불빛이 감도는 화면을 수놓은 "박경일"이라는 이름을 보며 전화를 받았다. 그러자 경일의 이죽거리는 목소리가 스피커를 뚫다 못해, 옆에 앉아 있던 수현에게 가닿을 정도로 크게 울려 퍼졌다.

"그래. 아직도 살아있나?"

“계장님께서 언제부터 저를 걱정했다고 이러십니까?”

진이 잔뜩 찌푸리며 반박했다. 그러자 스피커 너머에서 매서운 조롱이 흘러들었다.

“몇 년 동안 파트너 없이 살더니, 피도 눈물도 없는 악마 놈과 같이 다니는 것만으로도 감지덕지한 모양이지?”

경일의 말에, 진이 수현을 쳐다보았다. 경일의 조롱을 빠짐없이 들은 수현은, 진을 똑바로 바라보고 있었다. 진은 그런 그의 시선을 올곧은 눈빛으로 마주하며 입을 열었다.

“말씀이 심하십니다, 계장님. 윤수현은 그런 사람이 아니에요.”

굳은 믿음이 담긴 목소리에, 경일이 침묵했다. 그렇게 전화기를 매개로 전운이 섞인 침묵이 감돌았고, 얼마 뒤 경일이 차가운 웃음을 터트리며 입을 열었다.

“세 치 혀로 사람을 파멸시키고, 법망을 유유히 빠져나간 놈이… 뭔들 못 할까.”

경일의 목소리가 끊기며, 전화가 뚝 끊겼다. 이에 진은 침음하며 스마트폰을 꽉 쥐었다. 그런 진을 물끄러미 바라보던 수현은 한숨을 내쉬었다. 그리고 자리에서 일어나 의자를 테이블 밑으로 밀어 넣은 다음, 진을 바라보았다.

"경위님."

수현이 나긋한 말투로 진을 불렀다. 그러자 진이 그를 살짝 올려다보았다.

"이만 가볼게요. 내일은, 첫 번째 피해자인 한가온에 대해 알아봐요."

말을 마친 수현이, 싱긋 웃으며 고개 숙여 인사했다. 그러자 진은 입술을 달싹였다. 모든 사람이 너를 손가락질해도, 나는 너를 내치지 않을 거야. 하지만 소리를 입 밖으로 끄집어내지는 않았다. 그는 그저, 떠나는 수현의 뒷모습을 바라보며 이를 악물었다.

*

명백한 궤변이었다. 소문과 오해로 점철된 궤변은 그의 목덜미를 호시탐탐 노렸다. 하지만 수현은 별 감흥이 없었다. 그깟 궤변으로 자신을 상처입힐 수는 없었다. 하지만 저 때문에 진이 곤란해졌다. 수현은 한숨을 쉬었다. 이제 도시락을 직접 배달하는 것도, 도시락 배달을 핑계로 노숙자를 몰래 치료해 주는 것도 마음대로 못 하겠네. 그는 그리 생각하며, 쓴웃음을 지었다.
대한민국은 그를 경계했다. 정확히 말하자면, 수현이 지닌 모든 능력을 경계했다. 그가 불로불사의 생명체인 것도, 어떠한 외상이든 순식간에 회복시키는 치유 능력도 예외는 아니었다. 이 나라는 수현의 존재 자체가 평온을 깨뜨릴 수 있다고 판단했고, 이러한 예상은 틀리지 않은 듯했다. 사람들의 눈을 최대한 피하고자 새벽에 봉사를 나섰던 수현이, 시신을 발견해 버렸으니 말이다.

그래, 이게 다 내 탓이란 말이지. 수현이 짧게 한숨을 내쉬었다. 그러고는 전기차를 타고 집으로 향했다. 얼마 지나지 않아, 그의 자동차는 "신안대학교 병원 정문"이라고 적힌 버스 정류장 주변에서 잠시 멈춰 섰다. 신호등의 붉은색 정지 신호 때문이었다.

그 순간, 완공된 지 약 3년이 된 대형 병원 안으로 향하는 들것들의 행렬이 수현의 시선을 사로잡았다. 이에 수현은 적당한 장소에 차를 댄 다음, 홀린 듯이 병원을 향해 걸어갔다. 그러자 의사들이 방금 도착한 환자들을 외상센터 안으로 옮기는 광경이 수현을 맞이했다. 외상 환자가 여럿인 것을 보아, 꽤 심각한 사고임이 틀림없었다. 대체 무슨 일인가 싶었던 그는 스마트폰을 꺼내 화면을 터치했다. 그러자 인터넷 신문의 한 헤드라인이 수현의 시선을 붙잡았다. 전세 버스를 탄 학생들이 추돌 사고에 휘말렸다는 내용이었다. 그는 굳은 얼굴로 기사를 읽어 나가기 시작했다.

학생들은 신안대 병원에서 개최한 진로 탐색 캠프에 참가하기 위해 버스에 탄 모양이었다. 분명 자신들의 빛나는 미래를 위해 진지하게 임했을 것이다. 하지만 비극은 사람을 가리지 않는다. 그리고 이 비극을 고쳐 쓸 수 있는 사람들은, 외상센터에 상주하는 의사들이었다. 그들은 실려 오는 환자 수만큼의 비극을 고쳐 쓰기 위해, 깃펜 대신 메스를 들었다.

"어머. 경찰이시네요?"

그 순간, 능청스러운 목소리가 수현을 불렀다. 이에 수현은 스마트폰을 호주머니에 집어넣으며 뒤를 돌아보았다. 그러자 능글맞은 미소를 만면에 띄운 단발머리의 여성이 한눈에 들어왔다. 여성은 하얀 와이셔츠에 청바지 그리고 운동화 차림이었으며, 목에는 기자증을 걸고 있었다.

"누구신가요?"
"아차, 내 정신 좀 봐."

수현의 물음에, 여성이 명함을 꺼내며 그에게 내밀었다.

"HBS 정치사회부 기자이자 탐사 보도팀 '스포트라이트'의 취재기자, 하연희예요."

연희의 명함을 본 수현 역시, 급히 지갑을 꺼내 명함을 찾았다.

"서울청 광수대에서 나온 윤수현입니다."

수현은 자신의 명함을 내밀고, 연희의 명함을 받아들었다. 그러고는 명함을 훑어본 다음 지갑에 넣었다. 그러자 연희가 히죽 웃으며 입을 열었다.

"형사님 목에 걸려있는 게, 아무리 봐도 경찰 공무원증 같았단 말이죠." 연희가 자신의 목을 검지로 톡, 톡 건드리며 수현의 목에 걸린 공무원증을 가리키는 제스처를 취했다.

"아하하… 그렇군요."

수현이 싱긋 웃었다. 그리고 연희가 다가온 방향을 흘긋 바라보았다. 그러자 "수술실 내 CCTV 설치를 의무화하라!"라는 문장이 적힌 현수막과 피켓을 든 사람들이 보였다. 며칠 전 뉴스에 나왔던, 의료 사고에 대한 후속 대책을 요구하고자 모인 사람들이 분명했다.

"…피해자들이 더는 슬퍼할 일이 없었으면 좋겠네요." 수현이 짧게 앓는 소리를 냈다.
"그렇게 된다면, 완벽한 해피 엔딩이겠죠."

연희가 고개를 끄덕이며 수현의 의견에 찬동했다. 그리고 "그럼 저는, 취재 때문에 이만."이라고 말하며 고개를 살짝 숙였다. 이에 수현 역시 묵례로 답한 뒤, 다시 집으로 가기 위해 발걸음을 옮겼다.
하지만 수현의 목적지는 다시금 바뀌었다. 집으로 향하던 중, 갑작스레 걸려 온 전화 때문이었다. 전화를 건 사람은 다름 아닌 유진이었다. 그는 수현보다 집 주변에 먼저 도착했고, 익숙하지 않은 불빛을 마주했다. 출근 전, 분명히 모든 전등을 꺼놓고 나왔는데 말이다! 이에 진은 초대받지 않은 불청객의 방문을 직감하고 한숨을 내쉬며 망설임 없이 건물 안으로 향했다.
그렇게 진은 공동 현관을 넘고 계단을 올라, 현관문 앞에 섰다. 그러고는 망설임 없이 도어락에 손을 가져갔다. 그러자 그의 손짓에 따라 전자음이 울려 퍼졌다. 마지막 전자음이 지나가고, 진은 드디어 제집에 발을 들였다. 그러자 20대 후반으로 보이는 남성과 갈가리 찢겨 옷이라고 부를 수 없을 정도로 처참한 모습의 트렌치 코트가 대뜸 저를 반겼다.

“나를 죽일 용기나 재주는 없으니, 내 옷이라도 난도질하겠다는 건가?”

진이 무감정한 얼굴로 남자를 바라보며 질문을 던졌다. 괴한은, 몇 년 전에 체포했던 교제폭력 가해자였다. 초범이라는 이유로, 앞날이 창창한 20대 청년이라는 이유로 가벼운 징역형을 선고받은.

“너, 너 때문에 내 인생이 망했어!!!”

충혈된 눈의 괴한이 진을 향해 돌진하며 새된 소리를 질렀다. 이에 진은 한숨을 내쉬며, 남자의 공격을 아무렇지 않게 피했다. 그러고는 관절을 가격해, 남성을 순식간에 제압했다.

“아니. 피해자의 인생과 네 인생을 망친 건, 내가 아니라 너 자신이야.”

진이 사비를 들여서 구매한 수갑을 꺼냈다. 그리고 미란다 원칙을 읊은 뒤, 마지막으로 짧은 말을 덧붙였다.

“이번에는, 제대로 반성하길 바라지.”

말을 마친 진은 곧바로 전화기를 꺼내 들어, 습관적으로 감식반을 부르려 했다. 하지만 이내 새로운 파트너의 존재를 떠올리고는, 마음을 바꾸었다. 그는 수현에게 전화해 상황을 알렸고, 집으로 향하던 수현은 감식반의 수사관들과 함께 진의 집을 찾았다.

"경위님! 괜찮아요? 어디 안 다쳤어요?!"

헐레벌떡 달려온 수현이 진을 이리저리 살폈다. 진은 그런 수현을 보더니, 피식 웃으며 말했다.

"맞아. 파트너가 있다는 게, 이런 느낌이었지."
"경위님……." 수현이 복잡한 표정을 지었다.

이윽고 진은 수현 그리고 감식반과 함께 집을 확인하기 시작했다. 다행히도 없어진 물건은 없었으며, 도청 및 도촬 장치도 발견되지 않았다. 이에 감식반은 침입자의 족흔과 흉기 그리고 엉망이 된 진의 트렌치코트를 수거한 다음 철수를 결정했다. 진은 그런 감식반 사람들에게 "파트너와 할 이야기가 있어서 그런데, 범인 이송 좀 부탁드려도 되겠습니까? 이야기를 나눈 다음, 곧장 가겠습니다."라고 요청했고, 감식반은 그의 부탁을 흔쾌히 들어주었다.
얼마 뒤, 단둘이 남은 진과 수현은 서로를 바라보았다. 그러고는 약속이라도 한 듯이 거실의 소파에 자리 잡았다. 물론, 적당한 거리를 둔 채로.
자리에 앉은 수현의 시선은, 자연스레 맞은편의 책장들로 향했다. 커다란 책장에는 책과 게임 디스크가 담긴 팩이 빽빽이 꽂혀있었으며, 큰 책장 옆 정사각형 형태의 작은 책장에는 비디오테이프가 몇 개 꽂혀있었다. 이 비디오테이프들에는 각기 다른 고전 영화의 제목이 적힌 스티커가 붙어 있었다.

“책과 게임… 고전 영화를 좋아하나 봐요?” 수현이 진을 바라보며 운을 뗐다.
“게임하고 책을 좋아해. 고전 영화는, 우리 엄마 취미. 난 영화 안 좋아하는데, 어쩌다 맡게 됐을 뿐이야.”
“그렇군요.” 수현이 고개를 끄덕였다.
“…미안. 계장님 일은 내가 대신 사과할게.” 진이 한숨을 내쉬며 말했다.
“경위님 잘못이 아니잖아요?”

수현이 고개를 가볍게 저으며 웃었다. 그에게서는 경일과 형사들에 대한 그 어떠한 증오나 원망도 느껴지지 않았다. 이를 본 진은 질렸다는 듯 한숨을 내쉬었다. 그러고는 수현을 똑바로 바라보았다. 그의 시선을 느낀 수현 역시, 진을 물끄러미 쳐다보았다.

“반은 사이코패스라고 했지. 그게 대체 무슨 말이야? 너, 정체가 뭐야?”

진이 지금껏 품어온 의문점을 쏟아냈다. 그러자 수현이 차분히 질문에 답하기 시작했다.

“나는 다른 차원계의 행성에서 의료 봉사를 온 외상 외과 의사예요. 고향에서는 중증외상센터에서 일했었고요. 지금은 지구의 '국경 없는 의사회'와 비슷한 '차원 의사회' 소속이에요. 지구에 처음 도착한 날은 24년 전… 그러니까, 경위님을 구한 때죠. 그때 경위님이 내 말을 알아들을 수 있었던 건, 봉사를 떠나기 전에 한국어를 공부한 덕분이었어요. 목적지의 언어와 역사, 요리를 배우는 게 차원 의사회의 규칙 중 하나거든요."

수현이 잠시 숨을 골랐다. 그리고 아직 답하지 않은 질문에 대해 답하기 시작했다.

"그리고… 나는 사이코패스에 가까워요. 타인의 감정에 감정적으로 공감하지 못하고, 양심이 없으며, 수치심과 두려움, 죄책감을 느끼지 못하거든요. 하지만 범죄를 저지른 적이 없어서 공식 진단을 받지 않은 것뿐이죠. 그래서인지, 국정원은 나를 '경계선 사이코패스'라고 부르더라고요. 그냥 사이코패스라고 부르는 요원들도 있었고."

수현은 설명을 계속해 나갔다. 그는 "어쨌든, 나는 공식적으로 '평범한 사람'이에요. 법과 윤리도 완벽하게 이해하고 있는걸요."라며, 자신이 사이코패스 진단 검사를 받게 된 연유에 관해서도 이야기했다.

"국정원 요원이 그러더군요. 내가 이 나라의 국민에게 해를 끼칠 수도 있으니, 사이코패스 진단 검사를 해야겠다고요. 그래서 흔쾌히 응했어요. 뭐, 결과는… 조금 전에 설명한 대로고요."

그때 그가 받아 든 검사지에는 형이상학적인 그림들이 인쇄돼 있었다. 수현은 검사지 위에 그려진, 형태가 불분명한 그림이 무엇을 시험하고자 하는지 금세 알아차렸다. 그리고 어떠한 대답을 내놓아야 자신의 성향을 숨길 수 있는지도. 하지만 그는 검사지에 인쇄된 그림들이 무엇을 연상시키는지를 솔직하게 고했다.

검사 결과는 수현이 앞서 설명한 대로였다. 수현은 반사회적 인격장애도 아니고, 사이코패스도 아니다. 그렇다고 보통 사람은 더더욱 아니다. 그래서 국가는, 수현을 보통 사람과 사이코패스 사이의 존재라는 정의를 내렸다. 사이코패스 성향이 있는, 정신적으로 건강한 '보통 사람'. 하지만 범죄를 저지르는 순간, 사이코패스 판정을 받게 될 존재 '경계선 사이코패스'. 이렇게 지구에 처음 발을 디딘, 인간을 똑 닮은 외계인을 정의하는 단어가 탄생했다.

"보통 사람과 사이코패스의 경계에 있는 건가……."

진이 읊조리듯 말했다. 그러고는 곧장 질문을 던졌다.

"그 검사… 꿰뚫어 봤다면서. 그런데 왜 안 속였어? 얼마든지 보통 사람인 척할 수 있었잖아."

아무렴, 보통 사람인 척하는 것은 일도 아닐 것이다. 진은 수현의 눈을 올곧게 바라보았다. 그러자 이방인의 잔잔한 파도와도 같은 눈빛이, 진을 응시했다.

"그렇죠. 그까짓 심리 검사, 마음만 먹으면 얼마든지 속일 수 있어요. 그럼 경계선 사이코패스니, 사이코패스 성향이 있는 일반인이니 하는 말은 안 들어도 되고요."
"그런데도 정직하게 답한 거야? 대체 왜?"

사이코패스를 판가름하기 위한 검사에, 굳이 정직하게 답할 필요는 없었다. 하지만 수현은 일부러 어려운 길을 택했다. 진은 그 이유가 궁금했다. 정직함이 비웃음거리가 된 세상인데도, 그는 어째서 꿋꿋하게 정도(正道)를 걷는가.

"이방인인 나를 받아줄지 말지 결정해야 하는 사람들을 속이는 건, 그들을 기만하는 거잖아요."

수현이 슬쩍 웃으며 말했다. 그러고는 자신의 설명이 불친절했다고 느꼈는지, 이야기를 덧붙였다.

"누군가의 허락을 받아야 하는 사람이, 그 '누군가'를 속인다면…… 그건, 그 사람을 대놓고 무시하는 행위라고 생각해요."

수현이 매력적인 웃음을 지으며 말을 마쳤다. 진은 그런 그를 말없이 바라보더니, 대체 왜 새벽에 도시락을 전달했느냐고 물었다. 그러자 수현은 최대한 사람들의 눈을 피해, 몰래 외상을 치료해 주기 위해서라고 말했다.

"국정원 요원에게서, 되도록 능력을 쓰지 말아 달라는 부탁을 받았거든요. 그래도… 언제 나아도 이상하지 않은 가벼운 상처를 남몰래 치료해 주는 것 정도는 괜찮다고 하던데요? 그래서, 웬만해서는 능력을 대놓고 쓰지 않으려 해요. 옛날에 경위님을 구했을 때처럼 주변에 아무도 없는 '특수한 상황'이거나, 내 정체를 발설할 리 없다는 확신을 주는 사람 앞이 아닌 이상은요."

수현의 친절한 설명에, 진은 숨이 턱 막히는 것을 느꼈다. 그는 제 경험과 수현과의 대화를 통해, 수현이 타인을 해치지 않으리라는 것을 알 수 있었다. 그러나 이는 개인 대 개인의 관계이기에 가능한 판단이었다.

진은 한국인이다. 그렇기에 이 나라가 어떤 고난의 시기를 겪었는지 잘 알고 있었다. 과거 대한민국은 일본에 주권을 빼앗기고, 자원을 빼앗기고, 노동력을 착취당하고, 인권을 짓밟혔다. 그러니 국가가 수현을 경계하는 것은, 지극히 상식적인 반응이다.

하지만, 진의 추리는 여기서 끝이 아니었다. 그의 통찰력은, 이 나라의 속내를 완벽히 꿰뚫어 보았다.

수현의 능력을 빌린다면 모든 것을 쉽고 편하게 처리할 수 있다. 게다가 그는 선의에 대한 대가를 요구하지 않는다. 한마디로, 그의 선의는 '저렴하다'. 하지만 이런 '저렴한 선의'에 계속해서 의지했다가는, 의학과 약학 그리고 과학 기술의 발전이 멈추는 것은 시간문제였다. 게다가 본의 아니게 의료계 종사자들과 소방관 등의 일자리를 빼앗는 것은 덤이었다. 그렇기에 아주 먼 미래까지 고려한다면, 수현의 도움을 받지 않는 게 바람직할 터였다.

그리고 이러한 사실을, 수현이 모를 리 없었다. 그렇기에 수현은 원주민을 존중하고자, 최소한의 능력만 쓰며 살아온 것이리라. 왜

냐하면, 그는 침략자가 아니라 의사이기에.

"……진짜 웃기네. 너의 선의가, 재앙이 될지도 모른다니."

진이 쓴웃음을 지으며 중얼거리듯이 말했다. 그러자 수현 역시 쓴웃음을 지었다. 그렇게 분위기는 밑도 끝도 없이 가라앉았다. 이에 수현은 눈을 느리게 한 번 깜빡이더니, 나긋한 어조로 운을 뗐다.

"그럼, 내일 다시 만나요."

말을 마친 수현이 소파에서 일어섰다. 그렇지 않아도 늦은 시간이었는데, 대화 때문에 더 늦어졌다. 진의 집에 더 머물러서는 안 된다고 판단한 그는 한시라도 빨리 떠날 생각이었다. 진은 그런 수현을 올려다보며 인사를 건넸다.

"그래. 내일 전담팀에서 만나."

수현이 묵례를 하며 발걸음을 옮겼다. 진은 그런 수현의 뒷모습을 물끄러미 바라보았다. 그리고 수현이 완전히 사라지자, 그는 수현과 조금 전에 나눈 대화를 몇 분 동안 곱씹었다. 그러자 새로운 질문이 진의 마음속에 스며들었다.

'윤수현은 선(善)함을 연기하고 있는 걸까?'

만약, 수현의 선함이 연기의 산물이라면…… 그의 내면은 어떨까.

제 본성을 억누르느라 썩어 문드러지지 않았을까. 진은 이런저런 질문을 떠올리며 상념에 잠겼고, 이내 자리에서 일어나 광수대로 향했다. 그리고 현행범 신분의 침입자에게서 자백을 받아내 사건을 매듭지은 뒤, 다시 집으로 갈 채비를 했다.

그때, 진의 스마트폰에서 또다시 진동음이 흘러나왔다. 이전과는 달리, 낯선 이에게서 걸려 온 전화였다.

"서울청 광수대 특수사건전담팀의 유 진입니다."

진이 건조한 어조로 전화를 받았다. 그러자 낯선 여성의 목소리가 스피커에서 흘러나왔다.

"아, 안녕하세요… 윤수현 경위님의 파트너였던 '서이랑'이라고 합니다……."

잔뜩 긴장한 목소리의 주인은, 잠시 숨을 들이쉬었다가 내쉰 뒤 "갑자기, 늦은 시간에 죄송하지만… 만나 뵐 수 있을까요?"라는 문장을 꺼냈다. 그리고 "원래 오전에 연락드리려 했는데, 일이 너무 많았던 탓에… 죄송합니다."라고 말해왔다. 이에 진은 괜찮다며, 자신 역시 지금 막 취조실에서 나온 상태라고 답했다. 그러자 이랑은 "아직 광수대에 계신 거지요? 그럼, 조금만 기다려 주시겠어요? 제가 갈게요."라고 말했고, 진은 흔쾌히 알겠다며 "특수사건전담팀의 회의실에서 기다리겠습니다."라는 말을 덧붙인 다음, 전담팀 회의실로 향했다.

그렇게 시간이 흐르고, 전담팀의 문을 두드리는 소리와 함께 "좀 전에 연락드렸던, 서이랑입니다."라는 목소리가 들려왔다. 이에 진은 의자에서 일어서며 "들어오십시오."라고 답했다. 그러자 한 여성이 문을 열고 들어왔다.

진은 문을 잠그고 저를 향해 도도도, 달려온 여성을 물끄러미 바라보았다. 20대 초반으로 보이는 여성은, 묶은 머리칼을 작은 망을 이용해 단정히 고정한 상태였으며 그가 입은 정복에는 순경을 의미하는 계급장이 달려있었다.

"늦은 시간에, 정말 죄송합니다……."

진에게 재차 사과하던 이랑은, 진과 수현의 분위기가 묘하게 닮았다고 생각했다. 이유라고 할 것은 없었다. 그저, 진의 첫인상이 그러할 뿐이었다. 진은 그런 그를 바라보며, '윤수현이 파면을 막으려던 파트너가, 이 사람이었구나.'하고 생각했다.

"무슨 일로 오신 겁니까?"

진이 무감정한 어조로 물었다. 그러자 이랑이 흠칫하더니, 이내 결심한 듯 운을 뗐다.

"유 진 경위님. 윤수현 경위님은, 좋은 사람이에요. 이해하기 힘든 면이 있지만… 그래도, 좋은 사람인 건 틀림 없어요. 그러니…… 다른 분들처럼 윤 경위님을 나쁘게 생각하지 않으셨으면 좋겠어요."

이랑이 나직이 말했다. 그는 수현의 비밀을 아는 몇 안 되는 사람이자 수현의 저의를 의심하지 않는 극소수의 인물 중 하나였다. 하지만 그는 진이 진실을 알고 있다는 사실을 몰랐기에, 국가가 지정한 '1급 비밀'인 수현에 대한 자세한 정보를 입 밖에 낼 수 없었다. 물론 감찰팀 시절 이야기를 꺼낸다는 선택지도 있었으나, 이는 자신이 아닌 수현이 직접 이야기해야 할 사안이었다. 그렇기에 이랑은 자신이 내린 판단, 그러니까 "윤수현은 선하다."라는 결론을 말하되 이를 뒷받침하는 근거는 말할 수 없었다.

"네, 저도 압니다. 서 순경님과 성범죄 감찰팀 시절의 피해자를 지키기 위해 불이익을 감수한 사람이, 악인일 리 없습니다."

진이 즉답했다. 이를 들은 이랑의 얼굴은 한층 더 밝아졌다. 하지만, 이어지는 의미심장한 말에 눈을 크게 뜰 수밖에 없었다.

"윤 경위가 저와 순경님 앞에서 보인 '좋은 모습'이, 비록 연기일지라도… 윤 경위는 좋은 사람입니다."

이랑은 진이 저와 마찬가지로 수현의 정체를 알고 있다는 것을 직감했다. 그렇지 않다면, 굳이 '연기'라는 단어를 사용했을 리 만무했다. 이에 이랑은 제가 알고 있는 사실을 있는 그대로, 가감 없이 말하겠다고 다짐하며 진실을 고했다.

"아니요. 연기가 아니에요, 경위님."

이랑의 답에, 진 또한 이상 기류를 감지했다. 그는 제 앞의 순경 또한, 수현이 어떠한 존재인지 알고 있다고 확신했다.

"순경님께서 본 윤수현은, 어떤 사람이었습니까?"

진은 심장이 두근대는 것을 느꼈다. 드디어, 윤수현의 내면을 아는 사람이 나타났다. 내가 그렇게도 궁금해하던 질문에 대한 답을 줄 사람이!

한편, 진의 말을 들은 이랑의 어깨가 순간 움츠러들었다. 그는 복잡한 표정을 지으며, 주먹을 쥐었다 펴는 것을 몇 번 반복했다. 말이야 얼마든지 할 수 있었다. 하지만 그때의 상황을 떠올리는 것은 쉽지 않았다. 이랑은 숨을 크게 들이쉬었다가 내쉬었다. 그러고는 결심한 듯 입을 열었다.

"조금 전에도 말씀드렸지만… 윤 경위님은 좋은 사람이고, '착한 사람' 그 자체라고 해도 과언이 아니에요. 하지만……."

이랑이 눈을 질끈 감았다. 공포에 질렸는지 안색이 창백하다. 그러나 그는 공포와 당당히 마주하리라고 결심했다.

"이해할 수 없는 사람이에요. 절대… 절대 이해 못 하겠어요."

그는 잊을 수 없는 그날의 일을 힘겹게 꺼내놓기 시작했다.

*

이랑은 주말임에도 불구하고 감찰팀을 찾았다. 딱히 할 일이 없어, 무료했던 탓이었다. 그는 서류를 읽으며 평소처럼 문손잡이를 향해 손을 뻗었고, 그대로 문을 열고 회의실 안으로 들어왔다. 그러자 비린내와 무언가를 톱으로 자르는 소리가 그를 향해 달려들었다. 하지만 이랑은 그저 '윤수현 경감님께서 뭔가를 하고 계신가 보다'라고 생각했다. 그러나, 그러지 말았어야 했다. 의심했어야 했다.

문을 닫으며 시선을 서류에서 거둔 이랑의 앞에, 비현실적인 광경이 펼쳐졌다. 그는 제 눈 앞에 펼쳐진 붉은색을 멍하니 바라보았다. 회의실 바닥에는 선혈이 낭자하다 못해 강이 되어 범람할 지경이었다. 그는 비명조차 지르지 못한 채, 사방으로 퍼지는 핏줄기들을 좇아 시선을 옮겼다.

붉은 강의 시작점에는 수현이 있었다. 그는 톱으로 자신의 왼팔을 자르고 있었다. 수현은 이랑이 들어온 줄 모르는 눈치였다. 그는 광기 서린 눈빛으로, 자신의 팔이 잘려 나가는 모습을 관찰하고 있었다. 이를 본 이랑은 저도 모르게 바닥에 주저앉으며 헛구역질했다. 그러자 인기척을 느낀 수현이, 그제야 뒤를 돌아보았다.

"…서이랑 씨?!"

수현이 울상을 지으며 이랑의 이름을 불렀다. 하지만 패닉 상태인 이랑은 아무 생각도 할 수 없었다. 그는 주저앉은 채, 수현을 올려다보았다. 그리고 한쪽 손을 힘겹게 들어 올려, 수현의 왼쪽 어깨를 가리켰다.

"겨, 경감님. 팔… 팔이……!"
"그게요, 좀 잘라본 건데."

여전히 자신을 향해 웃어주는 수현을 본 이랑의 두 눈에서 눈물이 흘러내렸다. 그는 지금 이 상황을 이해할 수 없었다. 상냥하고 착하기만 한 줄 알았던 수현의 낯선 모습을, 그는 쉬이 받아들일 수 없었다. 당연한 이야기였다. 제 몸을 아무렇지 않게 해하면서도 웃는 사람을 어떻게 이해하겠는가.
수현은 주저앉은 이랑을 물끄러미 내려다보았다. 그는 톱을 바닥에 천천히 내려놓았다. 그리고 이랑을 향해 천천히 한 발자국 다가갔다. 반대로 이랑은 수현에게서 멀어지려고 안간힘을 썼다. 그는 당장 일어서서 뒤도 돌아보지 않고 도망가고 싶었다. 하지만 두 다리가 말을 듣지 않았다. 이랑은 덜덜 떨리는 두 팔에 힘을 잔뜩 주었다. 그리고 그대로 뒤를 향해 미친 듯이 움직였다. 그렇게 수현이 한 발자국 다가가고, 이랑이 필사적으로 물러났다. 하지만 회의실의 벽이 이랑의 도주를 막아섰다.

"오지 마. 다가오지 말라고!"

벽이 등에 닿자, 이랑이 갈라진 목소리로 소리를 질렀다. 그는 자신이 내지른 비명을 듣고 달려올 사람이 단 한 명도 없다는 것을 잘 알았다. 그야, 감찰팀 회의실의 방음 설비는 완벽했으니까. 하지만 이러한 사실이 그의 입을 틀어막지는 못했다.
수현은 공포에 질린 이랑을 슬픈 눈으로 바라보았다. 그는 이랑이 진정하기를 바라며 그대로 멈춰 섰다. 이를 본 이랑은 숨을 몰아쉬며 고개를 떨구었다. 그러자 눈물이 바닥을 향해 후드득 떨어졌다. 그때, 그의 시야에 멀쩡한 손 하나가 불쑥 나타났다. 수현의 왼손이었다. 조금 전에 수현이 직접 잘라낸 탓에, 멀쩡할 리 없는 왼손 말이다!

이랑은 눈을 끔뻑이며 제 앞에 나타난 수현의 왼손을 멍하니 내려다보았다. 혼란스러웠다.

“뭐예요? 대체 어떻게 된 거야……? 왼팔이… 왼팔이 멀쩡하잖아요?!”

그는 입술을 달싹이며, 자세를 낮춘 채 손을 내민 수현을 올려다보았다. 수현의 눈빛에 깃들었던 광기는 어느새 사라진 지 오래였다.

수현은 말없이 왼손을 내민 채, 이랑을 걱정스러운 눈빛으로 바라보고 있었다. 제 손을 잡고 어서 일어나라는 의미였다. 이랑은 잠시 망설였다. 하지만 이내 떨림을 억누르며 수현이 내민 손을 잡았다. 그러자 수현이 그를 일으켜 세웠다.

“원래 빨리 낫는 체질이거든요.”

수현이 이랑의 손을 조심스레 놓으며 답했다. 그러자 이랑이 얼굴을 잔뜩 찌푸리며 물었다.

“대체 왜 그렇게까지 하신 거예요? 제정신으로 자기 팔을 자르는 사람이 어디 있냐고요!"

수현은 자신을 향해 성을 내는 그를 빤히 바라보았다. 그러고는 특유의 화사한 웃음을 지으며 답했다.

"새로운 수술법이 생각나서 그랬어요. 시험해 보려고."

수현의 두 눈에, 순수한 광기가 번뜩였다. 자신은 어차피 죽지 않는 몸이었다. 그렇기에 신체적인 고통은 무의미했다. 사지와 목이 잘려 나가고 심장이 터져도, 몸은 순식간에 원상복구 됐다. 타고난 재생능력에 한계 따위는 없었다. 이제 더는 동물을 이용해 임상시험을 할 필요도, 망자의 시신을 기증받을 필요도 없었다.
이뿐만이 아니었다. 수현은 곡기를 끊은 지 오래였다. 아주 먼 옛날, 언제부터인가 그는 쌀 한 톨조차 입에 대지 않았다. 늙지도 죽지도 않는 인간한테 음식은 필요 없었다. 그에게 음식 섭취는 곧 쓸데없는 살생과 다름없었다. 타인의 감정에 감정적으로 공감할 줄 모르고 죄책감도 없는 주제에, 그는 타인에게 너그러웠으며 반대로 자신에게 엄격했다. 아니, 엄격하다는 표현보다는 폭력적이라는 표현이 더 어울렸다.
이랑은 행복하다는 듯 웃는 수현을 멍하니 올려다보았다. 그는 지금껏 수현을 존경해 왔다. 수현은 범죄 피해자를 진심으로 걱정했고, 상대의 나이와 지위를 불문하고 예의를 갖추어 대했다. 하지만 오늘처럼 제정신이 아닌 모습은 처음이었다. 이해할 수도 없을뿐더러, 이해할 마음조차 생기지 않았다.

'하지만…….'

수현은 나쁜 사람인가? 새로운 물음이 이랑의 머릿속에 떠올랐다. 새로운 수술법을 개발하겠답시고 자기 팔을 자르는 것을, 과연 악하다고 할 수 있나? 그는 고개를 작게 가로저었다. 수현은 다른 사람을 해치지 않았다. 자해는 범죄가 아니다. 당연한 이치였다. 자기가 자신을 해하는 것을, 어찌 범죄로 규정한다는 말인가.

어찌 되었든, 수현이 착한 사람이라는 것은 변함이 없었다. 이랑은 그렇게 생각하기로 했다.

*

힘겹게 이야기를 마친 이랑의 낯빛이 창백했다. 하지만 그는 단호히 덧붙였다. 윤수현은 자신을 곤란케 한 적이 단 한 번도 없었으며, 주어진 일에 최선을 다하는 훌륭한 사람이었다고. 그러니, 윤경위님을 증오하거나 의심하지 말아 달라고. 그렇게 할 말을 모두 마친 이랑은 고개를 숙여 인사했고, 이를 본 진은 급히 묵례했다.

진은 멀어지는 이랑의 뒷모습을 빤히 바라보았다. 그러고는 두 손을 들어 올려, 눈두덩을 꾹꾹 눌렀다. 아득함이 쏟아져 내렸다. 수현이 다른 사람의 안위에 집착한다는 것은 진즉에 알았으나, 이 정도일 줄은 몰랐다.

수현은 선함을 연기하는 게 아니었다. 다른 생명을 위한답시고 제 몸을 난도질하는 자가 악할 리 없었다. 그는 제대로 미친 인간이었다. 하지만 세상의 그 누구보다 의사의 본분에 충실했다. 역설적이게도, 그는 미쳤기에 제정신이다. 수현에게 있어 선함이란, 광기다.

진은 그리 생각했다.

'윤수현을… 그의 광기를 이해할 수 있다면. 그렇다면…….'

진은 눈두덩을 누르던 손을 스르륵, 내렸다. 그러고는 문단속을 철저히 한 뒤, 전담팀에서 빠져나와 제집을 향해 전기차를 몰기 시작했다.

*

다음 날 아침, 수현은 전담팀을 찾았다. 그러자 전담팀에 도착한지 얼마 안 된 것처럼 보이는 진이 그의 눈에 들어왔다. 이에 수현은 화사하게 웃으며, 수사에 필요한 물건을 챙기려던 진에게 인사를 건넸다.

"좋은 아침이에요, 경위님. 잠은 편히 잤나요?"
"응, 평소와 크게 다르지 않……."

따스한 인사에, 진은 입을 열어 화답하려고 하였다. 하지만 섬광처럼 스치고 지나간 기시감으로 인해 눈을 찌푸리며 말을 삼켰다.

"왜 그래요? 어디 아파요?" 수현이 고개를 살짝 갸웃하며 물었다.
"아니, 그냥."

진은 고개를 저으며 짧게 대꾸했다. 그러고는 자신을 걱정하는 모습을 보이는 수현을 물끄러미 바라보더니, 아무런 예고 없이 자신의 이야기를 털어놓기 시작했다. 이는 드디어 파트너가 생겼다는 안도감 때문인 듯했다.

"난 소방관이 되고 싶었어. 지키기 위해 목숨을 거는 거, 해보고 싶었거든."

말을 마친 그가 짧게 침묵했다. 그러고는 조용히 경청 중인 수현을 향해 속마음을 드러냈다.

"친자식을 가두고, 불을 질러 죽이려 했던 범죄자들과는 반대로 말이지."

진의 쓴웃음과 함께, 대화가 끝이 났다. 수현은 진에게 그 어떠한 말도 건네지 않았다. 그저 묵묵히 진과 함께 물건을 챙겼고, 전담팀에서 나온 진의 뒤를 따라서 전기차가 있는 주차장을 향해 걸었다. 그는 침묵과 경청만이 진을 위로할 수 있다는 것을 잘 알고 있었다. 이렇게 두 사람은 고요함 속에서 진의 전기차를 향해 걸어갔고, 얼마 뒤 두 사람을 태운 자동차가 주차장을 떠났다.
시간이 흐르고, 도로 위를 달리던 자동차의 속력이 잦아들었다. 그들은 완전히 멈춰 선 차에서 내린 다음, 가온의 아버지를 만나기 위해 발걸음을 옮겼고 이내 가온의 아버지를 마주했다. 가온의 아버지는 그런 두 형사를 반겼다. 그리고 아주 사소한 정보라도 좋으니, 가온에 대해 알려달라고 하는 진과 수현에게 흔쾌히 가온의 일기장을 내주었다.

두 사람은 앉은 자리에서 일기장을 읽어치웠다. 특별한 점은 없었다. 다만, 곤충과 작은 동물을 죽였다는 내용이 잠깐 나왔다 사라졌다. 그러나 가온의 아버지는 이를 대수롭지 않게 여기는 듯했다. 오히려 초등학생 때는 다 그런 거지 않냐고 반문했다. 이에 진은 답하지 않았다. 그 역시 어린아이의 '순수함'은 '잔혹함'과 종이 한 장 차이라는 것을 잘 알았다. 하지만 가온의 동물 살해를 '어린아이의 순수함'으로 치부할 수는 없었다. 가온의 과거는, 어제 들었던 동건의 과거와 너무나도 비슷했으며 사이코패스 살인자들의 어린 시절을 연상케 했다. 이러한 가온과 동건의 유일한 차이는, 사람을 향해 폭력을 행사했는지 여부였다.

"……한가온 씨가 '동물 살해'를 그만둔 시점은, 언제였습니까?"

가온의 일기장을 펼쳤다 덮는 것을 반복하던 진이, 한참 만에 입을 열었다. 그러자 가온의 아버지가 눈살을 찌푸렸다. '동물 살해'라는 거친 단어에 불편함을 느낀 탓이었다. 하지만 그는 불쾌함을 입 밖으로 꺼내는 대신, "혹시 몰라 정신과 진료를 받으러 간 뒤로부터 '장난'을 그만두었던 것 같습니다."라고 말했다.

'정신과 진료'라는 단어에, 진과 수현이 시선을 주고받았다. 그런 다음 동시에 진료를 받은 병원과 의사의 이름을 물었고, 이내 "조민철 외과&정신건강의학과 의원"이라는 답을 얻었다.

"……조민철이라면, 신안대학교 병원의 주인이자 병원장인데…?"

수현이 예전에 접했던 신문 기사를 떠올리고는, 눈살을 찌푸리며 중얼거렸다. 그는 생각을 멈추지 않았고, 이내 동건의 아버지가 동건을 데리고 정신과를 찾았다는 사실을 떠올렸다. 이에 수현은 스마트폰을 꺼내 들어 동건의 아버지에게 연락했고, 동건이 진료를 받았던 병원이 "조민철 외과&정신건강의학과 의원"이라는 사실을 알아냈다.

비슷한 과거와 성향을 지닌 피해자가 진료받았던, 같은 병원. 우연일 리 없었다. 이에 진과 수현은 곧바로 한가온 아버지의 집에서 뛰쳐나와 광수대로 향했다. 나머지 피해자들이 조민철과 연관되어 있을 가능성이 매우 크니, 유가족에게 연락해 직접 확인할 필요가 있었다. 이런 연유로, 두 형사는 유가족들에게 연락을 취했다. 그리고, 4명의 피해자가 "조민철 외과&정신건강의학과 의원"에서 진료받은 적이 있다는 정보를 입수했다. 어린 시절의 반사회적인 행동 때문에 민철을 찾았다가, 나이가 들면서 나아지는 모습을 보여 병원을 찾지 않았다는 것이 유가족들의 설명이었다. 두 사람의 추리가 들어맞은 셈이었다.

"모두… 공식적으로 사이코패스 진단을 받지 않았어. 정리하자면, 여섯 명 모두 공식적으로는 '사이코패스 성향이 있는 일반인'인 거야. 원래라면 이동건은 동급생 성폭행 사건 때 사이코패스 진단을 받았겠지만, 사건이 묻힌 탓에 일이 이렇게 된 거라고."

진이 낮게 으르렁거렸다. 그는 범인이 사이코패스 성향이 있는 보통 사람들만을 골라 죽인 것이라고 확신했다.

"나도 그렇게 생각해요."

수현이 나직이 말하며 진의 의견에 찬동했다. 이렇게 짧은 대화를 마친 두 사람은, 유력한 용의자인 조민철을 찾아 신안대학교 병원으로 향했다. 민철의 알리바이를 확인하는 등, 몇 가지 질문을 던지기 위해서였다. 시간이 흐르고, 병원에 도착한 진과 수현은 1층에 설치된 층별 안내도를 확인했다. 안내도에 따르면 병원장실은 지상 15층 전체를 차지하는 큰 규모였고 수술실은 4층과 5층에, 원무과는 지상 1층에 있었다. 또한, 지하층은 식당과 각종 편의 시설과 지하 주차장으로 구성돼 있었으며 건물의 중앙에는 15층의 바닥과 지하 5층의 바닥을 일직선으로 관통하는 거대한 기둥이 있었다. 이에 진과 수현은 살인이 15층의 병원장실에서 벌어졌고, 민철이 거대한 기둥을 통로 삼아 시신을 지하층까지 떨어뜨렸으리라고 추리했다. 그리고 기둥이 지하 5층 바닥에서 끝나는 점과 지하 5층이 불특정 다수에게 노출되는 지하 주차장이라는 사실을 근거로 숨겨진 층, 즉 '지하 6층'의 존재를 확신하며 민철을 찾았다. 하지만 민철이 수술을 집도하고 있었던 탓에, 결국 두 사람은 수술이 끝날 때까지 수술실 옆의 보호자 대기실에서 기다리기로 했다. 언제 끝날지 모르는 수술이었지만, 인내심만 있다면 세상에 불가능이란 없었다. 그렇게 두 사람은 신원을 숨긴 채로 민철을 기다렸고, 해가 하늘에서 자취를 감추고 어둠이 내려앉은 시점에서야 민철을 마주할 수 있었다. 수술실에서 나온 민철은 푸른 수술복 차림이었으며, 실제 나이에 비해 굉장히 젊어 보였다. 또한 그는 다부진 체격의 소유자였는데, 이는 타고난 체질에 꾸준한 운동이 더해진 결과였다.

"안녕하십니까, 조민철 씨. 서울경찰청 광역수사대에서 나왔습니다."

자리에서 일어난 진이 민철의 앞을 막아서며 경찰 공무원증을 제시했다. 그러자 민철과 함께 나온 의사와 간호사가 민철을 흘끗 쳐다보며 저들끼리 수군댔다. 대기실에 있던 사람들 역시, 경찰의 등장에 수군거리거나 불안감과 두려움 그리고 심란함이 서린 눈빛을 던졌다.

"형사님께서 저는 왜……?"

민철이 의아한 표정을 지으며 물었다. 그러자 진이 무감정한 어조로 답했다.

"묻고 싶은 게 있어서 왔습니다. 시간 좀 내주십시오."
"잠깐만요, 형사님. 무슨 일인지 정도는 말씀해 주셔야지 않겠습니까?"

당황한 민철이 점잖은 태도로 의문을 표했다. 이에 묵묵히 있던 수현이, 보호자 대기실을 향해 눈길을 주며 운을 뗐다.

"그렇지 않아도 심란한 분들 앞에서 꺼낼 말은 아니어서요."

적어도 보호자 대기실 앞에서 할만한 이야기는 아니다. 그러니 자리를 옮기자. 수현은 그리 말하고 있었다. 민철은 그런 수현과 진을 번갈아 보더니, "알겠습니다. 어떤 상황이든, 환자와 보호자가 우선이지요."라고 말했다. 그러고는 "따라오시지요."라고 말하며 엘리베이터를 향해 발걸음을 옮겼다. 그렇게 세 사람은 엘리베이터에 몸을 실었고, 얼마 지나지 않아 CCTV가 없는 15층에 도착했다.

민철은 원장실을 향해 앞장서 걸었다. 그리고 문을 열어, 진과 수현을 방 안에 들였다. 원장실 안에도 CCTV가 없다는 사실을 확인한 두 이방인은 고급스러운 방향제 냄새를 맡으며 민철이 권한 자리에 앉았다. 그러고는 본격적인 이야기를 나누기 위해서, 입술을 달싹였다. 하지만…… 갑작스레 들린 정체불명의 소리가 두 형사의 말을 가로챘다.

소리의 근원지는 책장이었다. 벽면의 책장은 아무런 예고 없이, 마치 밀어서 여는 문처럼 '원장실 안쪽을 향해' 움직였다. 그리고 이렇게 생긴 틈 사이로, 속옷 차림의 한 남자가 뛰쳐나왔다. 그는…… 장기 적출 사건의 희생자로 알려진 이동건이었다! 동건의 손목과 입가에는, 밧줄과 재갈 때문에 생긴 붉은 자국이 남아있었다. 그런 그를 본 진과 수현 그리고 민철은 각기 다른 반응을 보였다. 먼저, 민철은 이를 악물며 도주를 감행했다. 진은 그런 민철을 향해 "조민철, 거기 서!!!"라고 외치며 전력으로 질주하기 시작했다. 이러한 광경을 두 눈으로 똑똑히 본 동건은 긴장이 풀렸는지, 입술을 달싹이다 결국 풀썩 쓰러졌으며…… 수현은 그런 동건이 다치지 않도록 재빨리 붙잡았다. 그러고는 입고 있던 검은색 코트를 벗어 동건의 몸을 덮은 뒤, 동건을 둘러업은 채로 응급실을 향해 내달렸다. 그는 자신의 직업, 즉 '의사'의 직업윤리에 충실했고 이러한 태도는 타자의 존엄과 권리를 무참히 짓밟았던 동건에게도 예외는 아니었다. 이렇게 동건을 응급실에 넘긴 수현은, 곧바로 추격전의 흔적을 쫓아갔다. 그리고 얼마간의 대치 끝에, 격렬히 저항하는 민철을 진과 함께 제압했다. 그런 그들에게는, 소란을 감지하고 몰려든 사람들의 시선이 고스란히 쏟아졌다.

“조민철 씨. 당신을 감금 혐의로 현행범 체포합니다. 또한 연쇄살인 혐의로도 긴급체포하겠습니다. 당신은 변호사를 선임할 수 있고, 변명을 할 수 있으며, 체포구속적부심을 신청할 수 있습니다.”

진이 민철의 손목에 수갑을 채우며 미란다 원칙을 읊었다. 그러자 민철이 온몸을 뒤틀며 악을 썼다.

“연쇄 살인이라니, 말도 안 되는……!”
“그렇습니까? 그럼, 당신이 운영하던 ‘조민철 외과&정신건강의학과 의원’을 방문했던 환자들이 살해당한 건 어떻게 설명하실 겁니까? 살인 사건 피해자로 알려진 이동건이, 당신의 환자였던 이동건이… 원장실에서 뛰쳐나온 건 또 어떻게 설명하실 생각입니까?”

진이 가차 없이 말을 자르자, 민철이 입을 다물며 입술을 짓씹었다. 그러고는 으르렁거리며 다시 입을 열었다.

“……영장! 날 체포하려면, 당장 영장 가져와!!! 영장 없이 사람을 체포하는 건 불법이야!!!”
“현행범 체포와 긴급체포는 영장 없이 체포할 수 있습니다. 구속할 때는 영장이 필요하지만 말입니다.”

현행범 체포와 긴급체포가 무엇인지 알면서도 영장을 가져오라고 울부짖는 민철을 향해, 진이 무심한 어조로 대꾸했다.

장기 적출 사건의 유력한 용의자인 조민철을 검거했으니, 이제 물증만 찾으면 되는 상황이었다. 하지만 이는 생각만큼 쉽지 않았다. 민철은 도주하는 내내 소란을 피웠고, 이는 잠을 청하던 입원 환자들과 그들의 보호자들을 공포와 불안에 떨게 했다. 특히 중환자실에 입원한 환자의 보호자들 그리고 소아청소년과 입원 병동의 환자와 보호자들이 극심한 공포와 불안을 호소했다. 이들은 신안대학교 병원에서 벌어질 야간 수색에 격렬히 반발했고, 일반 병실의 입원 환자들 역시 불편한 기색을 내비쳤다. 여기에 의사들까지 가세하자, 결국 진과 수현 그리고 경찰 조직은 날이 밝은 뒤에 수색을 시작하겠다는 결정을 내릴 수밖에 없었다. 물론 그들이 내린 결정이 현장을 방치하겠다는 의미는 아니었기에, 혹시 모를 증거 인멸을 막기 위한 지원 인력 배치는 이루어질 예정이었다.

시간은 어김없이 흘렀고, 경찰들이 신안대학교 병원으로 모여들었다. 진과 수현은 지원 인력이 병원 곳곳에 배치되는 장면을 두 눈에 담은 뒤, 국과수를 찾았다. 증거물의 정밀 감식을 의뢰하고 동건으로 알려졌던 여섯 번째 피해자의 신원 확인을 맡은 연구원을 찾기 위해서였다. 문제의 연구원은 진의 경찰 공무원증을 보고 도주를 시도했으나, 금세 붙잡혔다. 결국 그는 감식 전에 상관의 부름을 받았으며, 상관이 제게 뭉칫돈을 내밀며 피해자의 신원을 조작해달라고 은밀히 부탁했다고 털어놓았다. 이에 두 형사는 연구원이 지목한 국과수의 중간 간부를 찾아갔다. 중간 간부는 진과 수현이 공무원증을 제시하며 신원을 밝히기가 무섭게 도주를 감행했으나 얼마 지나지 않아 붙잡히고 말았다. 결국, 그는 조민철에게서 돈을 받고 일을 벌였다고 자백하였다.

이렇게 증언을 확보한 진과 수현은 수사에 필요한 각종 영장을 신청했다. 그런 다음 광수대로 복귀해 민철을 신문(訊問)했다. 하지만 민철이 증거가 없다면 한마디도 않겠다며 입을 굳게 다문 탓에, 두 사람은 모든 증거를 찾아낸 다음 신문을 재개하기로 했다.

취조실에서 나온 진과 수현은 잠시 침묵했다. 진은 올곧은 눈빛으로 수현을 빤히 보았다. 그러자 시선을 느낀 수현 역시 진의 시선을 정면으로 마주했다.

"뭐 하나 물어봐도 돼?"

진의 물음에, 수현은 순순히 고개를 끄덕였다. 그러자 진이 따라오라는 눈짓을 했다. 수현은 앞서가는 진을 묵묵히 뒤따라갔다.

진이 향한 곳은 아무도 없는 옥상이었다. 그는 수현이 자신을 따라 들어오자, 옥상의 문을 잠갔다. 그리고 말없이 옥상의 난간을 향해 걸어가, 손을 뻗었다. 그러자 금속 특유의 감촉이 손가락을 통해 전해졌다. 수현은 그런 진을 바라보다, 천천히 다가와 그의 옆에 적당한 거리를 두고 섰다.

"사람을 죽이는 게… 재미있을 것 같다고 생각해 본 적 있어?"

진이 어둠이 내려앉은 도시를 바라보며 운을 뗐다. 그러자 수현은 그를 빤히 바라보았다. 그러다 한참 만에 입을 열었다.

“뭘 원해요? 솔직한 거? 아니면, 보기 좋게 포장한 거?”
“솔직한 답을 원해.”

진이 읊조리듯 답하자, 수현은 망설임 없이 대답해 주었다.

“없다고 하면, 거짓말이겠죠.” 수현이 가볍게 웃었다.
“그럼… 동물은?”
“동물을 죽이는 게 재미있을 것 같다거나, 동물을 죽여보고 싶다는 생각은 한 번도 안 해봤어요. 나한테 동물은… 풍경 같은 존재였거든요. 산이나 들판, 강이나 바다 같은.”

수현의 웃음 섞인 목소리에, 진이 그를 바라보았다.

“왜요, 포장할 걸 그랬나?”
“아니. 솔직해서 좋은데.”

진은 난간을 잡은 채, 수현을 향해 몸을 돌렸다.

“난, 본성 같은 건 아무 의미가 없다고 생각해. 정말 중요한 건, 행동이야.”

진의 눈에 비추어진 인간은, 한낱 도구가 아니었다. 인간은 무언가를 위해 태어난 존재가 아니다. 그렇기에 무엇이든 될 수 있다. 사람을 죽일 수도, 구할 수도 있다. 끊임없는 선택을 통해 자기 자신을 만들어 가는, 무(無)에서 유(有)를 창조해 내는 존재. 때로는 타고난 성향마저 극복해 내는 존재. 그것이 바로, 인간이었다.

"네가 증명한 거야. 사이코패스 성향이 있는데도, 도덕과 윤리를 추구해 왔잖아."
"어… 그거… 되게 거창하네요……."

수현은 자신에게 의미를 부여하는 진이 부담스러웠는지, 시선을 피했다.

"그래? 그럼 왜 사람들을 구하러 다니는데? 돈이 되는 것도 아니잖아."

진의 말 중에 틀린 것은 없었다. 그는 궁금한 게 많은지 계속 질문을 던졌다.

"애초에, 왜 의사가 된 거야? 봉사하려고?"

수현은 저를 향해 호기심을 빛내는 진을 물끄러미 바라보았다. 그는 잠시 고개를 돌려 먼 풍경을 감상했다. 그리고 다시 진을 보더니, 특유의 화사한 웃음을 지었다.

"감옥에 가기 싫어서요."

수현의 원초적이고 이기적인 본능에, 진은 할 말을 잃었다. 그런 하잘것없는 이유로 의사가 됐다니, 어이가 없었다.

"의사가 되면, 살인자가 될 일은 없잖아요. 적어도, 감옥에 갈 일은 없을 것 같았어요."

수현이 나긋한 어조로 말을 이어 나갔다.

"정말 시시한 이유죠? 그런데 어쩌겠어요. 나는, 정말 감옥에 가기 싫었다고요."

그는 고향의 형벌 중 하나인 고독형(孤獨刑)과 자신의 체질에 관해 이야기하기 시작했다.

고독형은 수현의 고향에 존재하는, 가장 가혹한 형벌이었다. 고독형을 받은 죄수는 잠을 잘 수도, 먹고 마실 수도, 자살할 수도 없었다. 이 형벌의 핵심은 '단조로움'이었다. 죄수에게는 특수한 약물을 투여해 잠을 잘 필요도, 먹고 마실 필요도, 자살할 수도 없는 몸으로 만든다. 그리고 모든 초능력 -단, 불로불사와 잘려 나간 신체마저 재생시키는 강력한 재생능력은 초능력의 범주에 속하지 않는다. 이는 혈액형, 피부색, 신장, 체중과 같은 '생명체의 신체적인 특징'이자, 세상에서 오직 윤수현에게만 주어진 체질이므로- 을 무력화하는 독방에 가둔 다음, 죽을 때까지 방치한다. 독방에 갇힌 사람이 할 수 있는 것은 적당한 크기의 개인 공간과 욕실 겸 화장실만 주어진, 외부와 완전히 단절된 환경 속에서 그저 인생을 낭비하는 것뿐이었다.

아주 오래전, 수현은 고독형을 선고받은 연쇄 살인범들의 말로를 다룬 기사를 똑똑히 보았다. 그들은 종신형하고 다를 게 무어냐고 코웃음을 쳤었다. 하지만 고작 일주일도 안 돼서 피눈물을 흘리며 괴로워했다. 그는 지루함에 몸부림치는 죄수들을 보며, 절대 감옥에 갈 짓은 하지 않겠다고 다짐했다. 다만, 수현이 두려워하는 것은 감옥에 갇히는 게 아니었다. 그는 그저 지루한 상황이 싫은 것뿐이었다.

그는 자기 자신을 너무나 잘 알았다. 만일 호기심을 이기지 못해 살인을 저지른다면, 절대 한 번으로 끝나지 않으리라는 것도 알고 있었다. 그렇다면 최대한 살인과 거리가 먼 삶을 살아야 했다. 그래서 그는 칼로 사람을 살리는 외과 의사가 되고자 했다.

진은 솔직하게 이야기를 털어놓는 수현을 멍하니 바라보았다. 그는 수치스러운 이야기를 아무렇지도 않게 탈탈 털어냈다. 어쩌면, 수치스러움을 느끼지 못하는 사이코패스 성향 덕분일지도 몰랐다. 좌우지간, 그는 솔직함을 잃지 않았다.

“그런데요, 진짜 웃기게도. 결국에는 감옥에 갔어요.”

웃음기 서린 그의 말에, 진은 퍼뜩 정신을 차리며 물었다.

“아니, 언제는 가기 싫었다면서?!”

수현이 검지로 난간을 톡, 톡, 두드렸다. 그러자 작고 청명한 소리가 퍼져나갔다. 그는 침략 전쟁을 막고 싶었다는 말로 운을 뗐다. 그는 에너지 고갈을 핑계로 약소국을 침략하겠다는 정부 발표에 반기를 들었다. 국세청의 전쟁 자금을 마련하기 위한 특별세를 납부하라는 명령에 불복종했고, 시국 선언을 했다. 그러자 정부는 수현을 간첩으로 지목한 뒤 그를 투옥했다. 감옥에 가기 싫어 의사가 된 수현은, 그렇게 생판 모르는 남을 위해 감옥에 갇혔다.
 수현의 이야기가 이어질수록, 진의 표정은 굳어만 갔다. 감옥에 가기 싫다던 수현과 타인을 위해 자신의 안위를 내던진 수현은 분명 같은 사람이었다. 하지만 내면은 완전히 달랐다. 천지가 개벽한 수준의 변화였다. 진은 수현을 빤히 보며 마른침을 삼켰다. 만약에, 그가 '감옥에 가기 싫다'라는 생각을 하지 않았더라면. 자신은 불 속에서 허망하게 죽어갔을 것이다. 일종의 나비효과였다.

"그럼… 왜 고향 행성을 떠난 거야? 오래 살았으니, 고향에서는 가장 뛰어난 외과 의사였을 텐데." 진이 말을 이어 나갔다. "너와는 상관없는, 다른 차원계의 행성까지 올 필요는 없잖아. 의료 봉사야 고향에서도 충분히 할 수 있는 일이니까."

 난간을 느리게 두드리던 수현이 손을 거둬들였다. 그리고 그대로 진을 향해 몸을 돌렸다. 그렇게 둘은 마주 보았다.

"맞아요. 나는 최고의 외과 의사였죠. 덕분에 중증외상센터 센터장도 해 봤고요."

 그는 싱긋 웃었다. 그리고 그토록 진이 원하는 답을 들려주었다. 익숙한 것들을 버리고, 고향을 떠난 이유를.

"사랑해서요."

수현이 사랑을 논했다.

2. 질문

“사랑해서 떠났어요.”

사이코패스 성향이 있는 자와 사랑. 극과 극에 있는 단어가 서로 맞닿았다. 진은 경악한 얼굴로 수현을 올려다보았다.

“나는요. 이 세상이 너무 좋아요. 세상은 아름답고 살아있는 모든 것… 아니. 자기가 원하는 바를 위해 살아가는 모든 존재는 고귀하다고 생각해요. 그러니까, 이 세상에 외롭게 죽어가는 사람들. 하나도 없었으면 좋겠어요.”

그는 사랑을, 존엄을, 구원을 노래했다. 아름다운 삶과 외롭지 않은 죽음에 관한 이야기가 시구(詩句)를 이루었다. 진은 그런 그의 말을 멍하니 듣다가 힘겹게 입을 열었다.

“대체 왜? 감옥에 가기 싫어서 의사가 된 건 그렇다 쳐. 근데… 사랑은…….”

진이 마른침을 삼켰다.

“사람들을 사랑해 봤자, 너한테 득이 되지는 않잖아.”

틀린 말은 아니었다. 조건 없는 사랑을 베푼다는 것은, 대가를 기대하지 않는다는 뜻이었다.

"글쎄요. 사랑에, 이유가 필요한가?"

수현이 어깨를 으쓱하며 대꾸했다. 그의 말 역시 틀리지 않았다. '사랑'이라는 감정에 이유를 붙일 수는 없었다. 그렇기에 사랑은 열병이자 광기였으며 비이성적인 감정이었다.

"나는요. 환자를 위해서라면, 내 팔도 자를 수 있고요. 내 죽음으로 다른 사람의 죽음을 막을 수 있다면, 자살할 수도 있어요."

어차피 안 죽지만. 그가 나직이 읊조렸다. 그리고 싱긋 웃으며 진을 향해 가볍게 묵례했다. 그렇게 인사를 마치고, 수현은 옥상의 출입문을 향해 발걸음을 옮겼다.

진은 옥상을 떠나는 수현의 뒷모습을 멍하니 바라보았다. 그는 이제야 수현을 어느 정도 이해할 수 있었다. 그가 수현에게서 느낀 광기의 원인은, 인류애였다. 수현은 세상을, 전 우주의 모든 사람을 사랑한다는 이유 하나만으로 '자기 자신을 갈아 넣었다.' 이것이 광기가 아니라면, 사랑이 아니라면 대체 무엇이란 말인가!

진은 수현이 사라진 방향을 따라서 비척비척 걸어갔다. 이런저런 일로 머릿속이 복잡했다. 장기 적출 사건의 진범은 잡혔으나, 모든 진실을 밝혀낸 것은 아니었다.

진은 일단 휴식을 취하기로 마음먹었다. 그는 집으로 가는 내내 수현의 이야기를 곱씹었다. 그의 반추는, 밤새도록 계속되었다.

*

태양 빛이 어둠을 몰아내기 시작한, 이른 아침. 전담팀 회의실 책상 앞에 앉은 그는 여전히 수현의 이야기에서 벗어나지 못했다. 수현은 악한 본성을 극복한 인간이었다. 진은 수현을 편의상 '교화된 사이코패스'라고 정의했다. 그는 자신이 그토록 찾아 헤매던 '범죄자를 교화할 방법'을, 수현을 통해 알아낼 수 있으리라고 확신했다.

그때, 정중한 노크 소리와 함께 문이 열렸다. 진은 문을 닫으며 들어오는 수현을 빤히 올려다보았다. 수현은 그런 진을 향해 다가오며 물었다.

"경위님, 고민 있어요?"
"너는 왜 착해?"

진의 단도직입적인 태도에, 황당함을 느낀 수현이 되물었다.

"착하다고요? 내가?"

진이 긍정의 의미로 고개를 천천히 끄덕였다. 그러자 수현이 한숨을 내쉬며 테이블 앞으로 다가갔다. 그는 손을 뻗어, 빈 의자의 등받이를 소리 없이 끌어당겼다. 그리고 진 앞에 의자를 내려놓은 후, 자리에 앉았다.

"나는, 세상천지에 널린 위선자일 뿐이에요. 착하기는 뭐가 착해." 수현이 한숨을 내쉬며 대꾸했다.

“적어도 나한테는, 위선자 아니야.”

진은 올곧은 눈빛으로 수현을 바라보았다. 그러고는 곧바로 말을 이었다.

“나는… 착한 사람의 ‘사연’을 찾고 있어. 선(善)함의 기원과 원리를 알아내기 위해서 말이야. 착한 사람이 어째서 착한지 알아낸다면, 범죄자를 교화할 방법을 찾을 수 있을 테니까.”

그는 이유 없이 선하기만 한 사람은 없다고 여겼다. 물론, 타고난 성정이 선한 경우가 없지는 않다. 하지만 성장하면서 그 기세가 꺾이는 경우도 만만치 않게 많았다. 그러므로, 본성이 어떻든 선한 사람들에게는 ‘선함’을 포기할 수 없는 이유가 있을 터였다. 그리고 진은 그 이유가 곧 자신이 찾는 답이라고 여겼다.
수현은 선을 해부하려는 진을, 차분히 바라보았다. 그리고 고개를 갸웃하며 의문을 표했다.

“형사들은 범죄자를 싫어하던데요.”
“맞아. 싫어해. 싫어하는 것을 넘어서, 증오해.”

진은 주먹을 꽉 쥐었다. 이 세상에서 흉악범만큼 증오스러운 존재는 없었다. 하지만 그는 사형제에 단호히 반대했다. 죽음은 너무나 쉽고 짧았기 때문이다. 그는 흉악범들이 죄책감을 느끼길 바랐다. 그들은 돌이킬 수 없는 과거를 후회하며, 일생을 죄책감에 시달리다 죽어야 했다. 그렇기에 그는 ‘교화’를 최악의 형벌이라고 여겼다.

"그러니까, 나는… 단 한 명도 포기할 수 없어. 고통에 시달리는 범죄 피해자도, 극악무도한 범죄자도, 엉망진창인 세상도."

절대 포기 안 해. 진은 한 글자 한 글자에 진심을 꾹꾹 눌러 담았다. 수현은 그의 의지가 담긴 말을 들으며 생각에 잠겼다. 그리고 이내 싱긋 웃으며 입을 열었다.

"나하고 똑같네요? 의사인 나는, 환자가 누구든 살려야 하고. 경위님은 상대가 누구든 구해야 하고."
"그게 내 일이니까."

그는 담담히 대꾸했다. 그리고 올곧은 시선으로 수현을 바라보며 말을 이어갔다.

"…네 도움이 필요해. 네가 보고 겪고 느낀 모든 것을 알고 싶어. 감옥에 가기 싫었을 뿐인 위선자에게, 무슨 일이 있었을까. 그 하찮고 더러운 욕망이, 너를 어떻게 바꿔놓은 걸까."

진은 수현의 선함에 끊임없이 의미를 부여했다. 그는 조금 전의 대화를 통해, 수현이 칭찬을 부담스러워한다는 사실을 깨달았다. 그래서 진은 칭찬을 이어갔고, 이를 들은 수현은 몸 둘 바를 몰랐다. 결국, 잔뜩 움츠러든 수현이 울먹거리는 목소리로 항의했다.

“나 같은 사람 말고, 다른 사람도 있잖아요. ‘진짜’ 착한 사람들이요!”
“당연히 다른 사람들한테도 물어봤지. 하지만 원하는 답은 못 들었어. 부끄럽다고 질문에 답하지 않거나, 당연히 해야 할 일을 한 것뿐이라는 대답뿐이었다고.” 진이 계속해서 수현을 몰아붙였다. “난, 너한테서 답을 찾을 수 있을 거라고 확신해.”
“그마안!”

수현이 두 손으로 얼굴을 가린 채, 눈두덩을 꾹꾹 눌렀다.

“알겠어요! 내가 졌어요, 졌다고요.”

그는 두 손을 내리며, 진을 빤히 바라보았다.

“뭐가 듣고 싶은데요?”

수현에게서 원하는 답을 들은 진이 흡족한 표정을 지었다. 그리고 수현이 오기 전, 경일이 던지듯 건넸던 압수 수색 영장을 꺼내 들었다.

“일단, 사건부터 마무리하고.”

수현은 진의 손에 들린 서류를 바라보았다. 그리고 고개를 절레절레 저으며 한숨을 작게 내쉬더니, 이내 입을 열었다.

“음… 여러모로 낯서네요. 지구에서 시간을 보내는 동안, 내 ‘상세한 사연’을 궁금해하는 사람을 만난 건 처음이라서요. 다들 나의 ‘기이한 능력’과 불로불사에만 관심이 있더라고요. 그래서 구구절절한 사연은 굳이 입 밖에 내지 않았어요. 애초에 이야기할 필요성을 못 느끼기도 했고요.”

“뭐? 잠시만. 네가 세상과 사람들을 사랑한다는 걸 아는데도 관심이 없었다고?”

“네. 양육자에 관해서 물은 거하고, 왜 자해했냐고 질문한 게 전부예요.”

“…그래서, 뭐라고 답했는데?”

“아낌없이 사랑을 베푸는 헌신적인 친부모의 손에서 자랐다고 했어요. 자해한 건, 새로운 수술법을 개발하기 위해서였고… 당연히 아프지만 어차피 금세 나으니까 상관없다고 했죠. 그랬더니 별말 없던데요.”

“헌신적인 양육자 덕분에, 사회화가 매우 잘 된 경우라고 결론지은 게 분명해. 실제로, 흉악범의 80%는 학대와 방임 속에서 자랐다는 통계가 있으니까.” 진이 한숨을 내쉬고는 말을 이어갔다. “자해…. 그래, 자해는… 상식을 뛰어넘는 재생 능력을 지닌 불로불사의 생명체가 의학 발전을 위해서 그랬다는데, 더 이상 뭐라 말할 수 있었겠어. 이해하기는 힘들지만, 자해는 범죄가 아니니까 그러려니 한 거지.”

“그래서 더는 질문하지 않았던 거군요. 더 이상 궁금한 게 없어서.”

수현이 납득했다는 듯이 고개를 끄덕였다. 진은 그런 수현을 보며 살짝 웃어주며 영장을 챙겼다. 그런 다음 자리에서 일어나 떠날 채비를 했다. 그러자 수현이 진의 뒤를 따르며 질문을 던졌다.

“진짜 여섯 번째 희생자의 정체는…… 아직 밝혀지지 않은 거죠?”
“응. 실종 신고된 사람 중에, 일치하는 사람이 단 한 명도 없었대. 아직, 실종을 인지하지 못한 거겠지.”

짧은 문답을 끝으로, 둘 사이에 침묵이 내려앉았다. 두 사람은 광수대의 주차장으로 향했고, 이내 진의 전기차에 몸을 실었다. 그들을 태운 자동차는 한산한 도로 위를 달렸고, 신안대학교 병원 앞에서 멈춰 섰다. 병원 주차장은 어제 도착한 경찰차와 조금 전에 도착한 과학수사대의 차량으로 가득했다.
차에서 내린 진과 수현은 곧바로 15층의 병원장실을 찾았고, 민철의 책상 위에 있던 노트북과 서랍 안에 있던 스마트폰 한 대 그리고 대포폰 한 대를 회수했다. 세 전자기기 모두 비밀번호가 설정되어 있었으며, 이 중 대포폰은 스마트폰이 출시되기 한참 전에 나온 기종이었다.
다음은 문제의 ‘숨겨진 방’을 수색할 차례였다. 깨끗이 정돈된 방 안에는 수술대가 하나, 작은 방이 하나 있었다. 또한 수술대가 있는 방의 벽면에는 거대한 책장이 하나 있었고, 서류철과 하드디스크 그리고 파쇄된 문서가 담긴 상자가 앞서 언급한 책장의 빈칸을 가득 채운 상태였다. 책장이 있는 바로 옆면의 벽에는, 약품용 냉장고 한 대와 냉동고 한 대가 있었다. 문제의 냉동고 안에는 잘린 손발들과 머리들 그리고 신장, 간장, 췌장, 췌도, 소장, 심장, 폐 등 '이식할 수 있는 장기'가 들어있었다. 이들은 모두 큰 형태는 유지하고 있었으나, 훼손된 상태였다. 특히나 머리와 손발의 상태가 매우 심각했다.

냉장고와 냉동고를 진과 함께 꼼꼼히 살핀 수현은 숨겨진 방의 한가운데 놓인 수술대를 물끄러미 바라보다, 바닥에 있는 직사각형 모양의 금속 뚜껑에 시선을 주었다. 그러고는 발걸음을 옮겨 뚜껑 앞에서 멈춰서더니, 곧바로 자세를 낮추며 손을 뻗었다. 그렇게 라텍스 장갑을 낀 그의 손이 철제 뚜껑을 열어젖혔다. 그러자 피비린내가 훅, 하고 올라오는 것과 동시에 철로 만들어진 통로가 모습을 드러냈다. 피가 눌어붙은 통로는 비스듬히 기울어진 상태였다. 이를 본 수현은 기울어진 통로가 건물 중앙의 기둥으로 향하는 길임을 직감하며, 라텍스 장갑을 낀 손으로 통로 안쪽을 가볍게 두드렸다. 그러자 차가운 소리가 통로를 타고 저 아득한 지하층을 향해 내달렸다.

이렇게 수현이 통로를 살피는 동안, 진은 벽면에 들어선 책장을 살피고 있었다. 그의 시선이 서류철의 등 부분을 하나하나 훑고 지나갔다. 그는 손을 들어 올려, 한 권의 서류철을 빼냈다. 앞표지에 "장부"라고 적힌 수상한 서류 묶음이었다. 그는 망설임 없이 서류를 펼쳤다. 그리고 천문학적인 액수가 가득 적힌 지면을 빠르게 읽어 내려갔다. 숫자의 정체는 그가 찾던, 서울경찰청장의 뇌물수수 기록이었다. 바꿔 말하면, 장부는 약 2년 전부터 조민철이 서울청장에게 상납한 뇌물을 꼼꼼히 기록한 연대기였다. 이러한 장부는 하나만 있는 게 아니었다. 진이 발견한 또 다른 장부에는, 민철이 검사에게 상납한 금품에 관한 기록으로 가득했다. 기록에 따르면,

민철에게서 뇌물을 받은 검사는 신안대 병원이 있는 지역을 관할하는 검찰청에서 일하는 자였다.

진은 강렬한 분노를 비롯한 여러 감정을 억누르기 위해 입술을 강하게 짓씹었다. 그러자 연약한 살이 갈라지며 피가 맺혔다.

"경위님, 이거 봐요."

수현의 목소리가 가까이서 들려오자, 진이 퍼뜩 정신을 차리며 그를 바라보았다. 그러자 어느새 뽑아 든 서류철을 펼쳐서 읽고 있는 수현이 보였다. 그가 든 서류의 앞표지에는 "집도의 이동건"이라고 적혀있었다.

"집도의 이동건? 우리가 아는 '그' 이동건?"
"네. '그' 이동건이에요."

수현이 지면 위의 증명사진을 보며 답했다. 증명사진 속 남성은, 장기 적출 사건의 여섯 번째 희생자로 알려졌었던 이동건이었다.

"간단한 수술인데, 테이블 데스(Table death)라니. 의료 사고 피해자 유족들이 항의할 만도 하네요."

그는 신안대 병원 앞에서 시위하던 사람들을 떠올리며 동건이 집도한 수술 기록을 꼼꼼히 살폈다. 물론 엄밀히 말해서, '집도'라고 할 수는 없었다. 당연한 이야기였다. 동건은 의사가 아니지 않은가?

모든 수술 기록을 본 수현이 가볍게 한숨을 내쉬며 서류철을 덮었다. 그리고 서류에서 시선을 거둬 진을 바라보았다.

"왜 그래?"

수현의 표정이 미묘하게 굳은 것을 알아차린 진이 눈을 깜빡였다. 그는 자신의 입술을 빤히 바라보는 수현을 올려다보았다. 그러자 수현이 머뭇거리며 손을 들어 올리더니, 자신의 입술을 검지로 톡, 짚으며 운을 뗐다.

"경위님. 여기요. 피 나는데…."

진은 수현의 모습을 거울삼아, 자신의 입술을 살짝 만져보았다. 그러자 따끔거림이 뒤늦게 찾아왔다. 그는 표정을 일그러뜨리며 자신의 검지를 노려보았다. 입술에 맺혔던 피가, 검지에 묻어있었다.

수현은 그런 그를 바라보다가, 만일을 대비해 주변을 다시 한번 확인했다. 지금 여기에는 그와 진만 있었고 CCTV나 도촬용 불법 카메라 등과 같은 장치는 존재하지 않았다.

"다시 한번 만져볼래요?"

진은 자신을 향해 슬쩍 웃는 수현을 바라보았다. 그리고 상처 부분을 스치듯이 건드려 보았다. 그러자, 이번에는 피가 묻어나오지 않았다. 잔뜩 갈라졌던 연약한 살도, 어느새 깔끔히 붙은 채였다.

이에 그는 수현을 빤히 바라보았다.

“다음에는 깨물지 말아요. 덧나면 답도 없어요. 잘 낫지도 않고.”

누가 의사 아니랄까 봐, 수현이 짧은 잔소리를 덧붙였다. 왠지 환자가 된 느낌에, 진은 작게 한숨을 내쉬었다. 수현은 그런 그를 물끄러미 바라보다, 그가 펼쳐 든 서류로 시선을 옮겼다.

“축하해요. 이제 전담팀에 있을 필요 없겠네요?”

수현이 싱긋 웃으며 진의 복수를 축하했다. 하지만 진은 서류철을 쥔 손에 힘을 주기만 할 뿐이었다.

“서울청장은 쫓아내더라도, 전담팀에 계속 있을 거야.”

진이 읊조리듯 말하자, 수현이 눈을 느리게 깜빡이며 그를 바라보았다. 허울뿐인 전담팀에 굳이 왜 남느냐는 물음이 담긴 시선이었다. 그러자 진이 담담히 답했다.

“네 이야기 듣기로 한 것도 있고…….”

그는 입술을 또 짓씹었다. 그러자 수현이 자신의 입술로 손을 가져가, 검지로 톡톡 두드렸다. 그러다 또 다칠지도 모른다는 의미였다.

"…못 가겠어. 먼지 쌓인 사건 파일을 두고, 못 가겠다고."

진이 입술을 짓씹는 것을 그만두며 시선을 내리깔았다. 서울청장의 비리가 밝혀지면, 그는 전담팀에 있을 명분이 없었다. 하지만 쌩하니 떠날 수는 없었다. 진에게는 선배 형사들의 악의와 태만으로 인해 영구 미제가 된 사건들을 외면할 용기가 없었다.

진과 수현은 잔뜩 가라앉은 분위기를 씹어 삼키기 위해, 현장에 남은 범죄의 흔적들을 찾기 시작했고 얼마 뒤 원장실과 숨겨진 방의 바닥에서 혈흔과 족흔을 찾아냈다. 이렇게 발견한 흔적은, 원장실에서 발견된 다른 증거품들과 함께 차에 실렸다.

얼마 뒤, 원장실을 빈틈없이 살핀 두 형사의 발걸음이 향한 곳은 다름 아닌 지하층이었다. 진과 수현은 형사들이 찾아낸 수상한 문 앞에 멈춰 섰다. 문제의 출입구는 지하 5층 창고의 선반 뒤에 있었으며 끝이 보이지 않을 정도로 긴 계단과 연결되어 있었다.

진과 수현은 어둠 속을 뚫어져라 쳐다보다가, 깊고 깊은 심연을 향해 발을 내디뎠다. 그러자 차갑고 울퉁불퉁한 시멘트 특유의 촉감이 발끝을 타고 올라왔다. 두 사람은 불길하게 깜빡이는 전등에 의존한 채, 걷고 또 걸었다. 그리고 마침내 나타난 철제문을 넘어서, 지하 6층에 도달했다.

여태껏 철저히 베일에 가려져 있던 지하 6층에는 스마트폰, 옷가지, 지갑, 가방 등의 유류품 그리고 바닥에 눌어붙은 검붉은 피와 진동하는 피비린내와 같은…… 죽음이 할퀴고 지나간 흔적이 고스란히 남아있었다. 감식반 수사관들은 이러한 흔적을 빠짐없이 살피며 DNA 추출을 위한 시료를 수집했다. 진과 수현은 수사관들을 도와서, 남은 작업을 마쳤다. 그러고는 채취한 지문과 족흔, DNA

추출용 시료를 국과수로 향하는 차에 실었다. 다만 원장실에서 입수한 노트북과 휴대전화기 그리고 숨겨진 방에서 입수한 하드디스크들과 파쇄된 문서가 담긴 상자는 앞서 언급한 차량이 아닌, 진의 전기차에 실렸다. 파쇄된 문서를 일일이 짜 맞추는 중노동은, 사건 담당 형사인 진과 수현의 소관이었으므로. 그렇다면, 나머지 물건들은 어째서 진의 차에 실렸는가? 이는 수현의 제안 때문이었다. 그는 이랑의 디지털 포렌식 실력을 찬양하며, 민철의 노트북과 휴대전화기 그리고 하드디스크는 이랑에게 맡기는 게 어떻겠냐고 조심스레 제안했다. 그러자 진이 고개를 끄덕여 제안을 받아들였고, 이를 본 수현은 이랑에게 전화를 걸어 디지털 포렌식을 부탁했다. 물론, 이랑은 수현의 부탁을 흔쾌히 승낙했다. 진과 수현을 비롯한 경찰들이 신안대학교 병원을 압수 수색할 동안, 압수수색이 벌어진 민철의 집에서는 디지털 포렌식을 할 만한 물건이 발견되지 않았다. 따라서 그는 진과 수현이 찾아낸 증거만 살피면 되었다.

이제, 남은 일은 많지 않았다. 증거품 분석은 시간이 해결해 줄 터였다. 여기까지 생각을 마친 진과 수현은, 자신들이 해야만 하는 일…… 좀 더 자세히 말하자면 '유 진 자신이 직접 마무리 지어야 하는 일'을 하기 위해 서울경찰청으로 향했다. 그리고, 서울경찰청장을 만나기 위해 청장실을 찾았다. 저를 향해 칼을 겨누었던 진을 보는 서울청장의 시선은, 당연히 곱지 않았다. 하지만 진은 아랑곳하지 않았다. 그저, 뇌물 이야기를 다시금 꺼냈을 뿐. 청장은 그런 진을 비웃으며 언제쯤 망상을 그만둘 생각이냐고 조롱했다. 뇌물수수 의혹을 무마했었던 경험은, 그를 '내 범죄를 입증할 만한 물증이 존재할 리 없다.'라는 착각 속으로 밀어 넣었다. 그렇기에 청장은 민철이 체포됐다는 소식에도 두려움을 느끼지 못했고, 저를 향해 또다시 칼날을 겨눈 진 앞에서 여유를 부릴 수 있었다. 하지만…… 진이 민철의 장부가 세상에 존재한다는 사실을 언급한 순간, 청장의 착각과 여유는 일순간 흔적도 없이 잘려 나갔다.

진실은 서울경찰청장의 천박함을 들추어냈다. 방금까지만 해도 한껏 여유를 부리던 청장은, 앉아 있던 의자에서 벌떡 일어나며 책상 아래 있는 가방 속 골프채의 손잡이를 남몰래 꽉 쥐었다. 그리고 한 치의 흔들림조차 없는 시선으로 저를 바라보는 진을 노려보더니, 그를 향해 긴 흉기를 냅다 휘둘렀다. 흉기는 넓은 궤적을 그리며 청장에게서 얼마 떨어지지 않은 거리에 서 있던 진의 얼굴을 향해 날아들었다. 하지만, 진의 얼굴에는 생채기 하나 나지 않았다. 진은 흉기가 날아오는 순간에 뒤로 몇 발자국 물러섰다. 그러고는 눈앞을 아슬아슬하게 스쳐 지나가는 골프채의 헤드(head)를 뚫어져라 바라보았다. 청장은 그런 진을 바라보며 이를 악물더니, 다시금 골프채를 마구잡이로 휘둘렀다. 그러나 그는 단 한 번도 목적을 달성하지 못한 채, 결국 제압당하고 말았다. 수현은 이러한 광경을 처음부터 끝까지 주시하고만 있었다. 평소 같았다면 진과 함께 서울청장을 제압했겠지만, 지금은 그 '평소'가 아니었다. 청장실에 발을 들이기 전, 진은 청장과의 악연을 제 손으로 끊고 싶다는 의견을 수현에게 피력했다. 이에 수현은 고개를 끄덕이며, 진의 의견을 존중해 일절 끼어들지 않겠다고 말했고…… 약속을 지켰다.

그로부터 시간이 어느 정도 흐르고, 진과 수현은 민철에게서 뇌물을 받은 검사를 찾기 위해 골프장을 찾았다. 문제의 검사는 서울경찰청장과 유사한 반응을 보였다. 그 역시 자신의 범죄를 입증할 만한 물증이 존재할 리 없다고 믿어 의심치 않았다. 하나, 그러한 믿음은 민철이 작성한 장부가 존재한다는 사실 앞에서 힘없이 무너졌다. 이에 검사는 적의를 드러내며 두 형사를 향해 골프채를 휘둘렀다. 진과 수현은 그런 그를 손쉽게 제압하고는, 손목에 수갑을 찬 검사를 데리고 골프장에서 빠져나왔다. 그러던 중, 진의 스마트폰에서 진동이 흘러나왔다. 진은 손을 뻗어 스마트폰을 움켜쥐었다. 그러자 스피커 너머에서 경일의 목소리가 흘러나왔다. 경일은 평택의 한 별장에서 방화 살인사건이 발생했다는 소식을 전한 다음, 별장이 매물로 나온 지 꽤 된 탓에 사람의 흔적이 없다시피 하다는 말도 덧붙였다.

"근데, 그걸 왜 저한테 말씀하시는 겁니까?"

진이 얼굴을 찌푸리며 물었다. 서울청 광수대에 형사가 자신들만 있는 게 아니었기 때문이다. 그렇지 않아도 장기 적출 사건을 마무리 짓지 못했는데, 새로운 사건이라니. 말도 안 되는 이야기였다. 그러자 경일이 더듬거리며 자초지종을 설명했다. 그는 용의자가 "유 진 형사가 오기 전까지는, 한마디도 안 할 거예요."라는 말을 마지막으로 입을 다물었다고 했다.

"누굽니까, 그 사람."

경일의 입에서 생각지도 못한 이름이 나오자, 진의 표정은 굳어만 갔다. 그는 당장 가겠다는 말을 끝으로, 스마트폰을 주머니에 쑤셔 넣었다.

"무슨 일이에요?"

“내 친구 중에, HBS 스포트라이트 팀에 소속된 하연희라는 기자가 하나 있는데….”

진이 한숨을 내쉬고는, 경일에게서 전해 들은 이야기를 수현에게 말해주었다. 이야기를 경청한 수현은 저도 모르게 입을 열었다.

“…하 기자님?”
“뭐야, 연희하고 아는 사이야?”

진의 물음에, 수현은 연희를 만났던 일을 이야기했다. 그러자 진이 이해했다는 표정을 지었다. 그런 다음 수현과 힘을 합쳐 검사를 전기차에 태우고는, 전담팀을 향해 차를 몰았다.

*

연희는 잔뜩 긴장한 채, 취조실 책상 앞에 앉아 있었다. 그는 형사들의 고압적인 태도를 무표정으로 넘겼다. 침묵이 계속되자, 형사들은 신문을 포기했다. 하지만 완전히 물러난 것이 아니었다. 그들은 취조실 옆의 관찰실로 이동해, 연희를 노려보았다.
그때, 큰 소리와 함께 문이 열리며 진과 수현이 들이닥쳤다.

“너!!!”
“하연희 씨!”

진과 수현의 목소리가 동시에 울렸다. 그들은 병원장실의 숨겨진 방에서 회수한 증거품들을, 연희가 앉아 있는 책상 위에 내려놓았다.
수현은 반창고가 자리 잡은 연희의 팔을 물끄러미 내려다보았다. 그러나 그뿐이었다. 그는 잠자코 있는 것을 택했다.

"오, 윤 형사님! 또 보네요, 우리?"

연희가 수갑을 찬 손을 휘적거리며 인사했다. 특유의 능청맞은 웃음은 여전했다. 그는 자신이 잡혀 온 이야기를 상세히 풀어놓기 시작했다.
익명의 제보 메일을 받은 연희는 문제의 별장을 찾았었다. 고지받은 것은 별장 주소뿐이어서, 비밀스러운 이야기를 할 생각인가 싶었다. 그는 아무런 의심 없이 별장 문을 두드렸다. 하지만 안에는 아무도 없는지 조용했다. 그때 왠지 모를 불길함이 그를 엄습했다. 그는 잠시 망설이다, 손을 뻗어 문손잡이를 조심스레 만져 보았다. 그러자 출입문이 힘없이 열렸고, 피가 낭자한 바닥과 쓰러진 두 사람 그리고 사람들의 몸을 장작 삼아 타오르는 불꽃이 연희를 맞이했다.
연희는 참극의 현장을 멍하니 바라보았다. 그러다 겨우 정신을 차린 뒤, 덜덜 떨리는 손으로 119에 신고해 자신이 본 장면을 전달한 다음 전화를 끊었다. 그리고 재빨리 뒷걸음질 쳐 별장을 빠져나왔다. 하지만, 그는 얼마 지나지 않아 다시 별장 안으로 들어갔다. 조금 전에 본, 문 옆에 있던 작은 소화기가 눈앞에서 아른거린 탓이었다.
그는 문 옆에 있던 소화기를 냅다 집어 들어, 불꽃을 향해 약제를 분사했다. 덕분에 불은 전보다 얌전해졌다. 그러나 완전히 사그라들지는 않았다. 그렇게 연희는 소방관과 경찰이 올 때까지 불과 분투를 벌였다. 다행히도 그는 멀쩡했으나, 현장에 도착한 경찰은 혹시나 하는 마음에 그를 병원으로 데려갔다. 그리고 연희가 멀쩡하다는 의사의 소견을 듣자마자, 그를 곧바로 체포해 광수대로 데려왔다.

"다치지 않아서, 다행이야."

연희의 말이 끝나자, 진이 짧은 감상을 내뱉었다. 이에 연희가 한숨을 폭 내쉬며 대꾸했다.

"그렇지. 다행인데… 생각해 보니까, 무섭더라고. 두 사람을 죽인 범인은… 내가 받은 제보 메일의 내용을 알고 있었다는 거잖아? 그렇다면 메일을 중간에서 가로챈 다음, 입막음을 위해 제보자들을 죽였다는 결론이 나오지. 아니면… 살인사건을 보도해 줬으면 하는 마음에, 내게 거짓 제보 메일을 보냈던가."

연희는 소름이 끼쳤는지, 부들부들 떨었다. 범인의 의도가 무엇이든지, 그는 별장 사건을 파고들지 않을 작정이었다. 물론 별장 사건은 그가 원하던 특종이었지만, 불가피한 결정이었다.

앞서 연희가 말했듯이, 그가 기사화를 포기한 이유는 두 가지였다. 만일 범인의 목적이 살인사건의 기사화라면, 범인이 원하는 대로 행동할 필요가 없었다. 혹은 중간에서 제보 메일을 가로챈 다음, 제보자로 추정되는 두 사람의 입을 막기 위해 그리고 자신에게

'사건을 파고들 생각은 하지도 말라'는 메시지를 전하기 위해 살인을 저질렀다면… 자칫했다가는 죽을 수도 있으리라.

"나, 이번 사건은…… 손 뗄 거야. 절대 기사화하지 않을래."

입술을 달싹여 제 다짐을 입 밖으로 내뱉은 연희는, 기사화를 포기한 이유를 눈앞의 두 형사에게 설명했다. 이를 들은 진과 수현은 연희의 판단이 옳다며 동감을 표했다.

"죄, 죄송합니다!"

그때, 취조실로 뛰어든 신입 형사가 연희의 진술을 잘라냈다. 그는 연희의 손목에 자리 잡은 수갑을 허겁지겁 풀며 말을 이어 나갔다.

"제, 제가 제대로 확인을 안 해서… 엉뚱한 사람을 용의자로…!"

그는 연신 고개를 90도로 숙이며 죄송하다는 말을 반복했다. 진은 그런 그를 보다, 낮게 한숨을 쉬었다. 어찌 됐든 연희가 용의자 리스트에서 제외됐으니, 별장 방화 살인사건은 자신이 아닌 다른 형사들이 맡게 될 터였다. 그리 생각한 진은 연희에게 "몸조심해. 무리하지 말고."라는 작별 인사를 건넸다. 그러고는 책상 위에 올려놓았던 증거물을 들고 취조실 밖으로 향했다. 이에 수현 역시 연희에게 인사를 건네며 증거품 박스를 집어 들었다. 그러고는 빠르게 발걸음을 놀려, 진과 함께 전담팀 회의실 안으로 들어갔다.

"윤수현 경위님!"

이랑이 밝게 웃으며 수현을 반겼다. 그리고 진에게도 꾸벅 인사를 건넸다. 둘을 빤히 바라보던 수현은 고개를 갸웃거렸다. 이랑과 진에게서 느껴지는 분위기로 보아서, 둘은 초면이 아니었다. 진은 그런 수현의 표정을 보고는, 이랑이 저를 찾아왔었다는 사실을 이야기해 주었다. 그러자 수현은 고개를 작게 끄덕이며 살포시 웃었다.

"잘 부탁드리겠습니다."

진이 폐기된 하드디스크, 노트북, 휴대전화기가 담긴 상자를 내밀며 말했다. 이랑은 살포시 웃음 지으며 상자를 받아들고는, 곧바로 컴퓨터를 향해 걸어갔다. 그런 다음 상자 안의 각종 기계를 책상 위에 꺼내놓기 시작했다. 수현은 그런 이랑을 물끄러미 바라보더니, 진을 바라보며 싱긋 웃었다. 그는 자신이 들고 있는 상자를, 위로 살짝 올리며 말했다.

"디지털 포렌식은 서 순경님 몫이니, 이거는 성실성으로 승부를 보도록 할까요?"

진은 수현이 든 상자를 흘끗 바라보았다. 문제의 상자 속에는, 파쇄기에 갈려 잘게 조각난 서류로 한가득했다. 그는 마른침을 삼켰다. 수현이 말한 '성실성'이라는 단어를 봐서는, 필시 이 많은 종잇조각을 일일이 이어 붙이겠다는 이야기이리라. 그는 스멀스멀 고개를 드는 아득함에 한숨을 내쉬었다. 진실로 향하는 길은, 언제나 가시밭길이었다. 진은 수현이 들고 있는 상자를 향해 손을 뻗었다. 하지만 수현은 슬쩍 뒤로 물러났다. 수현은 당황한 표정으로 자신을 바라보는 진을 향해 싱긋, 웃었다.

"경위님은 좀 쉬세요."
"웃기지 마. 안 피곤하다고."

진이 낮게 으르렁거렸다. 하지만 수현은 요지부동이었다.

"나는 안 쉬고 안 자도 멀쩡하지만, 경위님은 아니잖아요~?"
"저… 유 경위님. 윤 경위님하고 하면 금방 끝나니까요. 잠깐 눈 좀 붙이시는 게 어떤가요?"

수현과 이랑이 진을 향해 슬금슬금 다가왔다. 그러자 진은 저도 모르게 뒷걸음질 치며 물러났다. 그렇게 진은 전담팀 회의실 밖으로 쫓겨났다. 진은 한숨을 내쉬며 회의실 문의 손잡이를 돌렸다. 역시나, 문은 잠긴 상태였다.
결국, 진은 터덜터덜 당직실로 향했다. 그의 얼굴에서 피곤함이 엷게 묻어났다. 수현과의 대화를 반추한답시고 밤잠을 못 이룬 탓이었다. 그는 쯧, 하며 혀를 찼다. 수현은 생각보다 눈치가 빨랐고, 타인의 표정을 읽어내는 데 능숙했다. 아니, 능숙하다는 표현보다는 타의 추종을 불허한다는 표현이 더 정확했다. 여기까지 생각을 마친 진은 얌전히 수현의 말을 듣기로 마음먹었다. 정신이 탁하면 추리 역시 무뎌지니, 잠시 쉴 필요가 있었다.

한편, 진을 내보낸 수현이 넓은 책상 앞에 앉았다. 이랑은 컴퓨터 앞 의자에 앉은 채, 디지털 포렌식 작업을 하고 있었다. 그와 이랑은 등을 진 상태로 앉아 있었다. 그들은 자신에게 주어진 임무에 열중했다.

"경위님."

이랑이 키보드를 두드리며 운을 뗐다. 그러자 수현이 특유의 나긋한 어조로 호응했다.

"네에~?"
"정말 괜찮으신 거예요? 아무리 그래도, 좌천은 좌천인데…."

이랑이 말끝을 흐리자, 수현이 어깨를 으쓱하며 답했다.

"어차피 특채였잖아요. 경찰대 졸업생도 경위부터 시작하는데, 나는 시작부터 경감이라니. 복에 겨웠어요."
"그래도… 제가 잘리면 끝날 일이었어요."

이랑이 이를 악물며 뒤를 돌아보았다. 그러자 수현 역시 뒤를 돌아보았다. 그렇게 둘의 시선이 마주쳤다.

"서이랑 씨는."

수현이 화사한 웃음을 지으며 이름을 부르자, 이랑이 흠칫했다.

평소의 수현이라면, 대화 상대의 성(姓) 뒤에 직급을 붙여서 불렀을 것이다. 하지만 그는 분명 '서이랑 씨'라고 했다. 그만큼 수현은 진심이었다. 고향에서의 습관이 튀어나올 정도로.

"잘못한 게 없으니까요. 그게 다예요. 성실한 사람을 하찮게 여기는 거, 보고 싶지 않거든요."

그는 이랑을 향해 싱긋 웃었다. 그리고 고개를 돌려, 다시금 조각난 서류와 마주했다. 이랑은 그런 그의 뒷모습을 빤히 바라보며, 그와의 첫 만남을 떠올렸다.

이랑은 디지털 포렌식 전문가 특채에 여러 번 지원했었다. 하지만 기대와는 달리, 경찰청은 그를 부르지 않았다. 계속되는 거절에, 이랑은 자존심에 상처를 입었다. 그는 국제 해커 대회에서 5번 연속으로 1등을 한 천재였다. 이 나라에 자신보다 뛰어난 해커는 없었다. 그는 분노를 억누르며 순경 시험에 도전했다. 경찰청에서 자신을 부르지 않는다면, 자신이 경찰청을 찾아가면 끝나는 일이었다. 하지만 그는 디지털 포렌식팀이 아닌, 교통계에 발령이 났다. 디지털 포렌식 팀의 정원이 찼다는 게 그 이유였다. 이에 이랑은 주차단속을 하며 포렌식팀으로 갈 기회가 오기만을 오매불망 기다렸다. 그러던 중, 수현이 그를 찾아왔다.

수현은 이랑에게 성범죄 감찰팀의 포렌식 전문가가 되어달라고 부탁했다. 이랑은 그의 말에 솔깃했으나, 경계를 늦추지는 않았다. 그러자 수현이 기가 차는 사실 하나를 알려줬다. 그는 "절대 뽑아서는 안 될 전문가 리스트"의 맨 위에 서이랑의 이름이 떡하니 있었다고 증언했다. 이랑이 블랙리스트에 오른 이유는 단순했다. 이랑의 실력이 너무 뛰어나, 경찰 간부들이 저지른 성범죄를 모조리 밝혀낼 것이기 때문이다. 진실을 깨달은 이랑이 분노하자, 수현은 경찰 간부들이 이랑을 무시한 게 아니라 무서워한 것이라고 이야기했다. 그리고 '외과 의사 나부랭이'와 일 한번 해 보지 않겠냐는 말을 덧붙였다. 그렇게 이랑은 수현의 파트너가 되었다.

이랑은 서류 조각에 쓰여있는 문자를 일일이 확인하는 수현의 뒷모습을 빤히 바라보았다. 그는 수현이 정말 한결같은 사람이라며 새삼 감탄했다. 그리고 고개를 돌리고는 포렌식 작업에 집중했다.

그렇게 시간이 흐르고, 수현과 이랑의 입에서 탄성이 터져 나왔다. 둘 다 원하던 바를 이룬 모양이었다.

"이것 봐요, 다 맞췄어요."

수현이 화사한 웃음을 지으며, 투명한 테이프로 덕지덕지 붙인 종이들을 들어 올렸다. 이랑은 잘게 분쇄된 종이를 기어코 이어 붙인 수현을 보며, 역시 대단한 사람이라고 생각했다.

그때, 회의실의 문이 열리며 진이 들어왔다. 그의 혈색은 확실히 몇 시간 전보다 나아진 상태였다.

"아까는 잠겨있더니…."

진이 으르렁거리자, 수현이 화사하게 웃으며 답했다.

"다 끝났으니까요?"

무해하기 짝이 없는 웃음에, 진이 옅은 한숨을 내쉬었다. 이랑은 그런 그들에게 방금 인쇄된 서류 뭉치를 건넸다. 서류의 정체는 물론, 조금 전에 복구가 완료된 하드디스크 속에 있던 파일들이었다. 진과 수현은 건네받은 서류를 살피기 시작했다.

"……이것 좀 봐. 이동건이 '채용'되고 얼마 지나지 않아서, 외과 의사가 줄었어."

병원에 고용된 의사들의 수와 임금을 기록한 페이지를 살피던 진이 운을 뗐다. 그는 수현과 이랑이 활자를 손쉽게 읽을 수 있도록 서류를 뒤집어, 두 사람을 향해 내밀었다. 그러자 이동건의 '입사일'을 비롯한 정보가 담긴 A4용지가 펄럭였다. 이를 본 수현은 일순간 멈칫하더니, 종잇장을 재빠르게 넘겨 수술 건수와 사용한 약물이 기록된 페이지를 찾아내 읽기 시작했다.

"외과의 수가 줄었는데도, 수술 건수는 그대로예요. 약물은 최대한 저렴한 제품으로 바꿨고요."

수현의 말을 끝으로, 회의실에 침묵이 감돌았다. 사라진 외과 의사들의 자리를 이동건이 대신했다. 이로 인해, 외과의가 할 수 있는 간단한 수술을 이동건이 하게 되었고… 결국 테이블 데스라는 사달이 난 게 분명했다. 진과 수현은 그리 생각했다.

진은 서류를 넘겨, 자금 흐름을 기록한 부분을 읽기 시작했다. 그러자 몇 개의 문장이 그의 시선을 끌었다. 문제의 문장들은, "악착같이 줄인 예산을 '돈이 되는' 진료과와 장례식장에 투자하자.",

"서울경찰청장과 의료 사건만을 담당하는 검사를 매수해서, 불법 수술을 눈감아달라고 해야겠다." 따위의 내용이었다.
서류를 남김없이 읽어치운 진이 한숨을 내쉬었다. 이랑은 그런 진과 수현에게 노트북과 스마트폰 그리고 대포폰에 관한 이야기를 꺼냈다. 그의 말에 따르면, 수현이 손수 복구한 서류와 조금 전 진과 수현이 읽은 서류는 민철의 노트북에서 작성되었고, 스마트폰은 병원 운영 등 일상적인 업무를 위해서 사용되었으며 대포폰은 납치와 시신 유기를 도운 공범들과 연락하는 데에 쓰인 상황이었다. 물론, 공범들 역시 대포폰을 사용했을 가능성이 매우 컸다.
그때, 진의 스마트폰이 드르륵거리는 소리를 냈다. 그는 스마트폰을 귓가로 가져갔다. 그러자 스피커 너머에서 누군가의 음성이 흘러들었다. 음성의 주인은, 국과수의 신원 확인 담당자 중 하나였다. 그는 신안대학교 병원의 숨겨진 방과 지하 6층에서 발견된 혈흔, 냉동고 안의 장기 그리고 잘린 머리와 손발을 비롯한 각종 증거품의 주인이 "장기 적출 사건"의 피해자들이라는 사실과 진짜 여섯 번째 피해자에 대한 사실을 전달했다. 이에 진은 감사 인사를 한 다음 통화를 마치며, 정밀 감식 결과를 수현에게 알렸다. 그리고 여섯 번째 피해자에 대한 정보를 덧붙였다.

"'진짜' 여섯 번째 피해자는, 신안대학교 병원의 수술방 간호사야. 이름은 이서해, 나이는 29세. 입사한 지 5개월 정도 됐대. 혼자 사는 데다가 야간 근무에 추가 근무로 퇴근이 늦어졌고, 하필 살해당한 시점이 휴가 첫날 새벽이어서… 실종 사실을 늦게 알아차렸나 봐."
"그렇군요. 그래서 신고가 늦은 거였어."

수현이 고개를 끄덕이며 중얼거리듯이 말했다. 그러고는 손을 들어 올려 입가로 가져가며 생각에 잠기더니, 컴퓨터를 향해 발걸음을 옮겼다. 이렇게 컴퓨터 앞에 선 수현은, 접수된 사건이 기록된 데이터베이스에 접속해 서해 부모님의 연락처를 찾아 연락을 취했다. 그리고 전화기 너머의 사람한테 서해의 과거를 물었다.

"이서해 씨는, 지금까지 단 한 번도 반사회적인 행동을 보인 적이 없었대요. 문제를 일으킨 적이 없으니, 정신과 진료를 받을 이유도 없었고요." 통화를 마친 수현이, 서해의 부모에게서 얻은 정보를 전달했다.

"그럼, 이서해의 죽음에…… 다른 이유가 있다는 거로군. 조민철은 이서해의 성향을 모르니 말이야."

"이서해와 이동건의 신원을 바꿔치기한 걸 보면, 조민철은 이서해 씨의 죽음을 필사적으로 숨기려 한 것 같고요."

수현이 고개를 끄덕이며 추리를 덧붙였다. 이를 끝으로, 전담팀에는 침묵이 내려앉았다. 진과 수현은 생각에 잠겼고, 조금 전의 대화를 들은 이랑 역시 생각에 잠긴 모양새였다. 이렇게 침묵은 계속되었다. 그러다 마침내, 진과 수현이 동시에 고요함을 걷어냈다.

"이서해 씨를 죽여야만 했던 거예요."

"이서해를 죽이지 않으면, 안 되는 상황이었던 거야."

서로 같은 생각을 했다는 사실이 밝혀지자, 진과 수현이 서로를 바라보았다. 그렇게 찰나, 침묵이 다시금 내려앉았다. 하지만 조금 전과 다르게, 침묵은 전담팀에 오래 머물지 못했다. 진이 재빠르게 추리를 이어갔기 때문이다.

“그래서, 조민철은 자신이 만든 ‘살인 법칙’을 깼던 거지. 그렇다면, ‘이서해를 죽이지 않으면 안 되는 상황’이란?”

“이서해 씨가, 불법 대리 수술의 목격자인 경우죠. 당연히 조민철은 이서해 씨를 회유했겠지만… 실패했을 거고요.”

“회유에 실패한 조민철에게 남은 선택지는, 살인뿐이었을 거야. 죽은 자는 말이 없으니까.” 진이 말을 멈추며, 잠시 숨을 골랐다. 그러고는 다시 입을 열었다. “이렇게 이서해를 살해한 조민철은, 불의에 저항한 이서해를 ‘사이코패스 성향이 있는’ 이동건으로 둔갑시켰어. 네 말대로, 이서해의 죽음을 필사적으로 숨기려 한 거지.”

진이 말을 마치며 수현을 바라보았다. 그는 수현에게 다음 추리를 넘겼고, 이를 알아챈 수현은 곧바로 입을 열었다.

“조민철은 자기 자신이 만든 ‘살인 법칙’을, 스스로 깨부쉈다는 것을 잘 알았을 거예요. 그래서 이서해 씨의 죽음을 은폐한 거죠. 오점을 가리기 위해 몸부림치는 연주자처럼요.”

일순간, 수현이 무언가를 떠올렸는지 잠시 말을 멈추었다. 그러더니 흐음, 하는 소리를 내고는 고개를 한 번 저으며 문장들을 덧붙였다.

"자신을 예술가이자 심판자라고 여겼다는 게 조금 더 정확하겠네요. 사이코패스 성향이 있는 일반인을 '위험 분자'나 '잠재적 범죄자'라고 생각해서…… '심판'을 내린 거예요. 피해자의 시신을 높은 곳에서 떨어뜨린 것도 같은 맥락이라고 생각해요. '죄인을 지옥으로 떨어뜨리는 절대자의 모습'을 재현하고 싶었던 거겠죠. 피해자의 머리와 손발을 자른 것도, 장기를 적출해서 사람을 죽인 것도…… 징벌의 의미일 테고요. 덤으로 수사를 방해할 수 있고, 장기 밀매 조직의 짓인 것처럼 꾸밀 수도 있으니. '그러지 않을' 이유가 없어요. 잘라낸 머리와 손발 그리고 장기를 훼손한 건, 살인 욕구를 풀기 위해서일 것 같네요."

"조민철은 그런 자신을 과시하고 싶었던 거지. 그래서 시신을 보란 듯이 유기한 거야."

진이 고개를 끄덕이며 나직이 사견을 얹었다. 두 사람은 같은 결론에 도달한 상태였다. 이제, 조민철을 신문하는 절차만이 남아있었다. 진과 수현은 이랑에게 감사를 표했고, 이랑은 "제가 필요하다면, 언제든지 불러주세요!"라고 말한 뒤 전담팀을 떠났다. 그런 그를 뒤로하며 진은 민철이 있는 취조실로, 수현은 취조실 옆 관찰실로 향했다.

진의 발걸음 소리를 들은 민철은 어느새 진을 올려다보고 있었다. 그는 목을 빳빳하게 든 채, 당당한 태도를 보였다. 진은 그런 민철을 무감정한 눈빛으로 내려다보며, 책상 앞 의자에 앉았다. 그리고 딱딱한 말투로 신문을 시작했다.

"조민철 씨. 당신은 공무원에게 뇌물을 건넸고, 이동건을 숨겨진 방에 감금했으며 5명의 '사이코패스 성향이 있는 사람들'과 불법 수술을 목격한 이서해의 장기를 적출해 살해하고, 시신을 훼손 및 유기했습니다. 혐의, 인정하십니까?"
"……이서해를 죽인 이유까지 알아내다니. 대단하군, 정말 대단해!"

체포당할 때와는 다르게, 민철이 여유를 부리며 너털웃음을 터뜨렸다. 하지만 진은 그 어떠한 반응도 보이지 않은 채로 신문을 이어갈 뿐이었다.

"의사가 처형장을 운영하면 어떻게 합니까?"
"세상에 잠재적 살인마는 필요 없어. 그놈들은… 죽어 마땅한 것들이야!"
'처음부터 끝까지… 변명이 예상을 벗어나질 않네.'

수현과 함께했던 추리를 떠올리며, 진이 속으로 한숨을 내쉬었다. 하지만 이를 알 리 없는 민철은 자신이 저지른 범죄 행위를 그럴듯하게 포장하느라 바빴다.

"한가온만 봐도 그래. 그 새끼, 작은 동물하고 곤충을 죽이는 것을 즐겼다고! 그대로 뒀으면, 사람 하나 잡았을 거야!"
"하지만 나아졌잖습니까." 진이 민철의 시선을 받으며 말을 이었다. "가능성을 이유로 죽일 수는 없습니다. 범죄자한테도 반성할 기회를 주는데, 하물며 무고한 사람은 어떻겠습니까?"

진의 정론(正論)을 들은 민철이 일순간 멈칫했다. 하지만 이내 자신만만한 표정을 되찾고는, 진을 노려보았다. 그는 진이 자신의 표정을 읽어내지 못했으리라고 확신했다. 그 정도로 민철의 표정 변화는 순식간이었다. 그러나 진은 민철의 이상 반응을 진즉에 감지한 후였기에, 민철의 반응을 잘 기억해 두기로 마음먹었다.

"사이코패스 성향이 있다고 해도 말인가?"
"성향은 그저 성향일 뿐입니다. 노력을 통해, 얼마든지 바뀔 수 있어요."

진이 단호히 말하며 윤수현을 떠올렸다. 수현은 가능성의 또 다른 이름이었다. 물론 모든 사람이 윤수현 같지는 않으리라. 하지만, 가능성이라는 것은 누구에게나 열려있었다.

"이동건처럼, 바뀌지 않는 놈들도 있어."
"예, 잘 압니다. 당신의 손에 죽은 5명의 피해자처럼 변화하는 경우가 있는가 하면, 이동건처럼 변하지 않는 사람도 있는 법이지요."

진이 담담한 어조로 응수했다. 그러자 민철이 또다시 '이상 반응'을 보였다. 진은 그가 눈치채지 못하도록 '이상 반응'을 살피며, 신문을 이어갔다.

"당신은 그런 이동건에게 수술을 맡겼고요."

“이동건은, 돈이 되는 놈이었거든. 그래서 채용했지. 어차피 죽일 거, 최대한 이용하는 게 이득이니까.”
“……무르기 짝이 없는 신념이로군.”
“무슨 뜻이지?”

민철이 눈을 가늘게 뜨며 물었다. 그러자 진이 팔짱을 끼며 입을 열었다.

“‘잠재적 범죄자를 심판한다’라는 법칙을, 상황에 따라 바꾸고 있잖습니까? 그래서 무르다고 한 겁니다. 입막음을 위해서, 살인 법칙에 어긋나는 ‘불의에 저항하는 정의로운 사람’을 죽이고…… 스스로 법칙을 깼다는 것을 숨기기 위해 피해자의 신원을 조작하다니.”

진의 날카로운 지적에, 민철은 입술을 한껏 짓씹었다. 그러고는 한참 만에 입을 열어, 비웃듯이 읊조렸다.

“……사람들은 살인이 아니라, 심판이라고 생각할 거다. 인간은 절대 본성을 거스를 수 없어! 다들 그렇게 믿고 있다고!”

냉소로 점철된 말에, 진이 민철을 뚫어져라 바라보았다. 그는 민철이 “인간은 변화할 수 없다.”라는 속설에 기이할 정도로 집착한다는 것을, 민철이 그 자신의 신념에 집착한다는 것을 꿰뚫어 보았다. 이에 진은 밝혀내지 못한 진실의 존재를 직감했다. 그리고 진실을 밝히기 위해서는, 민철이 쓴 가면을 벗겨내야 한다는 것을 알아차렸다.

“그래… 아무리 노력해도, 운명은 바꿀 수 없다는 거지?”

진이 중얼거리듯이 말했다. 그러고는 예리한 문장으로 민철이 펼친 논리의 빈틈을 파고들었다.

“그럼, 당신은 내 손에 잡히기 위해 태어났다고 할 수 있겠군?”

진은 민철의 논리를 살짝 비틀어 돌려주었다. 본성을 극복할 수 없다는 주장은, 결국 운명은 정해져 있다는 말과 같았으며 인간에게 태어난 목적이 있다는 뜻이기도 했다. 마치, 무언가를 자르기 위해 만들어진 칼날과 앉기 위해 만들어진 의자처럼.

“개소리! 내가 네놈한테 잡힌 건, 다 재수가 없어서……!”

민철이 두 손으로 책상을 내려치며 화를 냈다. 그러자 진이 고개를 갸웃하며 대꾸했다.

“이상하네. 조금 전하고 이야기가 다른데?”

진의 도발에 걸려든 민철의 눈빛이 심상치 않았다. 그의 눈빛에서 강박감과 불안감이 뒤섞여 나타났다. 분명, 조금 전에 봤던 눈빛과 똑같았다. 진은 민철이 보였던 이상 반응을 떠올렸다. 민철은 가능성을 이유로 사람을 죽일 수는 없다는 말을 듣고 흠칫했었다. 진은 민철의 이상 반응이 '가능성'을 주제로 나눈 대화 때문이라는 것을 직감하고는, 빠르게 생각을 확장해 나갔다. 그렇게 몇 분의 시간이 침묵과 함께 흘러갔다.

"……신념을 깨부수는 사람들에 대한 분노. 맞지?"

진의 입에서 최후의 진실이 흘러나왔다.

"사이코패스 성향을 극복한 다섯 명의 피해자들은, '인간은 본성을, 운명을 극복할 수 없다'라는 속설을 보기 좋게 깨부쉈어. 너는 그런 피해자들을 보며 분노했고, 결국 살인을 결심한 거야."

더는 숨길 수 없는 진실이, 민철을 난도질했다.

"넌 애초에 이동건을 죽일 생각이 없었어. 왜냐? 이동건은 네 신념이 옳다는 것을 증명하는 존재니까. 그래서 이동건을 '채용'해, 곁에 둔 거지. 하지만 이서해의 죽음을 덮어야 했기에, 어쩔 수 없이 죽이려고 한 거야. 다만, '진짜 이동건'의 시신만큼은 조용히 처리할 생각이었겠지. 그렇지 않으면, 신원을 또 조작해야 하니까."

진의 말이 이어질수록, 민철의 표정이 일그러졌다. 진은 그런 민철을 계속 몰아붙였다.

"시신 훼손 역시, 분풀이의 연장선이었어. '높은 곳에 도달한 피해자들', 즉 '갖은 노력 끝에 본성을 억누른 피해자들'을 끌어내리고 싶다는 강렬한 욕망이…… 높은 곳에서 시신을 떨어뜨리는 형태로 나타난 거야. 목과 손발을 자른 건, 죽은 피해자들에게 무력감을 안겨주기 위해서 벌인 일이고. 장기를 꺼내서 사람을 죽인 것 역시 같은 맥락이야. 게다가 장기 밀매 조직이 벌인 일인 것처럼 꾸밀 수도, '기념품'을 수집할 수도 있으니…… 너의 그 저열한 욕망을 실현하기에는 안성맞춤이었겠지."

일순간, 진이 말을 멈추며 숨을 골랐다. 그리고 제 내면에 있던 감정과 문장을 남김없이 긁어모아, 어절 하나하나에 힘을 실어 일갈했다.

"조민철. 너는 심판자가 아니라, 어리석고 같잖은 범죄자일 뿐이야."

진실을 벼려서 만든 문장에, 민철은 마른침을 삼키며 주먹을 꽉 쥐었다. 그러자 손바닥에 맺혀있던 땀이 손가락과 손톱 사이를 파고들었다. 모든 것을 꿰뚫어 보는 진의 시선과 통찰력은 그에게 두려움을 안겨주었다. 그리고 동시에 깨달음도 안겨주었다. 저는 절대 진을 이길 수 없다는 깨달음을. 생각이 여기까지 미치자, 민철은 저도 모르게 자리에서 일어났다. 그러자 진이 그를 올려다보았다.

"제, 제발. 언론에 알리는 것만큼은……!"

민철이 비틀거리며 무릎을 꿇었다. 진은 그런 그를 무감정한 눈빛으로 내려다볼 뿐이었다. 그렇게 영원 같은 몇 초가 흘렀고, 민철이 덜덜 떨며 입을 열었다. 그의 입에서는 자신이 건넨 뇌물을 받고 신안대학교 병원의 건축 허가를 내준 공무원과 이서해의 시신을 이동건의 시신으로 조작하라는 명령을 내린 국과수의 중간 간부, 피해자의 거주지와 개인정보를 불법으로 제공한 흥신소, 납치 및 시신 유기를 도운 청부살인업자, 불법 수술에 가담한 의료진과 불법 수술을 눈감아준 병원 직원들의 이름이 흘러나왔다. 여기에, 뇌물 장부에 언급된 서울경찰청장과 검사의 이름이 더해졌다.

자백은 계속되었다. 민철은 혹시 모를 상황에 대비해 동건과 직접 대면했을 때만 소통했으며, 동건의 '출퇴근 루트'와 복장 등을 직접 짜주었다고 털어놓았다. 본업을 마친 동건은 그런 그의 지시에 따라, 스마트폰을 끄고 모자와 마스크를 쓴 채로 대중교통에 몸을 실었다. 그리고 신용카드 등 '동선 추적이 가능한 모든 결제 수단' 대신 현금만 사용했으며, 거주지 인근에 도착했을 때 꺼져있던 스마트폰의 전원을 켰다. 이러한 지시 사항은 민철이 저지른 마지막 살인에 이용되었다. 민철은 휴가 직전 마지막 근무일 밤, 즉 저번 주 토요일 밤에 불법 수술을 목격하자마자 원장실로 달려온 서해를 회유했다. 하지만 서해가 소신을 굽히지 않았던 탓에, 살인을 결심했다. 그는 전기 충격기로 수술복 차림의 서해를 제압해 밧줄로 묶은 뒤, 숨겨진 방에 가두었다. 그러고는 귀갓길에 오르기 위해 옷을 갈아입은 동건을 원장실로 불러내, 성폭행에 사용되는 마약 중 하나인 GHB(gamma-Hydroxybutyric acid)를 섞은 음료를 건넸다. 아무런 의심 없이 음료를 마신 동건은 얼마 지나지 않아서 무력화되었고, 민철은 그런 그의 옷가지를 벗겨냈다. 그리고 속옷

차림의 동건을 밧줄로 묶어서 숨겨진 방 안의 '작은 방'에 감금한 다음, 개인 사물함을 뒤져 서해의 사복을 손에 넣었다. 이렇게 두 사람의 옷을 손에 넣은 민철은 두 명의 살인청부업자에게 서해와 동건의 옷 그리고 모자와 마스크를 건넸다. 업자들은 감금당한 두 사람과 체격이 비슷했기에, 얼굴만 가리면 얼마든지 동건과 서해인 양 행동할 수 있었다. 이들은 민철이 시킨 대로 움직였다. 한 사람은 동건의 소지품을 들고 '귀갓길에 납치당한 이동건'을 연기했고, 나머지 한 사람은 서해의 소지품을 든 채로 '휴가 직전 마지막 근무를 마치고, 곧바로 부산 여행길에 오른 이서해'를 연기했다. 여기까지가, 민철의 입에서 나온 내용이었다. 그는 제 이름이 언론에 오르내리는 상황을 막기 위해, 어떻게든 감형받기 위해 필사적으로 문장을 토해냈다. 하지만 민철처럼 극악무도한 연쇄살인범들은, 경찰의 신상 공개 처분을 피할 수 없었다.

"나름 애썼지만…… 이를 어쩌나? 나와 내 파트너는, 피해자의 이동 경로를 확인하지 않았어. 아무런 단서도 얻지 못할 게 뻔하니까 말이지."

묵묵히 민철의 자백을 기록하던 진이 쯧, 하고 혀를 차며 담백한 감상을 내뱉었다. 그러자 민철의 몸이 움츠러들었다. 진은 그런 민철을 바라보며 진술서 작성을 마무리하고는, 자리에서 일어나 그를 향해 다가갔다. 그리고 의자에 앉아 있던 민철의 팔을 붙잡은 다음 강제로 일으켜 세웠다. 이를 본 수현은 취조실 안으로 들어와, 혹시 모를 상황에 대비해 민철을 붙잡았다. 이렇게 두 사람에게 팔을 붙잡힌 민철은 다시 유치장에 갇혔다. 심판자를 참칭한 범죄자의 말로는, 초라하기 그지없었다.
민철을 뒤로한 진과 수현은 바삐 움직였다. 민철이 언급한 사람들은 두 형사의 말을 듣고 도주하거나 폭력을 행사하다가 체포당했다. 광수대로 끌려온 이들은 결백을 주장했으나, 얼마 지나지 않아 범죄를 저질렀다는 사실을 시인했다. 두 형사는 그들을 신문한 다음 수사에 필요한 각종 영장을 신청했고, "장기 적출 사건"의 악명을 접한 판사는 신속히 영장을 발부했다. 덕분에 민철이 언급한 사람들은 결국 모두 구속되었다.
다음은 신안대 병원에서 벌어진 불법 수술 사건을 처리할 차례였다. 진과 수현은 의견을 나눈 끝에, 민철에게서 뇌물을 받은 두 공무원과 아무런 연이 없는 수사관들에게 수사를 맡기자는 결론을 내렸다. 서울경찰청장이 뇌물을 받고 불법 수술을 눈감아 준 사건을, 서울청 소속 형사인 자신들이 수사하는 건 옳지 않다고 판단했기 때문이다. 물론 수사하고자 한다면 얼마든지 할 수 있었지만, 불법 수술로 인해 목숨을 잃은 피해자의 유가족이 이를 용납할 리 없었다. 그들은 그리 생각하며 각종 서류를 정리해, 사건을 인계받을 수사관들에게 공문을 보냈다. 이로써, 조민철 사건이 완전히 막을 내렸다.

"시간 괜찮지?" 수현을 향해, 진이 단도직입적으로 물었다.
"남아도는 게 시간이라서요." 수현이 스마트폰의 화면을 끄며 답했다.
"그래? 그럼 진지하게 이야기 좀 하자."
"뭐가 그렇게 급해요? 천천히 해도 되는데."

묘하게 비협조적인 수현의 태도에, 진이 표정을 구겼다. 그리고 손을 들어 올리더니, 그대로 수현의 등을 밀었다. 그렇게 진은 수현을 밀며 전담팀 회의실 앞으로 직행했다.
이윽고 진은 회의실의 문을 열었다. 그리고 그대로 수현의 어깨 뒤쪽을 가볍게 쳤다. 그러자 수현이 낮고 짧게 앓는 소리를 내며, 회의실 안으로 밀려들어 갔다.

"이제 말해도 돼." 수현을 따라 회의실 안으로 들어온 진이, 문을 잠그며 말했다.
"어디서부터요?"
"의사가 되기로 마음먹은 다음부터."

진의 말에 수현이 팔짱을 낀 채, 오른손 검지로 자신의 팔을 톡톡 두드렸다.

"의대 생활이야 뻔하니까 넘어가고요. 외상 외과, 심장혈관흉부외과, 뇌혈관외과, 병리과 전문의 자격을 모두 따고 한참이 지난 뒤에 민……."

그때, 진에게 걸려 온 전화가 보기 좋게 수현의 말을 잘랐다. 진은 오만상을 찌푸렸다. 하지만 전화를 건 사람이 연희라는 사실에 표정을 풀더니, 수현에게 양해를 구하며 스마트폰을 귓가로 가져갔다. 그러자 인사를 생략한, 아주 다급한 목소리가 스피커에서 흘러나왔다. 이를 들은 진은 눈을 질끈 감으며 침음했다.
수현은 그런 진을 바라보며, 심각한 일이 생긴 게 분명하다고 생각했다. 하지만 통화 중인 진에게 질문을 던질 수는 없었으므로, 얌전히 입을 다문 채 기다리기로 했다. 질문은 통화가 끝난 뒤에 해도 늦지 않을 테니까. 그러나 그는 얼마 가지 않아 굳게 다물었던 입을 열 수밖에 없었다. 화제를 바꾼 연희가, 옆에 수현이 있다면 전화를 바꿔 달라고 한 탓이었다.

"기자님? 저를 왜…?"

진에게서 스마트폰을 넘겨받은 수현이 조심스레 묻자, 연희가 능글맞게 웃으며 답했다.

"당연히 기사 때문이죠. 수현 씨에 대한 익명의 제보를 받았거든요."

말을 마친 연희는 잠시 숨을 골랐다. 그러고 나서 살인 혐의를 벗은 이후에 제보받은, 국정원의 비밀문서에서 본 정보를 무덤덤한 어조로 입 밖에 냈다.

"윤수현. 불로불사의 생명체이자, 고도로 발전한 과학 기술을 지닌 행성에서 온 외계인. 상처를 순식간에 낫게 하고 차원 문을 열어 공간과 공간을 잇는 등, 지금 우리 수준으로는 설명할 수 없는 기이한 능력을 지닌 자. 그리고… 새로운 수술법을 개발하겠다며 자신의 팔을 절단한, 사이코패스 성향이 있는 외과 의사."

연희의 말에, 수현은 침묵했다. 연희는 그런 그에게, "수현 씨의 정체를 절대 발설하지 않겠다는 서약서를 쓰고 있었는데 말이죠. 국정원 요원이 그러던데요? 유 진도 수현 씨의 정체를 아는 사람 중 한 명이라고요."라고 말했다. 그런 다음, 당장 만나자고 말하며 만날 장소와 시간을 차례로 통보했다.

연희가 제시한 장소는, 다름 아닌 수현의 집이었다. 연희는 "수현 씨의 집만큼 안전하면서, 국가 기밀에 관해 이야기할 수 있는 장소는 이 세상에 없을걸요?"라고 말하며 무조건 진과 같이 오라는 조건을 덧붙였다. 이에 수현은 잠시 망설이다가, 연희에게 잠시 양해를 구했다. 그리고 스마트폰을 얼굴에서 살짝 떼어내더니, 연희의 입에서 나온 이야기를 진에게 전했다. 수현의 말을 들은 진은 "대체 얘가 무슨 꿍꿍이인 거야?"라는 표정을 지으면서도 같이 가겠다는 답을 주었다. 그러고는 한숨을 내쉬며 수현의 집으로 갈 채비를 했다. 상황이 이런 탓에, 진은 수현의 이야기를 듣는 것을 잠시 미룰 수밖에 없었다.

"저, 경위님. 처음에, 무슨 이야기를 들은 거예요?"

그때, 통화를 마친 수현이 스마트폰을 진에게 돌려주며 조심스레 이야기를 꺼냈다. 그러자 스마트폰을 받은 진이 움직임을 멈췄다. 그러고는… 주먹을 꽉 쥐었다 펼치며 입을 열었다.

"평택 별장 방화 살인사건의 피해자가, 인화 제약의 연구원들이라는 사실이 알려지면서…… 내가 인화 제약의 최대 주주이자 인화 그룹의 유일한 후계자인 동시에 현직 형사라는 사실도 같이 알려져 버렸어. 그래서인지, 검찰이 별장 방화 살인사건을 직접 수사하겠다고 나섰고. 뭐, 이해는 해. 경찰 간부가 최대 주주로 있는 회사를… 경찰이 수사할 수는 없을 테니."
"네? 인화 그룹의 총수가 입양했다는 아이가, 경위님이었어요?!"

진의 고백을 들은 수현이 놀란 표정을 지으며 물었다. 그를 비롯한 사람들은, 인화 그룹 후계자의 얼굴은커녕 이름조차 알 수 없었다. 인화 그룹의 후계자는 입양아이고 계열사 경영에 일절 참여하지 않으며 대한민국의 재벌가 사람들이 모이는 교류회를 포함한 그 어떤 행사에도 참석하지 않는다는 사실만이, 세간에 알려진 전부였기 때문이다. 물론, 진이 화재에 휘말려 목숨을 잃을 뻔한 사실과 수현이 그런 그를 구했다는 사실 역시 세간에 알려지지 않은 정보 중 하나였다. 한편 진은 당황한 수현을 보며, 천천히 고개를 끄덕이는 것으로 답을 대신했다.

"인화 그룹의 후계자라는 사실을 숨긴 채로 살아온 이유…… 물어봐도 될까요?" 수현이 조심스레 질문을 던졌다.
"……수치스러워서, 알리고 싶지 않았어."

전혀 예상치 못한 답이 진의 입에서 흘러나오자, 수현이 의아하다는 표정으로 그를 바라보았다. 진은 그런 그의 물음에 순순히 답해주었다.

"나는, 재벌 후계자로 살고 싶지 않아."

진은 인화 그룹의 유일한 후계자였다. 그의 어머니는 유인영. 현재 인화 그룹의 총수였으며, 대한민국 국민이라는 누구나 존경하는 사람이었다. 인영은 나눔을 실천하는 기업인인 데다가, 인영의 아버지 '유인화'는 6.25 전쟁 참전용사이자 민주화 운동가였다. 게다가 인영의 친할아버지 '유재형'은 독립운동을 위해 거금을 쾌척한 독립운동가였으니, 인화 그룹 사람들이 존경받는 것은 어찌 보면 당연했다.

하지만 진은 이런 명문 재벌가의 후계자로 살고 싶지 않다고 했다. 수현은 그 이유를 묻고자 했으나, 진이 입술을 짓씹는 터라 조용히 입을 다물었다.

*

사치스러운 예술품으로 가득한 사무실. 고급 원목으로 만들어진 책상 앞에, 50대 중반의 남성이 앉아 있었다. 그는 성일 그룹의 총수인 최성욱이었다. 성욱은 벽면에 걸린 TV를 보며, 피아노를 치듯이 책상을 두드렸다.

"신안대학교 병원장 조민철이, 사이코패스 성향이 있는 사람들을 살해했다는 소식입니다."

뉴스 진행자의 말을 들은 성욱의 얼굴에 비웃음이 번졌다. 주제도 모르고, 심판자를 꿈꾸다니. 그는 민철의 어리석음에 혀를 차며 자리에서 일어섰다. 그리고 주차장을 향해 발걸음을 옮겼다.

성욱이 리무진에 타자, 운전기사가 문을 닫은 후 운전석으로 돌아왔다. 침묵 속에서, 성욱이 탄 리무진이 움직이기 시작했다. 시간이 흐르고, 리무진이 멈춰 선 건물은 호화로운 룸살롱 건물 앞이었다.
성욱이 방을 잡고 기다린 지 얼마 후, 50대 남성 하나가 모습을 드러냈다. 성욱은 기다렸다는 듯이 일어나, 그에게 깍듯이 인사했다. 그러자 상대 역시 웃으며 인사로 화답했다.
두 남자가 테이블을 중심으로 마주 앉았다. 그들 앞 테이블에는, 회사원 한 명의 월급을 가뿐히 넘어서는 술과 음식들로 즐비했다. 성욱은 제 앞에 앉은 남성에게 술을 권했다. 그러자 남성이 웃으며 입을 열었다.

"야, 이거 오래 살고 볼 일입니다? 성일 그룹 회장님을 보는 날이 올 줄은 몰랐습니다."
"이게 다 총장님 능력이 출중한 덕분 아니겠습니까?"

성욱의 맞은편에 앉은 남성은, 그의 대학 동문이자 현직 검찰총장인 전병길이었다. 성욱은 병길에게 성일 그룹 법무팀에 꼭 모시고 싶다며 운을 뗐다. 이에 병길은 성욱이 자신을 만나고자 하는 이유를 눈치챘다. 병길의 은퇴는 몇 년 후의 이야기였다. 그런데 성욱은 이를 알면서도 저를 찾아왔다. 그렇다면 이유는 단 하나뿐이다.

"그래서, 제가 뭘 해드리면 됩니까?"
"인화 제약 연구원 살해 사건. 검찰이 수사하는 것으로 알고 있습니다."

성욱이 별장 방화 살인 사건에 관한 이야기를 꺼내자, 병길의 표정이 일순간 굳었다.

"…맞습니다. 인화 제약의 최대 주주가, 하필 경찰 간부인 탓입니다. 중립성 유지를 위해서는 어쩔 수 없지요."

병길이 목을 축이며 답하자, 성욱이 본격적으로 제안을 해 왔다. 성욱은 그에게 성일 그룹 법무팀장의 자리와 업계 최고 연봉, 성일 그룹 계열사의 주식을 약속했다. 또한, 지금은 말할 수 없지만 때가 되면 추가적인 혜택을 제공하겠다고 호언장담했다. 물론 이는 공짜가 아니었다. 앞서 말한 혜택에 대한 대가는, 별장 방화 살인 사건을 핑계로 인화 제약을 압수 수색하는 것이었다. 단, 압수수색 이후의 수사 과정은 성욱이 원하는 시점에 이루어져야 한다는 조건이 붙었다.

병길은 고민에 빠졌다. 압수수색 자체는 문제가 되지 않는다. 모든 가능성을 고려해야 하니 말이다. 하지만 이후의 수사를 성욱이 원하는 시점에 하는 것은… 검찰과 기업가가 결탁하는 '범죄'다. 그러나, 그의 고민은 오래가지 않았다. 그만큼 성욱이 내건 조건은 달콤했다. 법무팀 팀장 자리도 자리지만, 성일 그룹 계열사의 주식이라니. 구미가 당기는 제안이었고, 제가 손해 볼 일은 없었다. 결국, 병길은 성욱과 손을 잡는 것을 택했다.

*

수현의 집 거실. 진과 나란히 식탁에 앉은 연희는, 바삐 움직이는 수현의 뒷모습을 바라보았다. 수현은 진과 연희에게 대접할 음식을 만드는 데 열중했다. 연희가 만나자고 한 시간대가, 하필 저녁 식사 시간과 겹친 탓이었다.

“이런 멋들어진 대접을 받자고 온 게 아닌데.”

수현이 내민 스테이크를 받아 든 연희가 멋쩍은 듯이 웃었다.

“7시에, 그것도 다짜고짜 남의 집에서 만나자는 사람의 입에서 나올만한 말은 아닌 것 같은데?”

진이 스테이크를 받아들며 어이가 없다는 얼굴로 말했다. 그러자 연희는 나이프를 집어 들며 변명을 주절주절 늘어놓았다. 이 지구에 윤수현보다 강한 존재는 없으니, 수현에게 가장 익숙한 장소가 곧 세상에서 가장 안전한 장소가 아니겠냐는 말을.

“안전한 건 맞죠. 그러니까 그만 싸워요.”

수현이 싱긋 웃으며 진과 연희의 다툼 아닌 다툼을 중재하며 식탁 앞에 앉았다. 연희는 그런 수현을 빤히 바라보았다. 수현은 자신이 먹을 음식을 준비하지 않았다. 식탁 위에는 진과 연희 몫의 음식뿐이었다. 역시, 웬만해서는 음식을 입에 대지 않는다는 제보는 사실이었다.

“수현 씨. 뭐 하나만 확인해 봐도 돼요?”

연희가 슬그머니 포크를 쥐며 묻자, 수현이 고개를 천천히 끄덕였다. 그러자 연희는 말릴 새도 없이 일어나, 수현의 얼굴을 향해 포크를 내리찍었다. 이에 경악한 진이 그를 향해 달려들었으나, 이미 일은 벌어진 뒤였다.
연희가 들고 있던 포크는 완전히 뒤틀려, 더는 포크라고 할 수 없는 형상이었다. 진은 초인적인 운동신경 덕분에, 연희의 손목을 낚아채는 데 성공했다.

"대체 뭐 하는 거야?!"

진의 타박에도, 연희는 포크를 놓지 않았다. 오히려 휘어진 포크를, 수현을 향해 꾸역꾸역 내리찍으려 들었다. 하지만 연희의 손은 미동조차 하지 않았다. 연희는 보이지 않는 힘의 존재를 느꼈다. 수현이 지닌 미지의 힘이, 연희의 움직임을 완전히 봉쇄한 상태였다.

"…저기요, 수현 씨. 화 안 내요? 이거, 충분히 화낼만한 상황인데?"

연희는 물끄러미 자신을 바라보기만 하는 수현이 황당했는지, 얼떨떨한 표정으로 물었다. 그러자 수현은 어깨를 으쓱하며 대꾸했다.

"기자님 손 안 다쳤으니까, 됐어요."
"아니, 그게 아니라! 방금, 제가 수현 씨를 죽이려고 했잖아요?!"
"내가 안 죽는다는 걸 알고 한 거잖아요?"

별것 아니라는 듯한 수현의 반응에, 연희는 맥이 빠져 주저앉았다. 그러자 연희를 붙잡기 위해 서 있던 진 역시 자리에 앉았다.
연희는 자신을 물끄러미 바라보는 수현의 시선을 마주하며, 제보자가 보내온 국정원의 비밀문서를 다시금 떠올렸다.

'문서에 따르면, 수현 씨는 천몇백 살이라고 했었지. 두려움을 느끼지 못하는 경계선 사이코패스에 늙지도 죽지도 않는 데다가, 오래 살기까지 했으니…….'

그는 나이프로 스테이크를 썰며 이런저런 생각을 이어갔다. 비록 별장 방화 살인 사건이라는 특종을 포기해야만 했지만… 그래도 윤수현이라는 새로운 특종 제보가 들어와서 참으로 다행이었다.

"…역시 수현 씨는, 평범함과는 거리가 머네요." 연희가 중얼거리듯이 말했다.
"그런가요? 이상하네. 나 정도면, 평범하지 않나요?"
"새로운 수술법을 개발하겠다면서 자기 팔을 자르는 사람을…… 평범하다고 하지는 않죠?"
"불로불사에 강력한 재생능력을 가진 사람이라면, 누구나 나처럼 행동할걸요. 타인을 위해 팔을 자르는 일 정도야 아무것도 아니잖아요? 아프기는 하지만, 순식간에 회복되니까요."

수현은, 불로불사에 강력한 재생능력을 지녔다면 누구나 타인을 위해 팔 하나 정도는 가뿐히 자를 것이 분명하다고 강하게 주장했다. 하지만 연희는 단호히 고개를 저었다. 아무리 불로불사여도 고통을 느낀다면, 그런 짓은 절대로 할 수 없다는 게 연희의 의견이었다.

"수현 씨 같은… '제대로 미친 사람'한테는, 우호적인 논조의 기사가 필요해요. 그래야 대중의 호감을 살 수 있죠."

연희는 기자들의 악랄함을 지적했다. 국가가 언젠가 수현의 정체를 공개하면, 기자들은 「자기 팔을 자른 외계인 의사, 정신상태가 의심돼…」와 같은 자극적인 헤드라인을 뽑을 게 뻔했다. 물론, 이런 제목으로는 수현이 어떤 존재인지 담아낼 수 없었다.

"솔직히, 사람들한테 '희대의 또라이'나 '사이코 외계인' 같은 멸칭으로 불리기는 싫잖아요. 그래서도 안 되고요."

이어지는 연희의 말에, 수현이 고개를 끄덕였다. 그러자 연희는 기다렸다는 듯이 본색을 드러냈다.

"그러니까, 단독 취재하게 해 줘요. 국정원이 수현 씨의 정체를 언제 공개할지 모르니, 지금부터 준비해야 하지 않겠어요? 제가 수현 씨를 긍정적으로 묘사하면, 수현 씨는 우군을 얻고! 나는 부와 명예를 얻고! 와, 서로 이득이네! 그렇죠?"

수현은 능청맞은 웃음을 짓는 연희를 물끄러미 바라보다, 고개를 천천히 끄덕였다.

"…좋아요. 그럼, 앞으로 잘 부탁할게요."

"저야말로, 잘 부탁드려요." 연희가 의기양양하게 웃으며 말을 덧붙였다. "역시. 이런 사안은, 정보기관과 당사자의 허가를 받고 보도하는 게 최선이라니까요. 수현 씨는 국가가 지정한 1급 비밀이잖아요? 1급 비밀이 누설되면, 외교 관계가 단절되거나 전쟁이 일어날 수 있죠. 전쟁은 누군가에게는 절호의 기회지만, 저 같은 사람한테는 파멸일 뿐이에요."

문제의 제보자는 기자인 연희에게 1급 비밀을 흘렸다. 즉, 제보자는 이 사회에 극도의 혼란이 찾아오기를 원하는 것이 분명했다. 전쟁 혹은 전쟁 위기는 자신을 포함한 수많은 사람의 일상에 해악을 끼치므로, 연희는 제보자가 원하는 대로 움직일 생각이 없었다. 그럴 바에는 차라리 국정원의 허가를 받아 공식적인 보도권을 인정받는 편이 나았다. 물론 국정원이 수현의 존재를 영원히 함구하기를 원할 수도 있으나, 어찌 됐든 연희가 손해 볼 일은 없었다. 그래서 그는 제보 메일을 확인한 뒤에, 국정원에 들러 제보받은 자료를 모두 반납하고 비밀 유지 서약서를 작성했다. 그런 다음, 수현에 대한 진실이 언젠가 세상에 공개될 날에 맞추어 기사를 내보낼 수 있도록 수현을 단독으로 취재할 수 있게 해달라고 하였다.

"그건 그렇고. 받기만 하는 건, 좀 그러니까."

연희가 화제를 전환하기 위해 운을 뗐다. 그는 조금 전까지 국회에 있었다는 말과 함께, 정치판에서 진과 수현의 이름이 거론되었다는 말을 꺼냈다. 그러자 묵묵히 스테이크를 먹던 진이 연희를 바라보았다.

"전담팀이 이번 사건을 해결한 덕분에, 높으신 분들 모가지가 간당간당한 상태거든."

전담팀의 활약으로 서울경찰청장의 뇌물수수 혐의가 드디어 수면위로 떠올랐고, 이로 인해 경찰청장과 행정안전부 장관까지 공격당하는 상황이었다. 게다가 대통령 선거와 국회의원 선거가 당장 몇 개월 후였다.

다가올 대선과 총선은 과거와는 달리, 같은 날에 치러질 예정이었다. 이는 몇 년 전, 현재 재임 중인 대통령의 임기 초반에 있었던 개헌 때문이었다. 이로 인해 대통령의 임기를 5년으로 제한하고 재임을 막은 "5년 단임제"는 역사 속으로 사라지고, 그 자리를 "4년 연임제"가 대신할 예정이었다. 즉, 차기 대통령의 임기는 재선 여부에 따라 최대 8년이 된다는 의미였다!

이런 탓에, 정치인들의 신경이 곤두선 것은 자연스러운 일이었다. 만일 이번 선거에서 이긴다면 여당이 되는 것도 모자라, 운이 좋다면 다수당이 될 수 있기 때문이다. 그렇기에 이번 선거에서 확실히 승기를 거머쥐어야, 이번에 당선될 대통령의 연임을 꿈꿀 수 있었다. 그래서 여당은 정치 개혁을 외쳤고, 야당은 부정부패 근절을 주장했다.

"국가 기관장(長)의 비리를 밝혀낸 형사들. 부패하고 지리멸렬한 기성 정치를 바꿀 수 있는 새로운 피. 그게 너와 수현 씨를 바라보는 정치권의 시선이야."

연희가 나이프로 접시를 톡톡 치며 말했다. 최대 임기 8년의 대통령을 배출하는 것과 동시에, 거대 여당이 되기 위한 싸움. 그리고 이러한 권력 다툼이 난무하는 정치판에 휘말린 진과 수현. 위태롭기 그지없었다. 게다가 검찰과 경찰의 권한을 동등하게 만들기 위한 '검경 수사권 조정'이 필요하다는 이야기까지 나온 탓에, 정치판은 상상을 초월하는 혼돈 그 자체였다. 수사권 조정이 필요하다는 정치인들은 경찰의 권한은 "수사개시권" 하나뿐인데, 검찰은 "수사개시권", "수사종결권", "기소권", "영장청구권", "경찰 수사지휘권"까지 총 다섯 가지나 되는 권한을 행사하고 있다는 점을 지적했다. 이들이 언급한 '검찰의 경찰 수사 지휘권'은, 검찰이 경찰 수사를 직접 지휘해야 한다는 것을 의미했다. 하지만 실상은 달랐다. 검찰에 밀려드는 사건이 너무나 많은 탓이었다. 따라서 검찰은 경찰이 영장을 신청하면 법원(판사)에 영장을 청구하고, 경찰이 수사를 마친 사건을 적당히 검토한 뒤 "수사종결처분"을 내려 경찰 수사가 완전히 끝났음을 공인하는 방식으로 수사를 지휘해 왔다. 그렇기에 경찰이 작정하고 사건을 조작하거나 덮으면 검찰이 알아차리지 못하는 경우가 많았다.

"정치판의 밥그릇 싸움에 낄 생각은 없다고 전해줘. 최대한 빨리. 지금 당장이면 더 좋고."

진이 스테이크를 자르며 무신경하게 말했다. 그러자 연희가 그럴 줄 알았다는 식으로 슬쩍 웃더니, 수현을 빤히 바라보았다.

“나도, 정치인이 될 생각은 없어요. 지금이 좋은걸요.”
“좋아요. 그대로 여당과 야당에 전달할게요.”

수현의 답까지 들은 연희가 히죽 웃더니, 이내 양해를 구하며 스마트폰을 꺼냈다. 그러고는 조금 전 진과 수현의 입에서 나온 말을 짤막하게 정리해, 여당과 야당의 관계자에게 진과 수현의 뜻을 메시지로 전달했다.

“이제 정치인들이 두 사람의 이름을 언급하는 일은 없을 거예요. 싫다는 사람을 억지로 데려올 수는 없는 노릇이니까요.”

연희가 스마트폰을 식탁 위에 내려놓으며 말을 마쳤다. 그러자 진은 천천히 고개를 한 번 끄덕였고, 수현은 연희를 향해 싱긋 웃음 지었다. 이에 연희는 뿌듯한 표정을 지으며 포크로 스테이크를 푹, 찍어 입가로 가져갔다. 그렇게 그는 고기를 씹어 삼켰고, 이내 다시 입을 열었다.

“다만, 수현 씨는… ‘세 치 혀로 피의자의 목숨을 앗아간 사이코패스’라는 소문을 어떻게든 해야 할 거예요. 수현 씨의 이름이 거론되면서, 소문도 같이 새어 나온 상황이거든요.” 연희가 어깨를 으쓱, 한 다음 말을 이어 나갔다. “물론, 나는 진실을 알고 있어요. 수현 씨가 악성 루머에 시달리는 이유를, 국정원 요원이 알려줬거든요.”

연희의 말에, 수현은 침묵하며 시선을 피했다. 연희는 그런 수현을 향해 제안해 왔다.

"진실을 밝히고 싶다면, 얼마든지 말해요. 내가 힘을 빌려줄 테니까. 이대로라면, 언론이 수현 씨를 '피의자를 자살로 몰아넣은, 성범죄 감찰팀장'이라고 공격할지도 몰라요. 물론, 수현 씨가 감찰팀장이었다는 사실을 알아내는 데까지는 시간이 꽤 걸리겠지만요."

"말씀은 감사하지만……." 수현이 쓴웃음을 지었다.

"하긴… 성범죄 피해자들의 신원을 인질로 삼았으니, 수현 씨가 철저히 침묵하는 게 이해가 가요." 연희가 한숨을 내쉬며 중얼거리듯이 말했다.

이렇게 두 사람의 이야기를 끝으로, 대화는 완전히 막을 내렸다. 진과 연희는 식사를 조용히 이어갔고, 자리에서 일어난 수현은 조리대로 향하며 와이셔츠의 소매를 걷어 올렸다. 그러고는 검은색의 앞치마를 두르고 손을 깨끗이 씻은 뒤, 디저트를 만들기 시작했다.

하지만, 진과 연희는 디저트를 맛볼 수 없었다. 수현에게 걸려 온, 낯선 사람의 전화 때문이었다. 이에 수현은 급히 손을 물로 닦고 물기를 털어낸 뒤, 휴대전화를 집어 들었다.

"윤수현 입니……."

수현이 자신의 이름을 말하려는 찰나, 당혹감에 엉망진창이 된 목소리가 스피커에서 튀어나와 그의 말을 잘랐다.

“혀, 형사님!”
“누구신가요?”
“이, 이윤미입니다……!”

이윤미. 수현에게는 익숙한 이름이었다. 당연한 일이었다. “창인고등학교”에 재직 중인 30대 초반의 윤리 교사, 이윤미는… 감찰팀 시절의 수현이 만났던 수많은 피해자 중 하나였기에.

“무슨 일인가요?”
“저희 반 학생이… 밧줄로 모, 목을……!”

감당할 수 없는 상황은, 윤미의 사고회로를 완전히 망가뜨렸다. 이런 탓에 그의 말은 온전한 형태를 갖추지 못했다. 하지만 그가 하고자 하는 말을 알아듣기에는 충분했다.

수현은 출동을 위해 사건 현장의 주소를 물었다. 그러자 윤미는 자신이 지금 창인고등학교의 운동장 앞, 창고에 있다는 말을 힘겹게 토해냈다. 다행히도, 창인고는 수현의 집에서 그리 멀지 않았다.

한편, 사건을 직감한 진과 연희는 자리에서 일어나며 의자를 테이블 안으로 밀어 넣었다. 진은 수현과 함께 사건 현장으로 향하기 위해서, 연희는 자리를 비켜주기 위해서였다. 그렇게 연희는 인사를 남기고 자신의 집으로, 진과 수현은 감식팀과 119에 연락한 다음 곧바로 사건 현장을 향해 움직였다.

그렇게 10여 분이 흐르고, 진과 수현을 비롯한 사람들이 창인고등학교의 주차장에 몰려들었다. 그러자 주차장에서 서성이던 윤미가 비틀거리며 다가와, 그들을 사건 현장으로 안내했다.

“오늘 오후 7시에 진학 상담 약속을 잡은 은서가, 20분이 넘게 지났는데도 저를 찾아오지 않았어요. 전화도 받지 않았고요. 그래서 은서를 찾아다녔는데…….” 윤미가 필사적으로 떨림을 억누르며 상황을 설명했다.

“…목을 매단 상태였다는 거죠?”

수현의 물음에, 윤미가 이를 악물며 고개를 끄덕였다. 이에 수현은 윤미를 구급 대원의 곁에 머물도록 한 뒤, 라텍스 장갑과 족흔 방지 커버를 착용했다. 그리고 진과 함께 창고 안으로 들어갔다. 그러자 밧줄에 목을 맨 채로 공중에 떠 있는, 교복 차림의 학생이 시야에 들어왔다. 그런 학생의 곁에는, 먼지와 발자국으로 뒤덮인 나무 의자가 쓰러져있었다.

수현은 감식반 수사관에게서 빌린 발디딤대를 피해자의 곁에 놓은 뒤, 그 위로 올라갔다. 그리고 교복에 달린 명찰 속 “심은서”라는 이름을 보며, 그의 생체 반응을 확인했다. 하지만 은서의 신체는 그 어떠한 신호도 보내지 않았다. 이에 수현은 은서의 목숨이 완전히 끊어졌다고 판단한 다음, 시신과 밧줄을 자세히 살피기 시작했다.

시신은 많은 메시지를 담고 있었다. 은서의 목에 남은 손톱자국은, 목을 옭아맨 물건에서 벗어나기 위한 몸부림 때문에 생겼을 가능성이 매우 컸다. 또한 그의 얼굴에는 심한 울혈(鬱血)이 생긴 상태였으며 밧줄은 올가미 모양이 아니었다. 이런 식으로 ‘양 끝부분을 묶어서 고리 형태로 만든 밧줄에 목을 걸쳐놓듯이 매단 상태’, 그러니까 “열린 고리(open loop)”에 걸린 은서의 목은 틀어지지 않고 반듯했으며 마치 한글의 모음 "ㅣ"처럼 몸과 목이 일직선을 이루었다. 또한, 목과 턱이 이어지는 부분에 밧줄이 걸려있었다. 즉 매단 점(현수점)이 목 뒤쪽의 중앙에 있는 상황이었다.

수현은 눈을 가늘게 뜨며 은서의 시신을 뚫어져라 쳐다보았다. 이처럼 전신이 공중에 뜬 상태로 사망한 경우를 "완전 의사(complete hanging)", 현수점이 목 뒤 중앙에 있는 형태를 "전형적 의사(typical hanging)"라고 일컫는다. 그리고 이런 경우, 그러니까 "전형적 완전 의사"의 경우… 혈류가 모두 폐쇄되므로 망자의 낯빛은 창백하다. 지금처럼 얼굴에 울혈이 생기는 건, 혈류가 불완전하게 폐쇄되었다는 의미이다. 또한 목을 매단 밧줄보다 아래에 있으며 밧줄보다 현저히 얇은 삭흔(索痕)은, 은서의 죽음이 자살이 아닌 타살일 가능성에 무게를 실어주었다.

"……끈으로 목을 졸라 죽인 뒤에, 자살로 위장했어요."

잠시 침묵하던 수현이, 사건 현장을 살피는 진을 향해 말을 걸었다. 이에 진은 수현의 곁으로 다가왔고, 의자에서 내려온 수현과 교대해 상처를 살폈다. 그 역시, 수현과 같은 의견이었다.

그때, 밖에서 잠시 소란이 일었다. 이에 진과 수현은 창고 밖으로 나왔다. 그러자 산발인 채로 오른발과 왼발의 신발을 반대로 신은 중년 여성과 그런 그를 부축한 중년 남성이 시야 안으로 성큼 들어왔다. 윤미의 연락을 받고 한달음에 달려온, 은서의 부모였다. 예기치 못한 비극에, 여성은 통곡조차 하지 못하였으며… 남성은 그저 입을 꾹 다문 채, 비통함이 깃든 침묵을 지킬 뿐이었다. 그런 그들을 위해, 진과 수현은 상황을 설명하며 자살로 위장한 타살일 가능성이 크다는 의견을 조심스레 덧붙였다. 청천벽력 같은 소식을 들은 여성은 결국 다리에 힘이 풀려 주저앉고 말았고, 남성은 배우자를 부축하며 하나뿐인 딸아이를 부검하는 데 협조하겠다는 의견을 밝혔다. 이에 수현은 "부검을 하려면 의사의 사망선고가 필수예요."라고 말하였다. 물론 그 역시 의사이기에 사망선고를 내리고 사망진단서를 작성할 수 있었다. 하지만 그는 제가 의사라는 사실을 철저히 함구하고 있었으므로, 죽은 은서를 인근의 병원으로 보낼 수밖에 없었다. 같은 이유로, 그는 부검 역시 할 수 없었다. 부검을 할 수 있는 병리과 전문의 -수현은 병리과 전문의 자격증을 취득한 뒤, 1년간의 수련 과정을 거친 끝에 병리학의 세부 전문 분야인 법의병리학(forensic pathology) 전문의 자격증도 겸사겸사 취득했다- 인데도 불구하고. 한편 수현의 사정을 알 리 없는 은서의 부모는, 비척거리며 수현이 알려준 병원으로 발걸음을 옮겼다.

다시 창고 안으로 돌아온 진과 수현은 감식반의 수사관들과 함께 증거를 수집하기 시작했다. 이러한 '증거'에는 현장에 있던 모든 물건과 흔적이 포함됐다. 그렇기에 교복 재킷의 안쪽 주머니에 있던, 비밀번호가 설정되어 있는 스마트폰도 당연히 수거 대상이었다. 다음은 모래와 먼지로 가득한 창고 안에 남은 족흔과 지문 그리고 DNA를 추출할 시료를 채취할 차례였다. 하지만 지문과 발자국들이 얽히고설킨 탓에, 온전한 형태를 갖춘 경우가 거의 없었으며 사건 당시에 생겼는지 아니면 사건 발생 이전에 생겼는지 분간할 수조차 없었다. 그러니 현장에 남아있는 DNA도 같은 결과가 나올 게 뻔했다. 야외 체육용품 등 다양한 물건과 사람이 모여드는 장소인 데다가, 청소를 오랫동안 하지 않은 탓이었다. 이는 은서의 옆에 쓰러져있던, 먼지와 발자국 그리고 지문으로 뒤덮인 의자 역시 마찬가지였다.

그러나, 낙담할 이유는 없었다. 사건 해결에 도움이 될 만한 사실도 있었던 까닭이었다. 일단, 범인은 죽은 은서를 '들어서' 농구대까지 옮긴 듯했다. 창고 바닥에, 은서의 신발이 끌린 흔적은 없었으니 말이다. 또한 은서의 교복이 깨끗한 것을 보아, 범인은 피해자를 맨바닥이나 먼지와 발자국이 가득한 책상 혹은 의자 위에 눕히지 않은 모양이었다. 이러한 정황은 조력자가 존재할지도 모른다는 가정을 하게 만들었다. 만일 은서의 목이 매달린 밧줄이, 은서가 죽은 뒤에 설치됐다면…… 누군가 은서의 시신을 붙잡고 있었거나 은서를 눕힐 깔개를 바닥에 깔아주지 않은 이상, 은서의 교복이 이렇게까지 깨끗할 수는 없었다.

은서의 교복에서 시선을 뗀 진과 수현은, 살해 도구를 찾아내기 위해 현장에 있던 물건들과 은서의 목에 남은 삭흔을 일일이 대조했다. 하지만 끝내 삭흔과 일치하는 끈을 찾을 수는 없었던 탓에, 두 형사는 범인이 살해 도구를 가져갔다는 결론을 내렸다.

이렇게 현장에 남은 모든 단서를 그러모은 진과 수현은 창고에서 나와, 은서의 사물함에서 책가방을 비롯한 유류품들을 손에 넣었다. 그리고 습득한 유류품을 과학수사대 차량에 실었다. 차량 곁에 서서 이를 바라보던 감식반 수사관은, 이번에도 수사 과정에 필요한 각종 영장을 대신 신청해 주겠다고 말했다. 그는 지금껏 홀로 살인 사건을 해결해 온 진을 알게 모르게 도와주던, 감식반 수사관 중 하나였다. 진은 그런 그에게 고개 숙여 인사한 다음, 교내 CCTV를 확인하기 위해 수현과 함께 발걸음을 옮겼다. 하지만 CCTV가 학교 주차장과 정문 그리고 사물함 주변에만 설치되어 있었던 탓에… 은서의 모습은 정문을 통해 등교했을 때와 사물함에서 물건을 꺼냈을 때만 확인할 수 있었으며, 그의 생존이 마지막으로 확인된 시각은 오후 2시 16분이었다.

문제는 이뿐만이 아니었다. 하필이면 오늘, 창인고의 체육관에서 오전 8시부터 오후 5시까지 방송 촬영이 있었다! 즉 살인범은 내부자가 아닌, 외부인일 수도 있다는 의미였다. 그러나, 문제의 외부인은 방송국 촬영팀으로 한정되었다. 창인고는 오로지 정문을 통해서만 교내로 들어갈 수 있으며, 여느 학교들과 마찬가지로 외부인의 출입을 엄격히 통제했다. 이는 야간 자율 학습이 끝나는 10시까지 적용되는 규칙이었다. 그렇기에 촬영팀의 명단을 손에 넣는 것은 문제가 되지 않았다. 진짜 문제는, 방송 촬영으로 인한 '어수선한 분위기'였다. 이는 방송 프로그램의 특수성 때문이었다. 방송국은 수십 명의 학생을 상대로 문제를 내고, 방송에 출연하는 학생들은 문제를 푼다. 이러한 과정은, 단 한 사람만이 남을 때까지 반복된다. 방송에 출연하지 않은 학생들과 탈락자 그리고 교사들은, 그런 생존자들을 지켜보며 응원한다. 하지만 응원은 말처럼 쉽지 않았다. 강렬한 열기를 뿜어내는 방송용 조명은 학생들과 교사들의 이성과 인지능력을 엉망으로 흐려놓았다. 이러한 까닭에, 지정된 자리를 이탈해 에어컨 옆에 자리 잡은 학생들이 꽤 많았다. 그러나 교사들은 이를 알 방도가 없었다. 교사 지정석과 학생 지정석이 분리돼 있었던 탓이었다. 즉… 자리를 이탈한 학생들이 어디에서 무엇을 했는지 명확히 아는 교사가 단 한 명도 없었다. 게다가 이번만큼은, 휴대전화의 동선을 추적하여 범인을 잡는 방식이 통하지 않을 터였다. 최근 스마트폰 보급률이 매우 높아진 것은 사실이지만, 그렇다고 이 나라에 사는 모든 사람이 휴대전화를 보유한 것은 아니었다. 그렇기에 휴대전화가 없는 학생들은 자신의 결백을 입증할 수 없었다. 다만, 휴대전화가 없다고 해서 선불리 범인으로 단정하는 것도 곤란했다. 범인이 범행 전에 전화기를 체육관에 두고 자리를 비웠거나, 체육관을 나서기 전에 전화기의 전원을 종료했을 가능성을 배제할 수는 없었으니.

일상과 동떨어진 상황은, 또 다른 균열을 만들어 냈다. 평소였다면, 윤미는 모든 정규 수업이 끝난 뒤에 종례했을 터였다. 하지만 오늘은 달랐다. 계속되는 재촬영 때문에, 모두 늦은 점심을 먹을 수밖에 없었다. 이에 윤미는 촬영이 늦게 끝날지도 모른다고 생각해, 지친 학생들을 위해서 종례를 점심 식사 직후로 앞당겼다. 그렇게 윤미와 그가 담당하는 학생들의 마지막 만남이, 평소보다 훨씬 이른 시간인 오후 2시 30분 무렵에 이루어졌다.

"제 잘못이에요. 종례를 일찍 하지만 않았어도, 이런 일은 없었을 텐데." 윤미가 흐느끼며 진술을 마쳤다.

"아니요, 이윤미 씨의 잘못이 아닙니다."

"이윤미 씨는, 학생들을 생각한 것뿐이잖아요."

진과 수현이 나직이 위로를 건넸다. 윤미의 진술 덕분에, 그들은 은서가 이른 종례시간이 끝날 때까지는 살아있었다는 정보를 얻을 수 있었다. 그렇게 지금 얻을 수 있는 모든 정보를 입수한 두 형사는, 부검 작업에 착수하기 위해 현장을 떠날 채비를 했다. 하지만 두 사람의 일정은 잠시 미뤄졌다. 윤미가 수현을 불러 세운 탓이었다.

윤미는 수현을 향해, 항간에 떠도는 소문이 사실이냐고 물었다. 그러나 수현은 침묵했다. 이에 윤미는 "저는 형사님을 믿어요."라며 수현을 옹호했다. 다른 사람들이 무어라 한들, 그에게 수현은 한을 풀어준 은인이요 진실에서 눈을 돌리지 않은 유일한 인물이었다. 윤미가 오래전에 받았던 수현의 명함을 고이 간직해 왔던 것도, 명함 위에 수놓아진 수현의 번호로 신고한 것도 이러한 이유 때문이었다. 그가 신뢰하는 경찰은, 윤수현뿐이었다.

"감찰팀에 대해 함구하겠다는 서약 때문에, 언론에 제보할 수는 없었지만… 형사님께서 원하신다면, 제가 증언해 드릴게요. 제가 아는 형사님은, 절대 그럴 사람이 아니라고요."

윤미가 전의를 불태웠다. 수현은 그런 그를 물끄러미 바라보더니, 이내 엷은 미소를 지으며 운을 뗐다.

"진실을 폭로하는 순간, 경찰청장이 이윤미 씨를 포함한 '감찰팀 담당 사건'의 피해자들의 신상을 유포할 거예요. 그래도… 괜찮으시겠어요?"

섬뜩하기 짝이 없는 말에, 윤미의 표정이 새하얗게 얼어붙었다. 그를 향해, 수현은 "저는 환자의 안위를 최우선으로 여겨야 하는 '의사'이자, 시민의 안전을 지켜야 하는 '경찰'이에요. 그렇기에… 저 자신의 명예보다 피해자들의 안위를 지키는 게 우선이라고 생각해요."라고 말했다. 그리고 "그러니까, 저를 위해서 증언하지 않으셔도… 원망하지 않을 거예요. 물론, 원망할 생각도 없어요."라는 말을 남긴 다음 정중히 인사하며 자리를 떴다. 윤미는 그런 그의 뒷모습을, 복잡한 표정으로 바라보았다.

이윽고, 진과 수현을 태운 자동차가 도로 위를 내달렸다. 이런저런 정보를 얻는 동안, 수사에 필요한 영장이 나왔기에 두 형사는 국과수로 향할 생각이었다. 하지만 그 전에 할 일이 있었다. 수현은 이랑에게 연락해, 사건의 경위를 설명한 다음 은서의 스마트폰 이동 경로 확인과 포렌식을 부탁했다. 그러자 이랑은 키보드를 두드리더니 "심은서 학생의 휴대전화는 창인고등학교 안에서 움직이다가, 오늘 오후 4시 22분부터 움직이지 않았어요. 포렌식은… 광수대에 도착하자마자 해 볼게요."라고 답했다. 이에 수현은 감사를 표하며 통화를 마쳤다. 그러고는 옅은 한숨을 내쉬며, 창밖을 응시하더니… 진을 바라보며 운을 뗐다.

"미안해요. 약속이 계속 밀리네요."
"…네가 사과할 일은 아니라고 생각하는데."

사과의 의미를 깨달은 진이 담담한 어조로 응수했다. 연희의 전화가 수현의 말을 거칠게 잘랐을 때부터 지금까지, 그는 수현의 과거를 듣지 못했다. 하지만 개인적인 호기심보다는 일이 먼저라는 것은, 그 누구도 부정할 수 없었다. 물론… 호기심이 이는 것 자체는 막을 길이 없었지만.

"뭐, 궁금한 건 사실이지. 하지만 사건이 먼저야. 이야기를 듣는 건, 사건을 해결한 다음에."

진이 읊조리듯 말을 마치자, 수현이 고개를 천천히 한 번 끄덕였다. 이렇게 두 사람은 침묵 속에서 전담팀을 향해 나아갔고, 전담팀 회의실 앞에서 자신들을 기다리던 이랑에게 은서의 스마트폰을 건넸다. 그러고는 다시 국과수를 향해 발걸음을 옮겼다.

시간이 흐르고, 진과 수현 그리고 진과 안면이 있는 부검의가 한 자리에 모였다. 제가 의사라는 사실을 철저히 함구하고 있던 수현은, 의학 지식이 없는 일반인인 척하며 부검을 얌전히 지켜보았다. 한편 부검에 매진하던 부검의는 은서의 몸에서 격렬한 반항 때문에 생긴 손상을 확인했으며 위장 속에 남은 음식물의 상태 등 다양한 사실을 고려해, 사망 추정 시각이 오늘 오후 4시에서 5시 사이라고 판단했다.

그때, 수현의 스마트폰에서 진동음이 흘러나왔다. 디지털 포렌식 작업을 마친 이랑의 전화였다. 이랑은 현장에서 발견된 스마트폰이 은서의 명의로 개통된 것이라고 말한 다음, 스마트폰이 조작되거나 메시지와 통화 기록 그리고 사진 등이 삭제된 정황은 없으며 누군가 은서를 창고로 불러내기 위해 연락한 흔적이나 기록 역시 없다는 보고를 덧붙였다. 이에 수현은 감사를 표하며 통화를 마친 뒤, 이랑이 했던 말을 진에게 전달했다.

이렇게, 현시점에서 얻을 수 있는 모든 정보가 한자리에 모였다. 나머지 단서는 정밀 감식이 끝나야 얻을 수 있으리라. 이에 진과 수현은 지금 할 수 있는 일을 하기로 하며, 국과수에서 따로 마련한 유족 대기실을 찾아갔다. 그리고 은서의 부모님에게 부검 소견과 수사 계획을 전달하고는 반드시 범인을 체포하겠다고 약속했다. 그런 다음 그들은 방송국에 수사 협조 공문을 발송하기 위해 발걸음을 옮겼다. 이로부터 얼마 뒤…… 진은 검찰이 인화 제약을 압수수색 하고 있다는 긴급 속보를 접했다.

어김없이 시간은 흘렀고, 날이 밝았다. 두 형사는 전담팀을 찾았다. 현장 감식 결과가 기록된 서류를 확인하기 위해서였다. 어제 예상했던 대로, 국과수는 현장에서 발견된 족흔과 지문 그리고 DNA를 통해 범인을 특정할 수 없다는 의견을 내놓았다. 하지만, 은서의 손톱 아래 남아있던 신원 미상자의 땀과 아주 작은 살점이… 범인의 존재를 명확히 입증해 주었다. 이른바, 스모킹 건(smoking gun)이라고 일컬을 만한 결정적인 증거였다.

증거의 등장으로, 수사의 향방이 정해졌다. 신원 미상자의 DNA를, 창인고등학교에 몸담은 모든 사람과 방송국 촬영팀의 DNA와 대조하면 되는 일이었다. 물론 시간이 걸릴 테지만, 살인범을 찾아내는 가장 빠르면서 간단한 방법이기도 했다. 이를 위해, 진과 수현은 창인고등학교와 방송국을 찾기로 했다. 용의자들의 DNA를 추출하기 위한 시료를 채취하기 위해서였다. 다만, 악의적인 소문에 시달리는 수현이 방송국을 찾았다가는 무슨 일이 벌어질지 뻔했으므로… 방송국에는 진이, 창인고에는 수현이 가는 것으로 이야기가 마무리됐다.

드디어 본격적인 수사가 시작되었다. 진과 수현은 감식반의 수사관들과 함께 용의자들의 DNA를 추출하기 위한 시료를 채취했다. 물론, 쉽지 않은 일이었다. 진을 단박에 알아본 방송국 사람들은 질문을 던질 기회를 호시탐탐 노렸고, 악성 루머의 당사자인 수현을 알아본 학생들과 교직원은 잔뜩 얼어붙었다. 하지만 수현을 향한 경계심은, 얼마 가지 않아 흐려졌다. 그만큼 수현의 외모가 출중했다. “설마, 저렇게 잘생긴 사람이 그런 일을 저질렀겠어?”라는 생각이 절로 들 정도로! 물론, 외모로 사람을 평가하고 판단해서는 안 되는 일이었지만.

이렇게 손에 넣은 시료는, 국과수로 옮겨져 정밀 감식에 들어갔다. 이제, 은서의 손톱 아래에서 발견된 DNA와 일치하는 DNA만 찾는 일만 남았다. 그러나… 상황은 그들이 원하는 대로 흘러가지 않았다.

일은 DNA 대조 작업 중에 벌어졌다. 일을 벌인 장본인은 경찰청장이었다. 경찰청에서 긴급기자회견을 연 그는, 눈가에 맺힌 눈물을 손수건으로 찍어내며 운을 뗐다. 그는 아들이 성폭행 누명을 쓴 것도 모자라, 감찰팀장이었던 윤수현의 세 치 혀에 놀아나 자살했다고 주장했다. 그리고 이에 대한 근거로, 국민과의 소통을 목적으로 만들어 널리 홍보해 온 '소통용 개인 메일함'에 날아든 '양심선언' 메일을 보여주었다.

메일의 요지는 간단명료했다. 메일 작성자인 자신이 성폭행을 저질렀고, 감찰팀이 수사를 맡았다. 하지만 끝내 자신을 조사하러 오지도, 체포하러 오지도 않았다. 그래서 하루하루 불안감에 시달리다, 이제야 자백을 결심했다… 는 내용이었다.

메일을 공개한 청장은, 증거가 없어 여태껏 대응하지 못했으나 증거를 입수한 지금은 사정이 다르다고 선언했다. 그런 다음 "진실은 반드시 승리합니다.", "지금부터, 윤수현 형사가 수사 중인 사건을 다른 형사에게 인계하겠습니다. 제가 청장으로 있는 한, 범죄자의 손에 사건을 맡길 수는 없기 때문입니다!"라고 말했다.

그러나, 모두가 한성의 말을 믿지는 않았다. 회견을 취재하고자 현장을 찾은 연희는 "자수를 결심한 범죄자들은, 대부분 지구대를 찾아 자수하지 않나요?"라며 메일을 보낸 사람의 진의를 의심했다. 하지만 그의 의문은 "그럼, 경찰청장인 내가 거짓말을 한다는 겁니까?!"라는 한성의 역정에 완전히 힘을 잃었다. 물론 연희는 진실을 아는 극소수의 사람 중 하나였기에, 얼마든지 진실을 폭로해

한성을 공격할 수 있었다. 그러나… 이는 수현의 의사에 반하는 행위였다. 이런 연유로, 연희는 일단 입을 꾹 다물었다. 그리고 다른 기자들과 질문을 주고받는 한성을 뒤로한 채, 수현에게 연락해 상황을 알렸다. 이에 수현은 "……아무래도, 진실을 말할 때가 온 듯하네요."라고 읊조리고는, 자신이 회견장을 직접 찾아 여태껏 함구했던 모든 진실을 밝힐 생각이라는 사실을 모두에게 알릴 수 있느냐고 물었다. 연희의 말에 따르면 아직 회견은 끝나지 않았으니… 수현에게는 지금 이 상황이 판도를 일격에 뒤집을 수 있는, 절호의 기회인 셈이었다.

"그 정도야, 일도 아니죠."

연희가 작은 목소리로 말한 뒤, 전화를 끊었다. 그리고 회견장으로 되돌아갔다. 그러자, 그가 떠난 직후와는 확연히 다른 공기가 그를 맞이했다.

프레스 석의 기자들은 스마트폰을 든 채, 눈살을 찌푸리고 무언가를 이야기하느라 바빴다. 그렇게 이야기를 마친 그들은… 불신과 적의가 섞인 눈빛으로 한성을 향해 소리쳤다. 방금, 제보 전화가 왔다. 당신의 말은 모두 거짓이다. 윤수현 형사님은 그럴 사람이 아니다. 모두가 성범죄 피해자인 나를 욕하고 탓할 때, 내 말을 들어주고 가해자에게 책임을 물은 사람이 바로 윤 형사님이다. 기자들의 입에서, 제보자들의 증언이 쏟아져 나왔다. 여기에 윤미가 가세해 수현의 말 -"진실을 폭로하는 순간, 경찰청장이 이윤미 씨를 포함한 '감찰팀 담당 사건'의 피해자들의 신상을 유포할 거예요. 그래도… 괜찮으시겠어요?"- 을 제보했으며, 김한성의 아들에게 성폭행당한 피해자 역시 침묵을 깨고 마침내 진실을 고했다. 이들은 모두 자신의 실명을 밝혔고, 훗날 인터뷰에 응하게 된다면 얼굴을 공개하겠다고 선언했다.

이를 보던 연희는 남몰래 웃었다. 그리고 큰 목소리로 "윤수현 전(前) 감찰팀장이, 해명을 위해 회견장을 찾겠다고 합니다!"라고 외친 다음, "메일을 보낸 사람은 누구입니까? 청장님의 자작극인가요? 아니면, 메일 발신자의 범죄를 은폐하는 대가로 거짓 자백을 요구하신 겁니까?!"라는 질문을 던지며 공세를 퍼붓는 무리에 합류했다. 이렇게 청장 나름의 '회심의 계획'은 한순간에 어그러졌다.

상황이 급변하자, 한성의 얼굴은 시뻘겋게 물들었다. 지금까지 계속된 수현의 침묵은, 그를 방심케 했다. 그리고 방심은 오만을, 오만은 오판을 불렀다. 수현이 영원히 진실을 함구할 수밖에 없다는, 치명적인 오판을.

"빌어먹을!!!"

이성이 흐려진 한성이, 마침내 본심을 드러냈다. 그는 제보자들을 향해 원색적인 욕설을 내뱉는 것도 모자라, 그들이 성범죄 피해자답지 않게 당당히 입을 놀린다는 문장을 쏟아냈다. 기자들은 이를 놓치지 않고, 천박하고 폭력적이며 편견으로 가득한 언행을 하나도 빠짐없이 카메라에 담았다. 그렇게 한성의 말은, 전파를 타고 전국으로 퍼져나갔다.

한성은 이를 악물며 기자들을 노려보았다. 기자들의 눈빛은, 숨이 끊어지지 않은 사냥감을 게걸스레 먹어 치우는 하이에나 같았다.

그렇기에 목숨을 부지하려면 당장 자리를 떠야 했다. 하지만, 퇴로는 어디에도 존재하지 않았다. 기자들은 한성이 자리를 뜨는 것을 허하지 않았다. 자극적인 특종을 찾아 헤매는 그들이, 한성을 놓아줄 리 만무했다. 결국, 한성은 경찰청의 기자회견장에 완전히 갇히고 말았고… 기자들은 그런 그의 모습을 전국으로 생중계하며 남몰래 즐거워했다.

이렇게 영원과도 같은 시간이 흘렀다. 하지만 실제로는 고작 십여 분이 흐른 상태였다. 오직 청장에게만 '영원과도 같은 시간'이었다. 그리고 이 '영원'은, 회견장을 찾은 수현과 감식 결과가 나올 때까지 동행하겠다며 수현을 따라온 진에 의해 끊어졌다. 두 사람은 전기차에 탑재된 라디오를 통해, 기자회견장의 상황을 파악한 상태였다.

수현은 회견장에 있는 모든 사람과 생방송을 보고 있는 사람들이 똑똑히 들을 수 있도록 크고 명료한 목소리로 이름과 소속을 밝히며 공무원증을 꺼내 보였다. 그러고는 한성을 향해 천천히 한 걸음씩 다가갔다. 취재진은 숨죽인 채, 그런 수현을 촬영했다. 시간이 흐를수록, 두 사람 사이의 거리는 가까워졌다. 그리고 마침내… 수현이 청장을 내려다보며 운을 뗐다.

"나한테… 고리타분하다고 했었죠? 세계 평화, 사회 정의, 모두가 행복한 세상이 취향이라는 내게, 그딴 건 모두 헛된 이상론이자 고리타분한 이야기일 뿐이라고."

수현이 나직이 말했다. 그는 적어도 경찰청장만큼은, 냉소와 비관론에 잠식당하면 안 된다고 생각했다. 설혹 모두의 행복이라는 목표가 허상에 불과할지라도… 이 나라의 모든 국민을 지키겠다는 의지 없이는, 단 한 명도 구할 수 없을 터였다.
예리한 칼날이 되어 쏟아지는 문장의 향연에, 한성은 침묵하며 주먹을 꽉 쥐기만 할 뿐이었다. 수현은 그런 그를 물끄러미 바라보더니, 여태껏 말하지 못했던 문장들을 서슴없이 입 밖에 냈다.

"정말로 고리타분하고 진부한 건, 내가 아니라 당신 같은 죄질이 나쁜 범죄자들이에요. 그런 사람들의 변명을 들어보면, 특별한 게 하나도 없잖아요? 다 거기서 거기죠."

죄질이 중한 범죄자들이 변명이랍시고 내놓은 말들은 똑같았다. 기억이 나지 않는다거나, 피해자 탓을 하거나, 자라온 환경을 탓했다. 혹은 자신이 몸담은 사회나 종교의 초월자를 탓하고, 자신을 악마나 괴물 같은 존재로 표현했다. 동서고금을 막론하고 그러하였다. 그렇기에 그들의 변명은 새로울 게 없었다. 그들의 폭력성이 향하는 상대도 매번 같았다. 그들은 자신보다 약한 사람들만 골라서 범죄를 저질렀다. 이런 이유로, 범죄의 피해자는 사회의 약자와 소수자였다. 예외 따위는 없었다.

"나는요, 추악함에 이름 붙이는 게 제일 싫어요. 쓸데없이 자의식만 비대하게 만들거든요. 자기가 뭐라도 된 줄 알아."

타인을 의도적으로 짓밟은 범죄자에게 "악마", "심판자", "짐승" 등의 수식어는 필요 없다. 수현이 확고한 신념을 담아 일갈했다. 정론에서 조금도 벗어나지 않은 말이 한성의 폐부를 들쑤셨다. 결국, 분노한 한성은 철제 의자를 집어 들어 수현을 향해 힘껏 휘둘렀다. 수현의 주변에는 취재를 위해 어느새 가까이 다가온 기자도 있었다. 그런데도 그는 멈추지 않았다. 윤수현뿐만 아니라, 기자까지 해칠 생각이었기 때문이다. 하지만 그의 바람은 이루어지지 않았다. 수현은 재빨리 기자 앞에 서더니, 악의가 덕지덕지 묻은 공격을 손쉽게 막아내며 순식간에 한성을 제압했다. 그러고는 조곤조곤하면서도 분명한 어투로 미란다 원칙을 읊으며 한성의 손목에 수갑을 채웠다. "진실은 반드시 승리합니다."라는 말이, 실현된 셈이었다.

마침내 거짓이 꺾였으니, 진실을 증명할 차례였다. 수현은 현장의 기자들에게 자신이 겪었던 일을 간결히 설명한 다음, 한성을 취조실로 데려가 양심선언 메일에 대해 캐물었다. 그러나 한성은 묵묵부답이었다. 결국, 포털사이트의 도움을 받아야만 한성의 메일함을 확인할 수 있는 상황이었다. 이에 수현은 한성의 소통용 메일 주소를 확인한 뒤, 메일 주소 속 도메인을 사용하는 포털사이트에 대한 압수수색 영장을 신청하기 위해 길을 나섰다.

이렇게 시간이 흐르고, 기다림 끝에 수현은 영장을 손에 넣었다. 진은 그런 그에게 아직 감식 결과가 나오지 않았으니 이번에도 동행하겠다는 의사를 표했다. 그렇게 두 사람은, 진의 전기차에 몸을 실었다.

"사랑한다고 했지? 다들 너를 오해했고, 쓰레기 취급했는데도… '그럼에도 불구하고' 세상과 사람들을 사랑하는 거지?" 운전대를 잡은 진이, 침묵을 깼다.

"네. 나는, 냉소주의나 비관론에는 관심 없거든요."

진의 물음에, 수현이 웃음을 지으며 즉답했다. 진은 한결같은 수현을 흘끗 바라보았다.

'숨 쉬는 것조차 버거운 세계… 냉혹하고 추악한 세상에서, 순수함을 잃지 않으려면 얼마나 많이 노력해야 하는가?'

진은 눈을 감았다 뜨며 정면을 응시했다. 그리고 수현의 답을 곱씹었다. 냉소와 비관론으로는 세상을 바꿀 수 없다. 그런 의미에서, 수현은 정론대로 사는 사람이었다. 질척이는 진창길 위를 걸으며 흐드러지게 핀 연꽃을 꿈꾸고, 기꺼이 웃으며 불 구덩이 속을 걷는… 그런 사람.

진과 수현이 탄 차는 침묵 속을 내달렸고, 이내 포털사이트 본사 앞에서 멈춰 섰다. 그렇게 두 형사는 마침내 한성의 소통용 메일함을 들여다볼 수 있었고… 양심선언 메일이 탄생하기까지의 추악한 과정을 목격하였다.

첫 메일의 시작은 "안녕하십니까, 김한성 청장님. 저는 창인고등학교의 재학생인 백승찬이라고 합니다."라는 문장이었다.

"백승찬?"

익숙한 이름에, 수현이 흠칫했다. 그러자 진이 왜 그러냐는 듯이 수현을 바라보았고, 수현은 자신이 어떻게 백승찬이라는 이름을 기억하고 있는지를 설명하기 시작했다. 그는 DNA를 추출하기 위한 시료를 채취하는 과정에서 승찬이 적어서 제출한 주민등록번호를 보았고, 승찬이 올해 성인이 된 극소수의 학생 중 하나라는 사실을 알게 되었다. 이 때문에 백승찬이라는 이름은 수현의 뇌리에 각인되었다. 그리고 채취한 시료들을 정리하면서, 백승찬이라는 사람은 창인고에 단 하나뿐이라는 사실을 깨달았다.

"정황상, 네가 말한 백승찬이 맞는 것 같네."
"그렇죠. 하지만 혹시 모르니까……."

수현은 메일에 언급된 "창인고등학교"가 다른 지역에 있는 동명의 학교일 가능성을 고려해, 포털사이트에서 창인고등학교를 검색해 보았다. 그러나 "창인"이라는 이름을 쓰는 고등학교는, 전국에 단 하나. 바로, 심은서 살해 사건이 벌어진 창인고등학교였다.

두 사람은 다시 메일에 집중했다. 자기소개가 끝나자, "저는 랜덤 채팅 앱을 통해, 용돈을 원하는 10대 청소년과 성(性) 구매를 원하는 남성을 이어주는 일을 해 왔습니다. 하지만 일이 틀어져서… 체포당할 위기에 처했습니다. 이대로라면 모든 게 들통나 감옥에 가겠지요. 하지만 감옥보다, 채팅 앱으로 번 돈을 '범죄 수익 환수'를 명목으로 빼앗기는 게 더 싫습니다. 제발 저 좀 도와주세요. 청장님께서 시키시는 대로 하겠습니다."라는 내용이 이어졌다. 여기까지가, 승찬이 보낸 첫 번째 메일이었다.

이제 겨우 첫 번째 메일을 다 읽은 상태였지만, 진과 수현의 표정은 어둡기 짝이 없었다. 이는 "랜덤 채팅 앱"이라는 단어 때문이었다. 랜덤 채팅 앱은, 말 그대로 '얼굴도, 이름도 모르는 낯선 사람'과의 채팅을 목적으로 만들어진 앱이었다. 하지만 얼마 가지 않아, 본래의 목적이 아닌 '미성년자 성 착취의 장'으로 변하고 말았다. 그러나 현행법상 앱 개발자를 처벌할 방도는 없었다. 랜덤 채팅 앱의 본래 목적은 어디까지나 채팅이고, 앱을 이용한 '미성년자 성 착취'는 일부 이용자들의 일탈이라는 앱 개발자들의 주장이 받아들여진 탓이었다. 그렇게 개발자들은 성 착취를 목적으로 몰려든 사람들 덕분에 거액의 광고 수익을 취하면서도, 어떠한 처벌도 받지 않게 되었다. 그리고 이러한 상황은 '랜덤 채팅 앱을 가장한 미성년자 성 착취 플랫폼'이 앱 스토어에 우후죽순으로 등록되는 결과를 초래하고 말았으며, 개중에는 '미성년여성'과 채팅을 하려면 무조건 유료 서비스에 가입해야 하는 앱도 있었다. 결국, 이를 보다 못한 입법부는 미성년자 성 착취를 명확히 인지했는데도 방관한 앱 개발자를 처벌하는 법 조항을 신설했다. 하지만 개발자가 범죄를 명확히 인지했다는 사실을 입증하는 것은… 매우 힘겨운 일이었다.

진과 수현은 청장과 승찬의 대화를 묵묵히 읽어나갔다. 승찬의 접촉에, 청장은 "정말 무엇이든 할 생각인가?"라고 답장했고, "예. 무엇이든 하겠습니다. 감옥에도 갈 수 있습니다!"라는 답을 받았다. 그러자 청장은 무슨 일이 있었길래 일이 틀어졌느냐고 물었다. 사소한 정보일지라도, 무엇이든 많이 알아야 은폐하기 쉽다는 게 그 이유였다. 이에 승찬은 "중학생 때, 돈이 최고라는 진리를 깨달은 저는… 제 친구와 함께 랜덤 채팅 앱을 개발했습니다. 덕분에 돈을 꽤 벌었고, 기부도 많이 했죠. 하지만, 그뿐이었습니다. 돈벼락을 맞은 대신, 우정에 금이 갔거든요. 제 친구는 자신이 더 많은 돈을 가져가야 한다고 우겼고, 저는 싫다고 했습니다. 그랬더니 그 자식이 '요구를 들어주지 않으면, 성매매 알선 혐의로 신고할 거야!'라고 하더군요. 그래서 죽여 없애기로 마음먹었고, 그 자식을 꾀어내기 위해 수익 분배 계약서를 쓰자고 제안했습니다. 마침 며칠 후에 방송 촬영이 있어, 교내가 어수선할 테니… 목적을 이루기에 안성맞춤이라고 생각했으니까요. 아, 물론 증거를 남기지 않기 위해서 제 친구의 입을 통해 제안을 전달했습니다. 남들이 알아챌 수 없도록 신경 좀 썼죠. 그런 뒤로 저는 촬영일을 손꼽아 기다렸고, 마침내 그날이 밝았습니다. 그 자식은 약속 시각에, 약속 장소인 운동장 앞 창고에 나타났고… 저는 그 자식의 목을 졸라 죽인 다음, 목을 매달아 자살한 것처럼 위장했습니다. 하지만 헛수고였습니다. 형사들이 죽은 제 친구의 몸에서 범인의 DNA를 찾아냈다며, 학생들과 교직원들의 DNA를 채취하고 있어요. 김한성 청장님, 부탁드립니다. 제발 저 좀 도와주십시오."라는 내용이 담긴 메일을 전송했다. 이에 대한 청장의 답은… 아들의 명예 회복을 승찬이 도와줬으면 한다는 것이었다. 그러자 승찬은 "돈을 지킬 수 있다면, 무엇이든 하겠습니다."라는 강인한 의지가 담긴 답장을 보냈고, 청장은 승찬에게 성범죄 감찰팀에 관한 정보와 아들의 죽음에 대해 알려주었다. 그런 다음, '양심선언 메일'을 보내라고 요구했다. 자기 아들이 저지른 성폭행 사건을, 승찬이 저지른 것으로 둔갑시키기 위해서였다. 여기까지가, 진과 수현이 목격한 진실이었다.

"…이거, 웃기는 놈이네. 타인을 착취해서 번 돈으로, 기부를 해?!"

진이 적의를 드러내며 침묵을 깼다. 반대로, 수현은 아무 말도 하지 않았다. 그러나 그 역시, 진과 같은 심정이었다.

"……아무래도, 살해당한 피해자가 백승찬의 동업자인 모양이군. 붙잡히는 건 시간문제라는 걸 깨달은 백승찬은, 지푸라기라도 붙잡는 심정으로 김한성한테 연락한 거고. 그렇지 않은 이상, 자신이 누구이고 어떤 범죄를 저질렀는지 숨길 생각조차 하지 않는 건… 말이 안 돼."

진이 혀를 차며 다시금 침묵을 몰아냈다. 그러자 수현이 고개를 끄덕이며 나직이 운을 뗐다.

"주고받은 메일을 삭제하지 않고 그대로 둔 건… 백승찬의 배신을 대비하려고 했거나, 나한테 반격당할 가능성을 전혀 고려하지 않은 거겠죠."
"그래. 너한테 했던 것처럼, 백승찬을 휘두르려고 한 거겠지……."

진이 표정을 구기며 팔짱을 꼈다. 무언가 못마땅한 표정이었다. 수현은 그런 그를 물끄러미 바라보았다. 그렇게 짧은 시간이 흘렀고, 진은 고개를 들어 수현을 바라보았다.

"확인하고 싶은 게 있어."
"…중학생 시절 백승찬의 이야기죠?"

진이 고개를 끄덕이는 것으로 답을 대신했다. 그는 백승찬이 중학생 때 어떤 사건에 휘말렸다고 직감했다. 물론 승찬의 과거가 어떻든, 승찬의 행동을 정당화할 수는 없다. 하지만… 모르는 것보다 아는 게 더 나았다. 그게 무엇이든. 진은 그리 생각했다. 범인에 대해 많은 정보를 가지고 있을수록, 수사는 쉬워지니 말이다.

진과 수현은 포털사이트 본사에서 나와, 국과수에 연락해 백승찬 학생의 DNA와 은서의 손톱 아래에서 발견된 DNA를 비교해달라고 부탁했다. 그런 다음, 곧바로 전기차에 몸을 실었다. 전담팀으로 돌아가, 경찰청 DB에서 백승찬의 이름을 조회해 보기 위해서였다. 하지만 전기차는 얼마 가지 못해 멈춰서고 말았다. 운전자인 진이 갑작스러운 두통을 호소한 탓이었다.

"괜찮아요? 내가 운전할까요?"

"또야……."

진이 고개를 저으며, 앓는 소리를 냈다. 그는 한 손으로 이마를 짚었다. 24년 전의 불길이 되살아나 무언가를 태우는 소리가 들려왔다. 엎친 데 덮친 격으로, 그때 느꼈던 절망감이 그의 감각을 집어삼켰다. 그는 상처 입은 맹수처럼 으르렁거리며 운을 뗐다.

"그때의 불이, 절망감이, 소리가… 계속 나를 괴롭혔어." 진이 입술을 짓씹으며 말을 이어 나갔다. "최근 몇 년간은 잠잠했는데… 요즘 들어서 또 이러네."

"치료… 받아보는 게 어때요?"

수현의 조심스러운 권유에, 진이 천천히 고개를 가로저었다.

"최면 치료를 추천받기는 했는데, 소용없었어. 최면에 안 걸리더라고." 진이 숨을 크게 들이쉬었다 내쉬었다. 그러고는 다시 운전대를 잡으며 말했다. "뭐, 그래도 불행 중 다행인 건… 화재 이전의 기억이 없다는 거야. 친자식을 가두고 불을 지른 인간들한테, 어떤 끔찍한 일을 당했을지 모르잖아?"

"…기억이 없어요?"

수현이 눈을 크게 뜨며 물었다. 그러자 진이 쓴웃음을 지으며 고개를 끄덕였다. 그의 가라앉은 분위기에, 수현은 입을 다물었다. 그들은 그렇게 말없이 전담팀을 향해 움직였다.

다행히도, 진은 별일 없이 운전을 끝마쳤다. 환각은 그를 더는 괴롭히지 않았다. 그렇게 그들은 전담팀에 도착했고, 이내 승찬의 과거를 마주했다. 승찬은 중학교 3학년 때, 값싼 임대아파트에 산다는 이유로 괴롭힘을 당했다. 처음에는 승찬에게서 냄새가 난다며 저들끼리 낄낄대며 조롱하던 수준이었지만, 조롱은 결국 집단폭행이라는 극단적인 형태로 진화했다.

"이래서 돈이 최고라고……."

진이 서류를 톡톡 두드리며 한숨을 쉬었다. 수현은 지면을 가로지르는 텍스트를 물끄러미 읽기만 할 뿐이었다. 사건의 기록은 거기까지였다. 그들이 읽은 서류는, 지금껏 있었던 일을 단순히 나열한 것이었다. 수사는 어째서인지 제대로 이루어지지 않았고, 이로 인해 가해자는 처벌받지 않았다. 공영중학교 집단폭행 사건은, 백승찬의 전학으로 끝이 났다. 이때까지만 해도, 승찬은 무고했다. 하지만 그가 속한 '학교'라는 사회에서, 그는 가난이라는 죄를 짊어진 죄인이었다. 가난은 언제 어디서든 문제가 됐다. 경제적인 수준에 따라 거주지가 나뉠 수밖에 없는 세상은, 가난한 사람에게 있어 지옥이나 다름없었다. 그렇기에 정부는 임대 주택 사업에 공을 들였다. 하지만 그렇게 고대하던 집이 생겨도, 가난이라는 꼬리표는 그들을 계속 따라다녔다. 세상은 모든 인간이 평등하다고 하지만, 실상은 정반대였다. 아니, 애초에 동등한 인간이라는 인식 자체가 없었다. 누군가에게 빈자(貧者)들은 인간 이하의 존재였다.

그때, 진동을 느낀 수현이 스마트폰을 꺼내 들었다. 국과수 감식 담당자에게서 걸려 온 전화였다. 담당자는 승찬의 DNA와 은서의 손톱 아래에서 찾아낸 신원 미상자의 DNA가 일치한다는 사실을 전해왔다. 이에 수현은 감사를 표하며 전화를 끊었다.

"이제 어떻게 할까요? 증거 나왔고, 체포만 남았는데."

수현이 스마트폰의 화면을 끄며 진에게 물었다. 진은 표정을 구긴 채, 상념에 잠겨있었다. 정의를 위해서라면, 당시 공영중학교 집단폭행 사건을 수사한 수사관과 담당 검사를 고발하고 재수사를 요청하는 게 옳다. 비록 시간이 많이 지났지만, 지금이라도 해야만 하는 일이었다.

'하지만.'

진은 착잡함에 눈을 질끈 감았다. 공영중 사건을 해결할 경우, 가장 득을 보는 사람은 백승찬이다. 자신이 겪은 불행을 핑계로, 저보다 약한 사람들을 짓밟은 그 백승찬 말이다! 진은 이런 상황이 너무나 우스웠다. 마음 같아서는, 재수사고 뭐고 치워버리고 싶었다. 그러나 감정에 휘둘려서는 안 됐다. 그는 경찰이었고, 진실을 밝히는 것을 업으로 삼은 자였다.

"…백승찬은 미성년자 성 착취에 가담한 것도 모자라, 살인을 저질렀어." 진이 눈을 빛냈다.
"맞아요. 백승찬은, 범죄자죠."
"어쩔 수 없는 상황은 분명히 있어. 하지만, 어쩔 수 없는 선택은 없어."

진이 읊조리듯 말하자, 수현은 말없이 고개를 끄덕였다. 그들은 학교 폭력 전문가와 전담 경찰관이 상주하는 여청계에 공영중학교 사건의 재수사를 요청하기로 마음먹었다. 이제, 승찬을 체포하기만 하면 되는 상황이었다.
두 사람은 승찬의 스마트폰 GPS의 동선과 주민등록상 주소지를 확인했다. 해가 완전히 저문 지금은 정규 수업이 끝나고도 남았을 시각이었기에, 승찬이 학교를 떠났을 가능성을 고려해야 했다. 현재 승찬은, 그의 주민등록상 거주지에 있는 것으로 보였다. 이에 진과 수현은 망설임 없이 전담팀에서 나왔다.
시간이 흐르고, 진과 수현이 탄 자동차가 한 건물 앞에서 스르륵 멈춰 섰다. 두 사람은 차에서 내려, 그대로 건물 안으로 향했다. 진의 발소리가 규칙적으로 울렸고, 어느 순간 잦아들었다. 반면 수현은 그 어떠한 소리도 내지 않았다. 그렇게 둘은 승찬의 집 현관문 앞에서 멈춰 섰고, 천천히 손을 들어 올려 초인종을 눌렀다.

"백승찬 씨. 광수대에서 나왔습니다!"

진의 음성이 인터폰을 거쳐 기계음의 특성을 띠었다. 이는 책상에 앉아 공부하던 승찬의 귓가를 파고들었다. 승찬은 자리에서 일어나, 월 패드의 화면에 비추어진 진을 물끄러미 바라보았다. 그러고는 부엌에 있던 식칼을 뽑아 들었다. 그는 식칼의 손잡이를 꽉 쥔 채, 다시 인터폰의 화면 앞으로 향했다. 그렇게 진과 승찬은 월 패드를 매개로 마주 보았다. 두 사람의 시선이, 기계를 넘어 서로에게 가닿았다.

3. 탐구

승찬은 TV를 통해 김한성 청장의 몰락을 보았다. 그렇기에 자신이 던진 최후의 수가 물거품이 되었다는 사실을 깨달았고, 체념에 잠겨 모든 것을 포기했다. 아니… 포기했었다. 저를 찾아온 유 진의 얼굴을 보기 전까지는. 진의 방문은 승찬의 마음속 무언가를 건드렸다. 그래서 그는, 홀린 듯이 부엌으로 향해 식칼을 빼 든 것이었다.

그는 식칼을 쥔 손에 힘을 주며 결심한 듯 현관문으로 향했다. 그러고는 식칼을 들지 않은 손으로 문손잡이를 돌려, 진을 맞이했다.

“안녕하십니까, 백승찬 씨. 당신을 심은서 살해 및 미성년자 성착취 가담 혐의로 체포하고자 찾아왔습니다.”

공무원증을 꺼내 보인 진이 건조한 어조로 형식적인 인사를 건넸다. 그러자 승찬이 진과 수현을 빤히 보더니, 선량한 미소를 지으며 칼을 등 뒤로 숨겼다.

“역시, 다 들켜버렸네요. 나름대로 열심히 숨겼는데.”
“그러게, 과학의 힘을 얕보지 말았어야지.”

진이 차가운 어조로 응수한 다음, 수갑을 꺼냈다. 승찬은 말없이 진의 손에 들린 수갑을 바라보았다. 그러고는 싱긋 웃으며 입을 열었다.

“가기 전에, 누나와 이야기 좀 하고 싶은데… 어떻게, 안 될까요?”

진은 저를 향해 싱글싱글 웃는 승찬을 빤히 바라보았다. 그리고… 마침내 입을 열었다.

“좋아. 어울려 주지.”
“경위님. 그럴 필요가 있을까요?” 수현이 다급히 물었다.
“없지. 없는데… 무슨 개소리를 할 생각인지 궁금해서.”

진의 답에, 수현은 나직이 앓는 소리를 냈다. 하지만 반대 의견을 펼치지는 않았다. 그 대신, 승찬이 불만을 드러냈다.

“형은 밖에서 기다려 줬으면 좋겠는데요.”
“싫다면 어쩔 거죠?”

수현이 지지 않고 응수하자, 둘 사이에 전운이 감돌았다. 그러자 진이 침착한 어조로 수현을 저지했다.

“괜찮아. 나 혼자서도 충분해.”
“알겠어요.”

의외로, 수현은 쉽게 물러났다. 그렇게 진은 승찬의 집 안으로 완전히 들어갔고, 승찬은 식칼이 보이지 않게 애쓰며 현관문을 닫았다. 그러자 도어락이 닫히는 소리가, 수현이 서 있는 복도에 울려 퍼졌다.
 진은 발뒤꿈치를 사용해 신발을 대충 벗어놓았다. 승찬은 그런 그의 뒷모습을 바라보다, 등 뒤로 숨긴 식칼을 냅다 휘둘렀다. 하지만 사이코패스 살인범들을 상대하던 진에게, 이따위 기습은 공격 축에도 들지 않았다. 그는 등 뒤에서 날아든 진부한 공격을 가뿐하게 피했다. 찰나의 시차로 날아든 칼날은 허공을 베었다.

"그것 좀 치워 줄래? 다치는 건 질색이라."

진이 거실의 식탁 앞에 놓인 의자를 끌어내며 앉았다. 그러자 승찬이 어처구니가 없다는 눈빛으로 진을 바라보았다.

"계속 그러고 있을 거야?"

진이 팔짱을 끼며 무감정하게 물었다. 아니, 물음을 가장해 명령했다. 승찬은 그런 진의 태도가 거슬렸는지 얼굴을 찌푸리며, 진이 앉아 있는 식탁으로 마지못해 향했다. 그리고 식탁 위에 식칼을 탁 소리가 나도록 내려놓은 다음, 의자를 꺼내 앉았다. 그런 그를 바라보며, 진이 운을 뗐다.

"충고 하나 할게."
"꼰대질은 사양이에요."
"너 말이야. 나를 죽이면, 넘어서는 안 될 선을 넘는 거야. 잘 생각해."

진이 저를 무시한다고 느낀 승찬의 날카로운 시선이 진에게 날아들었다. 그러나 진은 아무렇지 않게 시선을 흘려내며 문장을 덧붙였다.

“물론, 네가 뭘 하든 악질 범죄자라는 사실은 안 변하지. 그래도, 형사를 죽이는 건 추천 안 해.”

마치 자신을 걱정하는 것만 같은 말에, 승찬이 눈을 동그랗게 떴다. 그러자 그가 무슨 생각을 하는지 짐작한 진이 오만상을 찌푸리며 대꾸했다.

“착각하지 마. 네가 나를 죽이면, 너를 찬양하는 놈들이 생길 게 뻔하잖아. 나는 그딴 거 보기 싫거든.”

진이 다리를 꼬며 이죽거렸다. 이에 승찬은 이를 악물더니, 한참 만에 입을 열었다.

“……누나는 좋으시겠어요? 재벌가에 입양돼서.” 그는 식탁 위에 올려놓았던 칼을 만지작거리며 푸념을 이어갔다. “나도… 돈 많은 부모를 만났다면, 임대아파트 같은 구질구질한 곳에서 안 살아도 됐겠죠? 그럼 이렇게까지 망가지지도 않았을 거고.”

이어지는 말에도, 진은 아무런 대꾸 없이 승찬을 바라보기만 할 뿐이었다. 진의 눈빛에는 그 어떠한 감정도 담겨있지 않았다.

그저 잔잔한 호수처럼, 그 자리에 있을 뿐이었다.

"이 세상에 범죄자가 되고 싶은 사람이 어디 있겠어요? 나는 그저… 버러지 취급을 당하고 싶지 않을 뿐이라고요. 그러려면 돈이 필요하잖아요?"
"잘못했다는 이야기는 절대 안 하는구나?"

진이 한숨을 쉬며 승찬을 똑바로 바라보았다. 인간의 존엄보다 황금을 최우선으로 여기는 자의 입에서 나오는 문장들은 공허하기만 했다. 하지만 승찬은 이러한 사실을 깨닫지 못한 채, 모든 것이 기성세대의 탓이라는 말을 내뱉었다. 돈이 전부인 세상을 만든 것은 그들이니, 저는 아무런 잘못이 없다는 논리였다. 이에 진은 단호히 고개를 저었다. 돈이 생명보다 중요하고 가치 있는 세상을 만든 사람들과 승찬은…… 별반 다를 게 없었다.

"그런 변명을 할 생각이었으면, 다른 사람을 짓밟아가면서까지 돈을 벌면 안 됐어." 진이 단호한 어조로 말했다.
"그딴 뜬구름 잡는 소리, 집어치워요."

진은 저를 향해 으르렁거리는 승찬을 물끄러미 바라보았다. 승찬은 그런 그의 시선이 거슬렸는지, 지금껏 해 왔던 생각들을 토해내기 시작했다.

"사회 정의니, 윤리니 하는 거에 집착하는 놈들은, 호구 멍청이일 뿐이라고요! 그딴 게 밥 먹여주나요?! 아니면 돈을 벌어다 주기라도 해요?!"

그는 제 앞에 앉아 있는 진을 향해, 당장이라도 폭력을 행사할 것처럼 굴었다. 하지만 진은 미동조차 하지 않았다. 그는 성을 내는 승찬을, 의아한 눈빛으로 바라볼 뿐이었다. 그리고… 마침내 입술을 달싹여 무거우면서도 날카롭기 그지없는 문장을 입 밖에 냈다.

"너… 설마, 착한 것과 멍청한 걸… 구분 못 해?"

폐부를 들쑤시는 질문에, 승찬이 처음으로 당황하는 모습을 보였다. 그는 입술을 잘근잘근 씹으며 핏발이 선 눈으로 진을 바라보았다. 진 앞에서 처음으로 보이는, 흐트러진 모습이었다. 이에 진은 고지를 점했다고 확신하며, 승찬을 몰아붙이기 시작했다.

"너, 그냥 바보였구나?"

사람들은 선인(善人)을 향해 무르고 멍청하다고 말하지만, 진은 그리 생각하지 않았다. 선을 관철하기 위해서는, 무엇이 선이고 악인지 판별할 줄 알아야 하며… 꺾이지 않는 용기와 뛰어난 지략으로 세상에 맞서 싸워야 한다. 즉 무르고 아둔한 자는, 절대 할 수 없는 행동이었다.

"닥쳐! 당신이 나에 대해 뭘 알아?!" 승찬이 의자에서 벌떡 일어나며 소리 질렀다.

"그래, 모른다. 그런데, 딱 하나는 알아. 네가 이중적인 인간이라는 거!" 진이 잠시 숨을 고르더니, 일갈했다. "남의 피눈물을 짜내서 번 돈을 기부한 건, 대체 무슨 정신머리야?"

진은 승찬의 두 눈을 똑바로 바라보았다. 눈은 인간의 마음을 있는 그대로 보여주는 유리창이었다. 승찬의 눈은, 얇디얇은 유리창과 같았다. 아주 약한 힘으로 톡, 하고 건드리면 산산이 조각나는 유리 말이다. 진은 더럽혀지고 금이 간 유리창을 깨기로 마음먹었다. 깨끗이 닦아낼 수 없다면, 새로운 것으로 바꿔야만 했다. 그는 승찬이 필사적으로 숨겨온 진실을 폭로했다.

"설마, 네가 그렇게 혐오하는 '착한 사람'이라도 되고 싶었니?"

진의 통찰력에 압도된 승찬이, 멍하니 그를 바라보았다. 승찬의 얼굴에는 여러 감정이 스쳐 지나갔다. 경악, 수치, 분노 그리고 살의. 그는 테이블 위에 놓았던 식칼을 집어 들어, 진을 향해 휘둘렀다. 아니, 정확히 말하자면 휘두르려고 했다. 하지만 그보다 진이 더 빨랐다. 진은 두 손에 강한 힘을 실어, 그대로 식탁을 밀쳤다. 그러자 식탁이 승찬의 배를 강타했고, 승찬은 비명을 지르며 저도 모르게 식칼을 놓치고 말았다. 장기가 짓눌리고 뒤틀리는 고통은…… 상상 이상이었다.

"경위님! 무슨 일이에요?!"

그 순간, 밖에서 수현의 목소리가 날아들었다. 그는 혹시 모를 상황을 대비하기 위해, 온 신경을 곤두세우고 있던 터였다.

"괜찮아, 별일 아니야!"

자리에서 일어난 진이, 승찬이 떨어뜨린 식칼을 멀리 던지며 외쳤다. 그러고는 승찬의 목덜미를 잡아 찍어 누른 다음, 그의 손목에 수갑을 채우며 미란다 원칙을 읊었다. 그렇게 승찬은 진의 손에 붙잡혀 끌려 나갔고, 승찬의 컴퓨터와 스마트폰 역시 주인과 같은 결말을 맞이했다. 이러한 행렬에는 수현이 직접 찾아낸 가죽끈도 있었다. 은서의 목에 남아있던 삭흔과 정확히 일치하는 가죽끈이.

*

취조실 책상 앞에 자리 잡은 진은, 맞은편에 앉은 승찬을 뚫어져라 응시했다. 승찬은 독기 어린 눈빛으로 진을 노려보았다. 하지만 그뿐이었다. 결국, 그는 김한성 경찰청장과 메일을 주고받았다는 사실과 메일 속 내용이 모두 사실이라고 자백했다. 그리고 은서를 죽이기 위해, 며칠 전에 창고에 들러 사전 답사를 했다는 사실을 털어놓았다.
자백은 계속되었다. 승찬은 자신을 도와줄 친구와 함께, 약속 시간보다 일찍 창고를 찾았다. 그러고는 같이 온 친구에게 창고의 깊숙한 곳에 숨어있으라고 명령했다. 그렇게 그들은 은서를 기다렸고, 얼마 뒤에 창고를 찾은 은서는 승찬이 내민 수익 분배 계약서를 받아 들었다. 계약서에 정신이 팔린 은서를 살해하는 일은, 손쉬웠다. 승찬은 가지고 있던 가죽장갑을 몰래 착용한 다음, 숨기고 있던 가죽끈으로 은서의 목을 졸랐다. 이 과정에서, 승찬의 힘이 잔뜩 실린 두 팔이 옆과 뒤를 향해 움직였다. 이로 인해 승찬이 입고 있던 교복 와이셔츠의 소매가 자연스레 위로 당겨지며, 긴소매 아래의 피부가 노출되었다. 그 순간, 자기 목에 상처를 내면서까지 끈을 풀어내려고 애쓰던 은서의 손톱이 가죽장갑과 긴소매로도 숨기지 못한 피부를 긁고 지나갔다. 은서의 손톱 아래에서 승찬의 DNA가 검출된 건, 바로 이러한 일이 있었기 때문이다. 하지만 승찬은 이를 인지하지 못했다. 그렇게 시간이 흐르고, 결국 은서의 숨이 끊어졌다. 목적을 이룬 승찬은 숨어있던 공범을 향해, 준비해 왔던 비닐을 바닥에 깔아달라고 지시했다. 이에 장갑을 착용한 공범은 재빨리 비닐을 펼쳤고, 승찬은 비닐 위에 숨이 멎은 은서를 눕혔다. 그런 다음, 사전 답사 때 눈여겨본 밧줄을 챙겨 농구대로 다가갔다. 은서의 목을 매달아, 자살로 위장하기 위해서였다. 농구대 앞에서 멈춰선 승찬은, 옆에 있던 책상을 밟고 올라갔다. 그러고는 밧줄을 농구대에 건 다음, 단단히 묶었다. 이렇게 완성된 고리에, 마침내 은서의 목이 매달아졌다. 숨이 끊어진 은서의 몸은 물을 흡수한 솜처럼 무거웠으나, 두 사람이 힘을 합치면 들지 못할 정도는 아니었다. 승찬과 공범은 공중에 뜬 은서를 뒤로 하고, 계약서와 볼펜 그리고 범행에 쓰인 가죽끈을 회수한 뒤 자리를 떴다. 여기까지가 범행과 관련된 자백이었다. 이어지는 자백은, 한성에게 메일을 보낸 이유와 채팅 앱을 관리 및 홍보해 온 친구들의 신상 정보였다. 그는 자신이 부리던 사람들에 관해 말하면, 조금이라도 가벼운 처벌을 받을 수 있으리라고 기대했다. 그래서 학교 밖에서 만난, 자기보다 나이가 한두 살 많은 친구들에 관한 정보를 넘기는데 망설임 따위는 없었다.

진은 승찬의 입에서 나온 모든 문장을 받아적었다. 그러자 노트북 화면 속 진술서에, 글자들이 빼곡하게 들어섰다. 이렇게 진술서를 모두 작성한 진은 노트북을 덮었다. 그런 다음 승찬을 바라보며, 무감정한 어조로 운을 뗐다.

“공영중학교 집단폭행 사건을 수사했던 수사관과 담당 검사를 고발하고, 여성청소년계에 재수사를 요청할 겁니다.”
“인제 와서 뭘 어쩌겠다는 거예요? 같잖은 영웅심 때문이라면…!”

승찬이 적개심을 드러냈다. 하지만 말을 끝맺지는 못했다. 진이 심드렁한 어조로 말을 자른 탓이었다.

“영웅심? 웃기지 마. 나는 그런 거에 관심 없어.”

진은 자신이 어떤 인간인지 아주 잘 알았다. 나는 영웅과는 거리가 먼 인간이다. 그렇기에 영웅이 될 수 없었고, 애초에 영웅이 되고 싶다는 생각조차 해 본 적이 없었다.

“너를 잡는다고 끝이 아니야. 너는 전과가 없잖아. 게다가 젊기까지 하니, 판사들이 관대한 판결을 내릴 게 뻔하고.”

진은 공영중 사건의 재조사가 필요한 두 번째 이유를 찾아냈다. 판사들은 피고가 초범이고 젊으면 “앞날이 창창한 젊은이”라는 핑계를 대며 최대한 가벼운 형을 선고했다. 그렇게 교화의 기회를 놓친 범죄자는 범죄의 굴레에서 벗어나지 못했다. 진은 앞서 말한 경우를 많이 보았기에, 승찬 역시 똑같은 전철을 밟으리라고 판단했다. 그렇기에 미래에 벌어질 범죄를 막기 위해서는, 어떻게든 수를 써야만 했다.

“재수사가 시작되면… 네가 말하는 불행한 과거도, 머지않아 끝날 거야.”

진은 폭력의 연쇄를 끊을 생각이었다. 공영중 사건이 해결되지 않는 한, 승찬은 과거를 핑계로 악행을 멈추지 않으리라. 진은 그리 확신했다. 물론, 그의 눈에 비추어진 승찬은… 공영중 집단폭행 사건이 아니더라도, 얼마든지 범죄를 저지르고도 남을 인간이었다. 그러나 이러한 진실 자체는, 출소 이후의 재범을 막는 데 아무런 도움이 되지 않을 게 뻔했다. 차라리… 말라비틀어진 ‘정의’라는 이름의 강을 어떻게든 흐르게 해, 승찬이 범죄의 핑곗거리로 삼아온 불행한 과거에 마침표를 찍는 게 나을 터였다.

“범죄자가 될 수밖에 없었다는 핑계도 이제는 끝이야. 그리고… 불행한 과거가 있다고 해서, 다들 너처럼 범죄를 저지르지는 않아. 그러니까, 입 다물고 반성이나 해.”

진의 일침에, 승찬은 오만상을 찌푸리며 숨을 몰아쉬었다. 그에게 진은, 운이 좋은 재벌가 사람일 뿐이었다. 그렇기에 진이 무슨 말을 하든 받아들일 수 없었다.

"웃기지 마. 어쩔 수 없었다고! 그런 일을 겪었다면, 누구나 나처럼 행동했을 거야!!!"

진은 추하게 발악하는 승찬을 물끄러미 바라보았다. 그러고는 팔짱을 끼며 한숨을 내쉬었다. 그는 오른손의 손가락으로, 왼팔의 팔뚝을 피아노 건반을 두드리듯이 만졌다.

"그래… 어쩔 수 없는 상황에, 어쩔 수 없는 선택이라는 거지……?"

진이 혀를 차며 중얼거리더니, 이내 승찬을 꿰뚫을 기세로 바라보며 거침없이 말하기 시작했다.

"너… 나한테 체포당하기 직전에 칼 들고 날뛰었잖아. 그러지 않을 수 있었는데도 말이야. 나를 집 안에 들일 때도 마찬가지였어. 칼을 휘두르지 않을 수 있었다고. 그런데도 나를 죽이겠답시고 칼을 휘둘렀지?"

진은 침착한 어조로 가능성 하나하나를 끄집어내며 과거로 향했다. 승찬에게는 진실을 말할 기회가 있었다. 은서를 죽이지 않을 수 있었다. 미성년자 성 착취에 가담하지 않을 수 있었다. 승찬은 얼마든지 합법적인 방법으로 돈을 벌 수 있었다. 하지만 그렇게 하지 않았다.

"너는 네 의지로 범죄자가 된 거야. 모두 네 자유의지로 선택한 거라고."

지금의 승찬을 만든 것은, 승찬 자신이었다. 그가 살아 숨 쉬는 모든 순간에 한 선택이, 지금의 그를 만들었다. 그렇기에 환경 탓이라는 변명은 무의미했다.

"그러니, 선택에 대한 책임을 지도록 해."

진은 말을 마치며 자리에서 조용히 일어났다. 그리고 곧장 복도로 나와, 관찰실에서 나오는 수현과 이야기를 나누었다. 그들은 승찬이 저지른 살인 사건은 자신들이 마무리하기로 하고, 랜덤 채팅 앱과 관련된 수사는 여청계에 맡기기로 했다. 백승찬 사건은, 살인과 미성년자 성 착취가 뒤얽힌 사건이므로… 성 착취 피해자들을 위한 심리 치료가 필수이니 말이다.

결단을 내렸으니, 행할 시간이었다. 진과 수현은 공영중 사건을 수사한 수사관과 담당 검사를 고발하고, 승찬을 구속하는 데 필요한 영장 등을 신청했다. 그리고 승찬을 비롯한 몇몇이 성 착취에 가담했다는 것과 공영중 사건을 여청계에 알렸다. 이에 여청계의 수사관들은 즉시 수사에 착수했고, 해바라기 센터는 피해자를 보호하고 돕기 위한 절차를 개시했다.

한편, 진과 수현은 승찬의 살인을 도운 공범을 어둠이 내려앉은 서울의 거리에서 찾아냈다. 고등학생이면서 성인인 공범은 공무원증을 들어 보이며 신원을 밝히는 수현을 보자마자 도주를 감행했다. 이에 진과 수현은 그의 뒤를 쫓았고, 추적 끝에 그를 멈춰 세웠다. 궁지에 몰린 공범은 옆에 있던 벽돌을 휘두르며 저항하다가 결국 체포당하고 말았다.

두 형사는 공범을 데리고 광수대로 향했다. 주차장에 도착한 진은 수현에게 잠시 할 일이 있다며 먼저 올라가라고 말하였다. 이에 수현은 알겠다고 답하고는 공범을 데리고 취조실로 향했다. 진은 멀어지는 수현의 뒷모습을 말없이 바라보았다.

'나 같은 놈이…… 자라온 환경을 들먹여도 되는 걸까?'

진이 표정을 구기고 입술을 짓씹었다. 그는 승찬에게 가차 없이 던졌던 말을, 자신에게도 던졌다. 하지만 명쾌한 답을 찾을 수는 없었다. 결국, 진은 고개를 세차게 흔들어 스멀스멀 기어드는 의문점을 털어냈다. 무슨 짓을 해도 과거는 바꿀 수 없으니, 현재에 집중해야 했다.

진은 호흡을 가다듬었다. 그런 다음, 스마트폰을 꺼내 들어 은행 앱을 실행했다. 이체 수수료를 포함한, 100억 원이 조금 넘는 돈을 어딘가로 이체하기 위해서였다. 이렇게 이체를 마친 진은, 자신의 돈을 받은 단체에 연락해 "랜덤 채팅 앱을 사용하다 성 착취를 당한 미성년 사용자에 관한 소식이 보도되면, 100억 원을 성폭력 피해 지원 센터에 기부해 주세요. 늘 그랬듯이, 익명으로요."라고 말한 뒤 전화를 끊었다. 그러고는 차에서 내려 취조실을 향해 발걸음을 옮겼다.

이윽고, 신문이 시작되었다. 승찬의 살인을 도운 공범은 결백을 주장하였다. 하지만 승찬의 입에서 자신들의 이름이 나왔다는 사실을 알게 된 이후부터는 순순히 범행을 인정했다. 이렇게 두 형사는 기본적인 조사를 벌이고 조서 작성을 마친 다음, 전담팀을 찾아온 은서의 부모에게 수사 과정을 빠짐없이 상세하게 설명했다. 이로써 사건은 날이 밝아서야 마무리되었다.

진은 기대감에 눈을 빛냈다. 드디어, 수현의 이야기를 들을 수 있다! 하지만… 그는 좀 더 인내해야 했다. 수현이 아직 일을 끝마치지 못한 까닭이었다. 수현은 김한성 사건을 마무리 짓고 검찰에 넘긴 다음, 전담팀에서 저를 기다리던 진과 마주했다. 그는 본격적으로 이야기를 시작하기 전에, 김한성과의 악연을 완전히 끊어냈으니 지금부터 특수사건전담팀의 전담 부검의로 활동하고 싶다는 의사를 내비쳤다. 이에 진이 흔쾌히 고개를 끄덕였고, 수현은 그런 그를 향해 살포시 웃어주며 말을 이어가려고 했다. 그러나 자신을 만나기 위해 광수대 바로 앞에서 기다리고 있다는 윤미의 연락에, 그는 진에게 양해를 구한 뒤 광수대의 유일한 출입구인 정문으로 급히 향했다.

"이윤미 씨!" 수현이 윤미를 부르며 인사를 건넸다.

"윤 형사님."

윤미가 고개 숙여 인사했다. 수현은 그런 그를 향해 따스한 웃음을 짓더니, 이내 웃음을 거두며 범인이 누구인지 그리고 피해자가 범인과 어떤 관계였고 어째서 살해당했는지를 설명했다. 그러자 창백하게 굳은 낯빛의 윤미가 "어떻게 그럴 수가……."라는 말을 남기고는 몇 분간 침묵했다. 이윽고 그는 두 손으로 주먹을 꽉 쥐며 호흡을 가다듬었고, 이내 결의가 깃든 표정을 지으며 입을 열었다.

"윤 형사님. 저는 침묵하지 않을 거고, 보란 듯이 행복하게 살 거예요. 그러니까, 저를 비롯한 사람들을 구원한 형사님은… 저보다 두 배, 세 배는 행복하셔야 해요.”

말을 마친 윤미가, 오른손을 내밀어 악수를 청했다. 수현은 그런 그의 손을 물끄러미 바라보더니, 이내 싱긋 웃음 지으며 악수에 응했다.

“나는, 그저 의무를 다했을 뿐이에요. 누군가를 구원했다고 생각한 적은 단 한 번도 없어요. 오히려… 이윤미 씨 같은 용감한 분들께서 저를 구원한 거죠.”

경찰은 시민을 지켜야 한다. 하지만 시민이 경찰을 지킬 필요는 없다. 그렇기에 수현은… 윤미를 비롯한 사람들의 용기에 진심으로 감사했다. 이렇게, 두 사람의 짧은 만남이 끝났다. 수현은 윤미에게 작별을 고하며 광수대 건물 안으로 발을 들였다. 복도를 걷는 그의 귀에, 다른 부서의 형사들이 틀어놓은 뉴스들이 흘러들었다. 뉴스 진행자들의 목소리가 얽히고설켜 세세한 내용 하나하나는 알아들을 수 없었으나, 김한성의 파면에 관한 소식은 선명하게 들려왔다.
수현은 희망적인 뉴스를 배경 음악 삼아 경쾌한 발걸음을 옮겼다. 얼마 전까지만 해도 철옹성처럼 굳건하던 어둠이, 흔적도 없이 무너져 내렸다. 물론 세상에 차고 넘치는 불의에 비하면 우스운 수준이었다. 그러나 세상은 어제보다 분명히 나아졌을 터였다. 그는 그리 믿었다. 하지만 모든 사람이 그처럼 긍정적이지는 않았다.
사치스러운 사무실에서 뉴스를 접한 성욱은, 세상의 진보를 체감한 수현과는 달랐다. 성 착취를 당한 미성년자를 위해 100억 원을 기부한 익명의 자산가에 관한 이야기에, 성욱은 혀를 끌끌 차기만 할 뿐이었다. 그는 검지로 책상을 두드리더니, 옆에 서 있던 비서 '송유리'를 향해 말했다.

"세계 평화니, 인권이니 하는 거… 웃기지 않나?"
"예?" 유리가 잔뜩 굳은 채 되물었다.
"인간의 개성과 존엄… 그래, 그럴싸하지. 하지만 걸리적거려."

성욱의 섬뜩한 의견에, 유리는 입을 다물며 그를 바라보았다. 그러자 그가 차갑게 웃으며 유리에게 물었다.

"송유리 씨는… 출세하고 싶다고 했었지?"
"부와 권력에 대한 욕망은, 당연한 거 아닌가요."
"그럼, 우리는 한배를 탄 거야."

긴장했음에도 자신의 욕망에 솔직한 유리의 태도에, 성욱이 흡족한 웃음을 지어 보였다.

"동물권이나 환경보전 같은 건, 더더욱 도움이 안 돼. 인류사를 보게! 노예가 없었다면, 문명이 발전할 수 있었을까? 약자들이 도태되지 않았다면, 인류가 이렇게까지 찬란한 발전을 이룩할 수 있었겠냐는 말이야."

유리는 성욱의 고견에 고개를 주억거리며 동의를 표했다.

"옳은 말씀입니다, 회장님."
"타인의 시체를 밟고 올라선 주제에, 인제 와서 도덕이니 윤리니… 한심하기 짝이 없어."

성욱의 얼굴에 혐오감이 깃들자, 유리는 저도 모르게 마른침을 삼켰다. 유리는 성욱을 오랫동안 보좌해 온 비서였다. 하지만 성욱의 본심을 마주한 것은 이번이 처음이었다. 그의 본심이 보편적인 도덕과는 거리가 멀다는 것은 말할 필요도 없었다. 하지만 유리는 눈을 감기로 마음먹었다. 그는 돈이 필요했다. 빚더미 앞에서 사회의 보편적인 가치는 어불성설이었다. 무엇을 주장하든, 일단 목숨이 붙어있어야 하지 않겠는가. 그는 그리 생각했다.

"좋은 생각이라도 있으신가요?"

유리가 차분한 어조로 물었다. 이에 성욱은 기다렸다는 듯이 의미심장한 웃음을 머금었다.

"당연히 있지."

성욱이 고개를 돌려 다른 쪽 벽면을 바라보았다. 이에 유리 역시 성욱의 시선을 따라 벽을 바라보았다. 그러자 진과 수현의 사진을 중심으로 어지러이 자리한 자료들이 한눈에 들어왔다. 대부분 텍스트로 가득 찬 종이들이었으나, 누군가를 몰래 촬영한 듯한 사진이 섞여 있었다.

"분노를 이용하면 돼."

성욱이 정장 재킷의 주머니에서 대포폰을 꺼내며 말했다. 대포폰은 스마트폰이 출시되기 한참 전에 출시된 구형 휴대전화기였다. 그는 의문이 담긴 유리의 시선을 받으며 숫자 버튼을 눌렀다. 이윽고 연결음이 흐르고, 누군가가 전화를 받았다.

"황지혜 양. 자네, 사람들을 구하고 싶다고 했었지? 때가 왔어."

성욱이 세상을 보는 시선과는 정반대의 말이었다. 그렇기에 그의 말에는 순수함이 없을 터였다. 하지만 유리는 성욱이 무엇을 하려는지 짐작조차 할 수 없었다. 다만, 그저 무언가 벌어지려 한다는 직감이 유리를 향해 경고할 뿐이었다.

"…그 사람이 회장님께 도움이 될까요?"

불안감을 애써 떨쳐낸 유리가, 통화를 끝낸 성욱을 향해 물었다. 이에 차를 홀짝이던 성욱이 찻잔을 느긋하게 내려놓으며 답했다.

"뭐가 그렇게 급해? 천천히 가도 안 늦어."
"그건 그렇지만……."
"사람의 개성과 존엄을 지우는 게 쉬울 리 있겠나? 말은 많지만, 이 나라는 표면적으로 평등을 지향하지. 그러니 우리가 하는 일을 알아채지 못하도록, 천천히 가는 게 맞아."

성욱이 남은 차를 마저 마셨다. 그리고 벽면에 붙은 진과 수현의 사진을 다시금 바라보았다. 그들은 성욱에게 있어 매우 중요한 열쇠였다. 자신이 원하는 바를 가져다줄 만능열쇠 말이다!

“자세한 것은 차차 알게 될 거야.”

그가 찻잔을 내려놓자, 도자기 특유의 맑은소리가 사무실의 공기를 채웠다.

“송유리 씨. 모레 열릴 자선 파티 참여자 명단, 나왔나?”

성욱이 갑작스레 화제를 돌리자, 유리가 흠칫했다. 그러나 금세 무표정을 가장하며 답했다.

“예, 회장님.”
“인화 그룹의 유인영 회장은? 온다고 했지?”
“네. 참가자 명단에 있었습니다.”

유리의 명쾌한 답을 들은 성욱이 고개를 주억거렸다. 그리고 그를 향해 확신이 깃든 어조로 입을 열었다.

“유 회장 딸인 유 진이 대신 오게 될 거야. 알아 둬.”
“알겠습니다, 회장님.”

유리가 고개를 90도로 숙였다. 감정이라고는 눈을 씻고 보아도 찾을 수 없는, 기계적인 움직임이었다.

한편… 이러한 상황을 알 리 없는 진은, 책상 앞에 앉은 채로 수현을 기다리며 깊은 고민에 빠졌다. 그는 자신의 기부 소식을 전한 뉴스를 접한 터였다. 그렇기에 기부금 액수에 대해 다시 한번 생각할 수밖에 없었다. 과연 100억 원으로 백승찬 사건의 피해자들에게 도움을 줄 수 있는가? 진은 한숨을 내쉬었다. 그의 이런저런 고민을 끊어낸 것은, 그가 기다리던 노크 소리였다.

"자, 오래 기다리셨습니다."

문을 열고 들어온 수현이 매력적인 웃음을 지었다. 그는 책상 아래에 밀어 넣어져 있던 의자를 꺼낸 뒤, 진과 적당한 거리를 유지할 수 있는 지점에 내려놓았다. 그러고는 의자에 앉은 다음, 두 손을 가지런히 모아 자신의 허벅지 위에 가볍게 올려놓았다. 진은 그런 수현을, 기대에 찬 눈빛으로 바라보았다.

"전에도 말했지만… 전문의 자격증을 따고 한참 지난 후의 일이에요. 그러니까… 중증외상센터 센터장 시절에 있었던 일이 되겠네요."

수현이 목소리를 가다듬으며 이야기를 풀어나가기 시작했다.

*

외상 환자는 시간을 가리지 않는다. 좀 더 풀어서 말하자면, 환자는 밤낮을 가리지 않고 밀려들었다. 그렇기에 휴일과 평일, 노동 시간과 휴식 시간을 나누는 것은 무의미했다. 환자들은 삶과 죽음의 경계에 서 있었고, 이들을 살려내야 하는 의사는 마음 편히 쉴 수 없었다. 그리고 이러한 가혹한 노동 환경의 최전선에… 외상 외과 의사이자 중증외상센터의 수장인 수현이 있었다.

수술복 위에 흰색 가운을 걸친 수현은 서류와 한창 씨름하고 있었다. 중증외상센터의 적자를 해결하기 위해서였다. 병원 장부에 기록된 어마어마한 적자의 주된 원인은 중증외상센터에서 외상 환자를 수술하는 외상 외과, 심장혈관흉부외과, 신경외과의 세부 전문 분야인 뇌혈관외과였다. 특히 외상 외과가 내는 적자는 타의 추종을 불허했다. 이는 의료비 중 대부분을 차지하는, “공공의료보험 부담금”을 보험공단이 제대로 지급하지 않아서 생긴 참사였다. 국가는 ‘생존에 필수적인 진료과’의 의료비가 천정부지로 치솟는 것을 막기 위해 영리 병원의 존재를 엄격히 금했고, 같은 이유로 병원이 환자와 보험공단에 청구하는 의료비에 상한선을 두었다. 공단은 이러한 상한선을 지키기 위해, 중증외상환자를 살리기 위해서 사용한 값비싼 약품을 사치품 취급했고 과다출혈로 죽어가는 환자에게 이루어진 수혈에 부적절 판정을 내렸으며 환자의 목숨을 붙들어 놓기 위해 장치를 사용한 것이 매우 부적절한 처사였다고 통보하는 등… 다양한 이유를 들먹이며 수현이 청구한 치료비를 가차 없이 삭감했다. 이런 탓에, 외상센터와 외상 외과는 만성 적자에 시달릴 수밖에 없었다.

‘이의 신청이 받아들여지지 않으면, 이번에도 내가 메꿔야겠네. 뭐… 별 상관없으려나.’

수현은 지금껏, 수술에 사용되는 약품과 장치 때문에 생긴 적자를 사비로 채워 왔다. 상황이 이러하니, 연봉을 받지 않은 지도 오래 되었다.

그 순간, 수현의 휴대전화가 시끄럽게 울려댔다.

"윤수현입니다."

"센터장님, 응급환자입니다!"

전화기 너머에서 긴박함이 담긴 목소리가 흘러나왔다. 전화를 건 사람의 말에 따르면, 환자는 민주화 운동가 "도정민"이며 테러에 휘말려 총상을 입고 5번의 진료 거부 끝에 수현이 몸담은 외상센터에 도착한 상황이었다. 설명을 들은 수현은 재빠르게 의자에서 일어났다. 그러고는 정민을 맞이하러 가기 위해 외상센터의 입구로 향하는 차원 문을 열었다. 전화기 너머에서 흘러나온 "도정민"이라는 이름을 모르는 사람은 이 나라에 없었다. 정민은 갓 스물이 된, 민주화 운동을 이끄는 젊은 영웅이었다. 그렇기에 군부는 정민을 제거하기 위해 갖은 노력을 기울였다. 정민이 휘말렸다는 테러도, 필시 군부의 만행일 터였다. 물론 선봉장을 없앤다고 해서 민주화의 불길이 사그라들지는 않을 것이었다. 그러나 지도자가 지니는 힘과 상징성은 생각보다 막강했다. 즉, 정민의 부재는 시민들의 와해와 다름없었다.

수현은 푸른 빛을 내는 차원 문 너머에 있는 정민을 향해 빠르게 다가갔다. 그러고는 숨이 서서히 멎어가는 정민을 트라우마 베이(외상 소생실)로 옮기려고 하였다. 외상센터의 입구에 모여든 의료진 중 일부는 수현을 보조했고, 일부는 그런 그들을 복잡한 얼굴로 바라보았다.

"센터장님, 아시겠지만 도정민 씨는…!"

의료진 중 한 명이 수현을 향해 다급히 외쳤다. 그러자 트라우마 베이와 연결된 차원 문 생성 장치를 작동시킨 수현이 차분한 어조로 운을 뗐다.

"할 겁니다, 수술. 나는 실려 온 환자가 '민주화 운동가 도정민'이든 아니든, 살아있다면 무조건 살린다는 주의라서." 차원 문 너머 트라우마 베이에 도착한 수현이 말을 이었다. "애초에, 나한테 환자를 선택할 권리 따위는 없기도 하고요."

수현이 말을 마치자마자 차원 문이 순식간에 사라졌다. 남겨진 의료진들은 잠시 고민하더니, 이내 결의에 찬 표정을 짓고는 차원 문 생성 장치를 작동시켰다. 그들은 그렇게 생과 사의 경계에 있는 정민의 목숨을 붙들어 놓기 위한 작업에 착수했다.

'윤 센터장!'

그 순간, 병원장의 다급한 목소리가 수현의 머릿속에서 울려 퍼졌다. 병원장이 고유의 초능력인 텔레파시를 사용하여 수현에게 직접 말을 걸었기에 가능한 일이었다.

'다 좋아. 다 좋은데, 도정민은 안 되네! 군부의 눈 밖에 난 도정민을 살리면 지원금을 못……!'

하지만 원장의 목소리는 맥없이 끊어졌다. 수현이 정신 계열 초능력인 텔레파시를 완강히 거부했기 때문이다. 수현은 수신자가 텔레파시를 거부하면 원장이 텔레파시를 일정 기간 사용할 수 없게 된다는 사실과 텔레파시가 수신자의 답변을 발신자에게 전달하지 못한다는 사실을 알고 있는 사람 중 하나였다. 덕분에 수술은 중단되지 않고 순조롭게 진행되었다. 이를 알리기라도 하듯, 외상 소생실 밖 화면에는 "수술 중"이라는 짧은 문구가 반짝였다. 그렇게 시간이 흘렀다.

수술을 마친 소생실에는 적막만이 감돌았다. 정민을 중환자실로 보내고 시간을 확인해 보니, 새벽 3시였다. 그는 천천히 눈을 깜빡였다. 그리고 수술용 장갑과 모자를 벗어 수거함에 넣었다. 그는 수 시간 만에 수술용 장갑에서 해방된 두 손을 내려다보았다.

"살렸다……."

수현은 그대로 주먹을 쥐었다 폈다. 그러자 손목의 힘줄이 미세하게 움직였다. 그는 왼쪽 손목을 꾹꾹 누르며, 외상센터 앞에 진을 친 기자들에게 "도정민 씨는 무사해요."라는 짤막한 말을 전달했다. 그런 다음, 곧바로 중환자실을 찾았다.

중환자실 안은 바이탈 사인을 체크하는 기계들로 가득했다. 맥박, 호흡 그리고 혈압 등의 수치가 기계 화면에 표시됐다. 수현은 간호사에게 정중히 인사하며 환자들의 상태를 살폈다. 그렇게 시간이 흐르고, 어느새 날이 밝았다. 수현은 휴식을 취하기 위해 센터장실로 향했다.

센터장실로 돌아온 수현은 의자 위에 털썩 앉았다. 그러자 의자를 지탱하는 스프링이 움츠러들었다. 그는 신발에서 두 발을 뺀 다음 발끝으로 신발을 톡, 톡 건드렸다. 그때, 문이 열리는 소리와 함께 병원장이 들이닥쳤다. 이에 수현이 발 장난을 멈추며 원장을 바라봤다. 원장의 손에는 조간신문이 들려있었다. 그는 저를 바라보는 수현을 향해 다가갔다. 그러고는 수현의 책상 위에 신문을 가볍게 던지듯이 놓았다.

"부전자전이 아니라 모전자전(母傳子傳)이라고 해야겠어. 환자하고 수술에 미치면 아무도 못 말리는 것까지 똑같구먼."

원장의 핀잔 아닌 핀잔에, 수현은 그저 어깨를 으쓱할 뿐이었다. 어찌 됐든 저는 환자를 살리지 말라는 부탁을 들어줄 생각이 없었다. 그는 원장이 가져온 신문을 집어 들었다. 그러자 「민주화 운동 지도자, 도정민… 기적의 생환」이라는 헤드라인과 「인물 탐구 : 외과 의사 윤수현과 그의 양육자」, 「영웅을 살린 의사 : 오로지 윤수현만이, 직업윤리를 저버리지 않았다」라는 헤드라인이 그의 시선을 사로잡았다.

"군부에서 예정대로 지원금을 지급하기로 했다네. 수많은 군인을 살려 온 윤 센터장이, '불온한 사상'을 품고 도정민을 살렸을 리 없다고 하더군."

"다행이네요. 지원금 끊기면 사비로 채우려고 했는데." 수현이 히죽 웃었다.
"그래…… 돈 많아서 좋겠다, 아주."

원장이 혼잣말로 중얼거렸다. 수현을 바라보는 그의 표정은 복잡하기만 했다. 이 나라의 모든 병원은 국가의 지원금을 받아왔고, 앞으로도 그러할 터였다. 하지만 수현이 보란 듯이 정민을 살린 탓에, 군부의 눈 밖에 날뻔했다. 이 때문에 원장의 속은 새까맣게 타들고 말았다. 하지만 그것은 원장이 감내해야 하는 일이었다. 누가 뭐라건, 수현은 그저 의사로서 의무를 다한 것뿐이었다.
수현은 자신을 바라보는 원장의 시선을 피하지 않았다. 그는 한숨을 푹 내쉬는 원장을 앞에 두고, 즐거운 표정으로 보란 듯이 신문을 정독하기 시작했다.
시간은 어김없이 흘러갔다. 수현이 수술과 회진을 반복하는 동안, 정민의 상태는 서서히 좋아졌다. 그러다 마침내 정민이 의식을 되찾았고, 내내 곁을 지키던 그의 어머니는 기쁨에 겨워 오열했다. 정민은 제 어머니를 향해 힘없이 웃음 지었다. 그렇게 시간이 또 흐르고, 어느새 정민은 두 발로 땅을 딛고 설 수 있게 되었으며 매일같이 회진을 오는 수현과도 친분이 쌓였다. 하지만 회진이 계속될수록, 정민은 수현에게서 형용할 수 없는 '무언가'를 느꼈다. 그러나 그 무언가의 정체까지는 알 수 없었다. 결국, 정민은 수현에게서 느낀 불편함이 무엇인지 분석하기 시작했다. 호기심의 끝에 위험이 도사리고 있을 것만 같았으나, 두려움보다는 호기심이 앞섰다.
그러던 어느 날, 오전 10시 무렵. 수현은 오늘도 회진을 위해 외상센터 안을 돌아다니고 있었다. 어린 환자들은 그런 수현을 보고 놀아달라며 달라붙었다. 귀찮을 법도 했으나, 수현은 저를 향해 달려든 아이들의 머리를 쓰다듬어 주었다. 그리고 안아달라며 팔을 벌리는 아이들을 빠짐없이 안아준 다음, 상냥한 말투로 "회진이 있으니까, 다음에 봐요."라고 말했다. 그러자 아이들이 아쉬운 표정을 지으며 제각각 흩어졌다. 수현은 멀어지는 아이들을 향해 손을 흔들어 주며, 정민이 있는 병실을 향해 발걸음을 옮겼다.

"안녕하세요, 도정민 씨. 몸은 괜찮아요? 어디 아픈 데는 없고요?"

수현이 정민의 앞에 멈춰 서며 운을 뗐다. 그러자 정민이 고개를 끄덕여 대답했다. 수현은 그런 그를 이리저리 살피고, 정민의 상태가 상세히 기록된 차트를 점검했다. 그러고는 활짝 웃으며 정민과 그의 어머니를 향해 말했다.

"도정민 씨, 조만간 퇴원할 수 있을 거예요."

이제 일상으로 돌아갈 일만 남았다는 선언에, 정민의 어머니의 눈에 눈물이 고였다. 그 광경을 지켜보던 다른 사람들 역시 눈물을 글썽이더니, 작은 목소리로 "윤수현 선생님, 정말 대단하신 분이야. 사비를 들여서 외상센터 적자를 메꾸는 게 말이 쉽지."라며 수현을 칭송했다.

"감사합니다, 선생님. 이 은혜는 꼭 갚겠습니다!"

정민의 어머니가 수현의 손을 꽉 잡으며 연신 감사를 표했다. 그러자 수현이 당혹스러운 표정을 지으며 어쩔 줄을 모르더니, “은혜라니, 당치도 않습니다. 저는 그저… 의무를 다했을 뿐이에요.”라며 고개를 저었다. 겸손한 명의(名醫)의 표본과도 같은 반응이었다.

정민이 ‘무언가’를 감지한 시점은, 그 순간이었다. 그는 수현의 얼굴에 스쳐 지나간 뒤틀린 쾌락과 희열을, 찰나였지만 똑똑히 보았다. 온몸에 소름이 돋았고, 숨 쉬는 것조차 버거웠다. 하지만 수현은 정민의 반응을 눈치채지 못한 채, 정민의 어머니에게 잡힌 손을 슬그머니 빼냈다.

“그럼, 다음에 뵐게요.”

수현이 작별을 고하며 돌아섰다. 그러자 겨우 제정신을 차린 정민이 그를 불러세웠다.

“선생님.”

저를 부르는 목소리에, 수현이 무슨 일이냐는 얼굴로 돌아보았다. 정민은 감정을 숨기기 위해 최대한 평온한 어조로 조곤조곤 말을 이어갔다.

“잠시 이야기 좀 할 수 있을까요?”

정민은 제 심장이 미친 듯이 쿵쿵대는 소리를 들었다. 하지만 이미 주사위는 던져졌으니, 이대로 밀고 나가야 했다. 수현은 그런 그를 물끄러미 바라보다, 싱긋 웃으며 답했다.

“좋아요. 얼마든지.”

수현은 정민이 개인적인 대화를 청했다는 것을 귀신같이 알아차렸다. 그리하여 그는 정민과 함께, 자신의 방 겸 진료실로 사용 중인 중증외상센터장실로 향했다. 그렇게 얼마 지나지 않아 두 사람은 센터장실 앞에 도착했다. 이에 수현은 센터장실의 문을 열어 정민을 먼저 들여보냈다.

“편히 앉아요.”

정민의 뒤를 따라 방 안으로 들어온 수현이 문단속을 하며 입을 열었다. 그는 도·감청 및 도촬 등을 방지하는 장치의 전원을 켰다. 그가 작동한 장치에는, 장치가 작동 중일 때 나눈 대화나 필담 등을 서로의 동의 없이는 절대 누설할 수 없도록 하는 기능도 있었다. 즉 기계가 작동되고 있을 때 오간 모든 정보는, 정보를 주고받은 당사자들의 동의가 없다면 그 어떠한 기술로도 알아낼 방법이 없었다. 이러한 ‘비밀 유지 장치’는 시판을 앞둔 물건으로, 장치를 발명한 발명가가 감사의 뜻을 담아서 수현과 외상센터 의료진에게만 특별히 선물한 것이었다.
정민은 장치를 작동시키는 수현을 굳은 얼굴로 바라보았다. 수현은 그런 그를 위해 장치의 용도와 목적을 간단히 알려주었다. 그러자 정민은 고개를 끄덕이고는 발걸음을 옮겨, 수현의 책상 앞에 놓인 환자용 의자에 앉았다. 이를 보던 수현 역시, 자신의 책상이 있는 방향으로 걸어갔다. 그러고는 의자를 살짝 잡아당긴 뒤, 자리에 앉았다.

"환자와 대화하는 건, 즐거운 일이에요. 맨날 피만 보는 건 생각보다 힘들더라고요." 수현이 싱긋 웃으며 말했다.
"……그럴 리가."

그 순간, 정민의 차가운 목소리가 울려 퍼졌다. 그러자 수현이 영문을 모르겠다는 표정을 지었다. 이를 본 정민은 수현을 똑바로 바라보며 포문을 열었다.

"이제 알았어요. 선생님께서 '돈이 되는 전공'을 마다하고, 살인적인 업무량을 소화해 내야 하는 데다가 돈도 안 되는 분야라고 소문난 과를…… 무려 네 개나 전공한 이유를요!"

정민이 말한 수현의 전공과는 당연히 외상 외과, 심장혈관흉부외과, 뇌혈관외과, 병리과였다. 이 중 외상 외과, 심장혈관흉부외과, 뇌혈관외과는 어렵다고 소문난 분야이며 살인적인 업무 강도와 공부량을 소화해야 한다. 하지만 들인 노력에 비해, 돈이 되지 않는다. 세 분야 모두 한 번의 수술에 어마어마한 돈을 퍼붓지만, 정작 보험공단에 청구할 수 있는 의료비의 상한선이 터무니없이 낮은 편이었다. 그렇기에 항상 적자에 시달리고, 윗선의 눈치를 볼 수밖에 없었다. 어떻게든 적자를 줄이고픈 병원은 이런 '적자의 원흉'인 분야를 전공한 의사를 최대한 적게 채용했고, 이는 해당 진료과의 인력 부족과 과로로 이어졌다. 상황이 이러니, 외상 외과와 심장혈관흉부외과 그리고 뇌혈관외과 중 하나를 전공으로 택하는 사람은 10년에 한 명 나올까 말까였다. 과로에 시달리는 것도 모자라 윗선의 눈치를 보느니, 차라리 미용 성형처럼 공공의료보험의 영향을 받지 않는 진료과, 즉 '상한선이 없는 의료비를 환자가 100% 부담하는 진료과'를 전공으로 택하는 게 이득이었으니까. 더군다나, 외상 외과와 뇌혈관외과는 각각 외과 전문의 자격과 신경외과 전문의 자격을 취득한 의사만이 전공으로 택할 수 있기에 더욱 기피 대상이 될 수밖에 없었다. 병리과 역시, 앞서 언급한 분과들처럼 인력 부족과 적자에 시달리는 대표적인 비인기 분야 중 하나였다. 그리고 수현은 이런 '모두가 기피하는, 최악의 비인기 분야'를, 무려 네 개나 선택한 최초의 의사였다.

"그야, 보람 있잖아요? 적자 내는 쓰레기 과라고 멸시당할 때도 있고, 살인적인 업무량에 비해 받는 돈은 쥐꼬리만 하지만… 환자를 살리는 것으로 만족……."
"웃으시더군요."

정민이 말을 자르자, 수현이 그를 물끄러미 바라보았다. 그런 그의 시선을 받은 정민은 한기를 느껴 온몸을 떨었지만 '그럼에도' 물러서지 않았다. 그는 눈을 질끈 감으며, 자신의 어머니와 대화하던 수현을 떠올렸다. 그러자 수현의 얼굴에 스쳐 지나갔던 뒤틀린 쾌락과 희열의 형태가 더욱 선명해졌다. 정민은 '의사 윤수현'의 화사한 웃음 속에 가려진 것들을 최초로 꿰뚫어 본 사람이었다.

"당신은… 사람 살리는 일에는 관심 없어."

정민이 눈을 뜨며 입을 열었다. 그는 수현의 무감정한 시선을 받아내며 당당히 말을 이어 나갔다.

"당신이 진정으로 원하는 건… 감사 인사잖아. 자신이 살려낸 환자와 기적적으로 가족을 잃지 않은 사람들의 감사 인사. 사비를 들여서 외상센터 적자를 메꾼 것도, 사람들의 칭송과 감사 인사를 받기 위한 수단에 불과한 거야. 내 말이, 틀려?"

정민의 예리한 시선이, 수현의 폐부를 깊숙하게 찔렀다. 수현은 자신을 올곧은 시선으로 올려다보는 정민을 빤히 바라보았다. 그러더니 싱긋 웃으며 나긋한 어조로 입을 열었다.

"역시. 민주화 운동은 아무나 하는 게 아니네요. 잘 숨겨왔다고 생각했는데."

수현의 자백 아닌 자백에, 정민이 마른침을 삼켰다. 가면을 벗은 수현은 더 이상 좋은 사람이 아니었다. 그저 극도로 이기적이고 연기에 능한 존재에 불과했다. 정민이 눈썰미가 좋고 예민한 사람이 아니었다면, 수현의 본모습을 꿰뚫어 보지 못했으리라.

"사이코패스……."

정민은 머릿속에 떠오른 단어를 중얼거렸다. 위험천만한 단어에,

사고회로가 뒤엉켰다. 호기심의 끝은 죽음일 수도 있다는 생각이 들자, 그의 당당했던 기세가 사그라들었다. 하지만 그는 수현을 똑바로 바라보려고 노력했다. 만일 수현이 저를 해칠 생각이었다면, 진즉에 죽였으리라는 것을 알았기 때문이다.

수현은 그런 정민을 물끄러미 바라보았다. 그는 단 한 발자국도 움직이지 않았다. 정민에게서 멀어지지도, 정민을 향해 다가가지도 않았다. 그저 그 자리에 똑바로 앉은 채, 싱긋 웃으며 입을 열었을 뿐이었다.

“그런데, 잘못짚은 게 있어요. 나는 사람 살리는 거에 관심 많아요. 수술하는 거, 재밌거든요. 환자들이 감사하다고 고개 숙이는 것도 재밌고.”

본색을 드러낸 수현의 매력적인 목소리가, 정민의 귓가를 파고들었다. 정민은 이를 악물며 주먹을 꽉 쥐었다. 그리고 수현이 내뱉은 문장을 찬찬히 곱씹었다. 그렇게 침묵이 내려앉았다. 하지만 이러한 침묵은 얼마 가지 않았다. 정민이 세기의 난제를 해결했다는 표정을 지으며 입을 연 까닭이었다.

“선생님은… 부모가 아닌 타인에게 사랑받아 본 적 없죠? 그래서… 어렵고 힘들다고 소문난 전공과목들을 선택한 거잖아요. 좀 더 쉽고, 멸시당할 일 없고, 더 많은 돈을 벌 수 있는 길이 있는데도… 그런데도 당신은 어려운 길을 선택했어요. 사랑받고 싶다는 이유 하나만으로!”

“……이런, 다 들켜버렸네.”

수현이 어깨를 으쓱하며 군말 없이 정민의 추리를 인정했다. 그는 부모의 아낌없는 사랑을 받고 자랐으나, 부모를 제외한 사람들의 사랑을 받을 수는 없었다. 그의 연기 실력은 나날이 좋아졌지만, 정민처럼 예민한 사람들은 그의 본모습을 알아채고 거리를 두었다. 물론, 단순히 거리를 두기만 하는 것은 문제가 아니었다. 그는 얼마든지 무딘 사람들 사이에 섞여 살 수 있었으니까. 하지만 수현을 꿰뚫어 본 사람들은, 거리 두기를 넘어서 그에게서 느껴지는 왠지 모를 꺼림칙함에 대해 이리저리 떠들고 다녔다. 수현이 타고난 특성, 즉 세뇌, 정신 조종, 최면, 속마음을 읽을 수 있는 초능력이나 기계 등이 전혀 통하지 않는 특성은 그러한 사람들 앞에서 아무런 도움이 되지 않았다. 이런 탓에, 수현은 그 누구와도 깊은 우정을 나눌 수 없었다. 있는 그대로의 수현을 사랑해 주는 사람은, 그의 부모뿐이었다.

수현의 친어머니는 수현과 같은 외과 의사였다. 그것도 의학사에 길이 남을 명의(名醫)였다. 그런 그의 배우자, 즉 수현의 친아버지 역시… 예술사에 한 획을 그은, 대단한 사람이었다. 수현의 친아버지는 전설적인 바이올리니스트이자 작곡가이며 화가였으니 말이다.

명의와 불세출의 천재 예술가. 모든 사람이 부러워하는 조합이었다. 하지만 수현에게는 양날의 검이었다. 물론, 의사 어머니와 예술가 아버지의 재능을 물려받은 것은 축복이었다. 그러나 이 정도 재능으로는… 부모의 명성이라는 그림자에서 벗어날 수 없었다. 수현의 부모가 거대한 물줄기라면, 수현은 그들을 아득히 뛰어넘는 대양(大洋)은 되어야 했다. 그래야지만 세간의 관심과 사랑을 받을 수 있었다. 이런 연유로 그는 의과대학을 졸업하고 의사 국가고시에 합격한 이후에 외상 외과, 심장혈관흉부외과, 뇌혈관외과, 병리과 전문의가 되기 위한 과정을 밟았다. 불세출의 외과 의사가 되기 위해서는, 모두가 기피하는 진창길을 골라서 가야만 했다.

"맞아요. 이 정도는 해야 사랑받을 수 있지 않겠어요?"

수현이 장난스러운 어조로 속마음을 내보였다. 모든 것이 밝혀졌는데도, 그의 얼굴에서 수치심이라고는 찾아볼 수 없었다. 정민은 그런 그를 바라보며 입술을 깨물었다. 마치 수현을 향해 적의를 드러내려는 듯이. 하나, 이러한 행동은 적의를 표출하기 위해서가 아니었다. 그는 첫 번째 난제를 보란 듯이 풀어낸 자신이, 두 번째 난제에 직면했다는 것을 알아차렸다. 그래서 입술을 깨물었고, 이내 천천히 입을 열었다. 새로운 문제에 대한 답을 찾기 위해서.

"…왜 나를 살렸어요?"
"나는, 환자를 가려서 받는 타입이 아니라서."

수현이 웃으며 답하자, 정민이 눈을 번뜩였다. 그러고는 수현을 향해 호기심과 울분이 뒤섞여 형체를 알 수 없는 말을 토해냈다.

"거짓말하지 말아요! 다들 나하고 얽히는 걸 꺼린다고요. 병원도, 의사들도 별반 다르지 않았어. 나를 치료하면, 국가에서 지원금을 끊어버리고… '반정부단체의 수장'을 살렸다는 이유로 감옥에 갈 게 뻔하니까!"

정민이 상처 입은 짐승처럼 움츠러들며 으르렁거렸다. 수현은 그런 그를 물끄러미 바라만 볼 뿐이었다.

“그대로 뒀으면 죽었을 거 아니에요? 그런데 왜… 지원금을 내던지면서까지, 감옥에 갈 위험을 감수하면서까지 나를 살렸어요? 내 목에 걸린 현상금이 얼마인지 잘 알면서, 대체 왜? 당신 같은 이기적인 인간이……!”

수현은 정민이 말을 마칠 때까지 차분히 기다렸다. 그러나 정민이 끝내 말을 맺지 못하자, 한숨을 쉬며 운을 뗐다.

“맞아요. 조금만 늦었으면, 아무리 나라고 해도 못 살렸어요. 당장 와도 죽네 사네 할 판에, 다섯 번이나 치료를 거부당했다고 하니.”

그때를 다시 떠올리는 것 자체가 아득했는지, 수현은 잠시 말을 하다 멈췄다. 그러고는 책상 위에 놓인 명패를 톡톡 건드리며 말을 이었다.

“그렇지 않아도 복잡하기 짝이 없는데, 당신을 살리지 말라는 병원장까지. 말도 아니었죠. 도정민 씨 말대로, 감옥에 갇힐지도 모르는 일이고요.”
“…그런데도, 대체 왜 나를 살렸어요?”

정민이 갈라진 목소리로 재차 답을 재촉했다. 그러자 수현이 그를 빤히 바라보더니, 팔짱을 끼며 본심을 꺼내놓았다.

"짜증 나서요."

전혀 예상치 못한 답에, 정민은 멍하니 수현을 바라보았다. 하지만 수현은 아랑곳하지 않고 말을 이어 나갔다.

"당신을 살려놓을 생각에 설렜는데, 원장이 찬물을 붓잖아요. 기분 나쁘게. 그래서 더욱 포기할 수 없었어요." 수현이 잠시 말을 멈추더니, 사악하다는 평가를 받고도 남을만한 웃음을 지으며 다시 입을 열었다. "그리고. 당신을 살렸다는 이유로 감옥에 갇히는 건, 내가 '평범한 의사'일 때나 가능한 이야기죠. 모두의 존경을 받는 어머니와 아버지의 유일한 친자식인 나를, 군인을 포함한 수많은 사람을 살린 나를… 사람을 살렸다는 이유로 감옥에 보낼 수는 없지 않겠어요? 나는 평소처럼, 의사로서 응당 해야만 하는 일을 한 것뿐인데." 그는 거침없이 말을 이어 나갔다. "상황이 이런데, 군부가 어떻게 지원금을 끊겠어요. 그러기에는 지금까지 내가 너무 많은 군인을 살렸는데."

수현은 흔들리는 정민의 눈빛을 보며 따스한 웃음을 지었다. 그런 다음, 정민이 원하는 답을 드디어 내어주었다.

"하여간. 이런 와중에, 도정민 씨가 실려 온 거예요. 놓치면 안 될 기회였죠. 당신 같은 영웅을 살려놓으면, 나는 직업윤리를 저버리지 않은 의사라는 평가를 받게 될 테니까."

결과적으로 수현의 예상은 적중했다. 정민을 살린 덕분에, 그를 존경하고 칭송하는 사람이 이전보다 더욱 늘어났다.

“…‘민주화 운동 지도자를 살린, 직업윤리를 저버리지 않은 의사’라는 타이틀 때문이었어요?! 고작 그런 거 때문에, 수많은 불이익을 감수했다고요?!”

수현의 뒤틀린 내면을 마주한 정민이 경악을 금치 못했다. 하지만 수현은 심드렁한 어조로 대꾸할 뿐이었다.

“감옥에 갇히는 것만 제외하면, 나머지는 별 상관없어요. 어차피 안 죽는데, 불이익이 무슨 대수람?”

일반적인 상식으로는 절대 이해할 수 없는 발언에, 정민의 낯빛이 새하얗게 질렸다. 그는 제 입술을 잘근잘근 씹는 것도 모자라, 두 손을 들어 올려 얼굴을 감싸 쥐었다. 그렇게 그는 소리 없이 비명을 질렀다. 하지만 머지않아 앓는 소리가 그의 입 밖으로 새어 나왔다. 수현은 그런 그를 바라보며 조곤조곤 말했다.

“도정민 씨 말이 맞아요. 나는 사랑받기를 원해요. 안 그러면 심심해서 죽어버릴 것 같거든요. 그래서 그게 누구든 상관없이 살리는 거예요. 인종? 성별? 성적 지향? 피부색? 정치적인 신념? 출신지? 다 필요 없어요. 중요한 건, 내가 살릴 수 있다는 것 하나뿐이죠.”

환자의 목숨값을 하나하나 따져 치료하는 세상이, 군부 독재와 함께 도래했다. 모든 색채는 다양성을 잃었고, 사람들은 신념과 직분을 내던지며 굴종했다. 이는 의사들 역시 다르지 않았다. 이런 와중에 의사의 의무를 당당히 행하는 자는, 역설적이게도 공감 능력이 없고 극도로 이기적인 인간이었다.

"포장 하나는 끝내주게 잘하시네요."

겨우 마음을 가라앉힌 정민이 대꾸했다. 그는 더는 수현을 몰아세우지 않았다. 의도가 무엇이든, 수현은 자신을 살린 은인이었다. 물론 수현은 사이코패스 성향이 있었으나, 독재 정권의 눈치를 보느라 환자를 내팽개친 '평범한' 의사들보다 훨씬 의로운 사람이었다.

"포장이라니, 서운한데요. 조금 전에도 말했지만, 나는 환자를 가려 받지 않아요. 이런 건 포장이 아니라 신념이라고 하지 않나요?"
"나를 이용하려고 했잖아요."

정민이 한숨을 쉬며 투덜거리자, 수현이 어깨를 으쓱하며 반박했다.

"도정민 씨를 이용한 건 맞지만, 애초에 당신이 누구든 살릴 생각이었어요."

수현의 말을 들은 정민의 눈썹이 움찔했다. 뻔뻔하기 그지없는 수현의 태도에, 가라앉아 있던 투쟁심이 슬그머니 고개를 들었다. 그는 이를 아득바득 갈며 팔짱을 낀 채로 제자리를 맴돌았다. 그러다 눈을 빛내며 멈춰 서더니, 수현을 똑바로 바라보며 당당히 입을 열었다.

"선생님이 먼저 나를 이용했으니까, 이번에는 내가 선생님을 이용할 차례예요."

정민의 선언을 들은 수현의 얼굴에 의문점이 떠올랐다. 정민은 그런 수현을 똑바로 바라보며 한 글자 한 글자에 힘을 실어 말했다.

"같이 싸워요."

수현의 뇌리에 동료라는 단어가 깊이 박혔다. 정민은 저를 향해 협력을 제안해 왔다. 보통 일도 아니고, 무려 민주화 투쟁이라는 역사의 물결에 함께하자는 이야기였다. 수현은 정민이 이러한 제안을 해오리라고는 생각조차 하지 못했기에, 침묵할 수밖에 없었다. 한편 수현이 어떤 사람인지 완벽하게 파악한 정민은, 수현의 뒤틀린 욕망을 들쑤셨다.

"솔직히, 환자하고 환자의 가족한테 받는 감사 인사로는 만족 못 하잖아요. 선생님 같은 사이코패스는… 공허한 내면을 채우기 위해 점점 더 자극적인 것을 추구한다던데. 아닌가요?"

흠잡을 데 없는 논리에, 수현은 입을 다문 채 아무 말도 하지 않았다. 정민은 수현의 침묵이 긍정을 뜻한다는 것을 알아채고는, 결정적인 한 방을 날렸다.

“옳은 것을 위해 옳은 방법으로 싸운다면, 선생님은 지금보다 더 사랑받을 수 있어요.”

정민이 수현을 향해 손을 내밀어 악수를 청하며 말을 이어갔다.

“지금과는 비교도 안 될걸요? 어마어마한 사람들이 선생님 곁에 모여들 거예요. 내 곁에 모여드는 것처럼요.”

수현은 자신을 향해 다가온 손을 물끄러미 내려다보았다. 정민의 손은 작은 편에 속했다. 그런 그가 목숨을 걸고 거머쥐려는 사상은 숭고하면서도 추악했다. 하지만 정민은 포기하지 않을 생각이었다. 민주주의가 아무리 결점투성이에 지리멸렬한 제도라 할지라도 말이다. 비록 파멸뿐인 결말이라고 하여도, 스스로 고뇌한 끝에 내린 선택이 만들어 낸 결말이라면… 세상 그 무엇보다 가치 있었으므로.
저항 혹은 굴종이라는 선택지 앞에 섰던 정민처럼, 수현 역시 선택의 기로에 직면했다. 하지만 그에게 망설임 따위는 없었다. 수현은 싱긋 웃음 지으며 정민의 손을 잡았다. 그리고 유쾌한 어조로 운을 뗐다.

“그것도 성에 안 차는데.” 수현은 정민의 기가 찬 시선을 받아내며 거침없이 욕망을 드러냈다. “나는 역사에 기록되고 싶거든요. 이 나라 사람들이, 나를 대대손손 칭송해 줬으면 좋겠어.” 정민과의 악수를 마친 수현이 다시금 입을 열었다. “다만, 환자들이 시도 때도 없이 몰려들고 심각한 인력난에 허덕이는 외상센터를 비울 수는 없어요. 그랬다가는 환자들도, 의료진도 죽어 나갈 테니. 그러니까, 돈으로 대신하도록 하죠. 아버지 덕분에, 돈 하나만큼은 썩어 나도록 많거든요.”

“까맣게 잊고 있었네요. 선생님은, ‘부잣집 도련님’이시죠.” 가볍게 웃은 정민이 말을 계속해 나갔다. “좋아요. 활동 자금은 많으면 많을수록 유리하니까요.”

“그럼, 돈은 군부의 눈을 피해서 전달할게요. 그리고… 민주화라는 목적을 이루기 전까지는, 내가 도정민 씨와 손잡았다는 사실을 공개하지 말아줬으면 하는데요.”

“…알겠어요. 선생님이 위험해질 만한 상황은, 절대 만들지 않겠어요. 약속할게요.”

“하는 김에, 한 가지 더 약속해 줄래요? 내가 왜 사람들을 살리는지, 왜 비인기 분야만 골라서 전공했는지에 등에 관한 모든 이야기는… 영원히 함구하기로.”

수현이 매력적인 웃음을 지으며, 나긋한 어조로 말했다. 정민은 그런 그를 올곧은 눈빛으로 바라보았다. 그러고는 “애초에 그 이야기는, 아무한테도 하지 않을 생각이었어요.”라고 답했다.

*

“뭐야, 그런 게 어딨어……?”
“있네요, 경위님 앞에.”

자신의 말을 들은 진이 혼란스러워하자, 수현이 웃으며 대꾸했다. 이에 진은 앓는 소리를 냈다. 이런 말도 안 되는 이유로 민주화 투쟁을 지원한 사람이 있다니. 믿을 수 없었다. 수현은 그런 그를 빤히 보더니, 자조하는 듯한 웃음을 지었다.

“한심하죠?”

진은 두 손으로 얼굴을 감쌌다. 수현의 말처럼, 한심하기 짝이 없는 이야기였다. 수현은 감옥에 가기 싫어서 의사가 됐고, 사랑받고 싶어서 사람들을 살렸다. 어찌 됐든, 둘 다 같은 맥락이었다. 수현은 그저 지루한 것을 끔찍이 싫어했던 것뿐이었다. 한마디로, 그는 제멋대로인 인간이었다. 근본은 자신이 잡아넣은 사이코패스 살인범들과 다를 게 없었다. 그러나, 이러한 사실은 중요하지 않았다. 진은 과거의 수현과 마주한 것뿐이었다.
이윽고, 진이 두 손을 내리며 수현을 물끄러미 바라보았다. 한심했었던 사람 역시 진을 바라보았다. 진은 그런 수현의 시선을 받으며, 그의 과거를 다시금 곱씹기 시작했다.
수현이 방금 들려준 이야기를 분석해 보자면, 정민과 처음 만났을 때의 수현은 살인에 대해 생각하지 않게 된 게 틀림없었다. 의사가 되면서 살인과 거리가 먼 삶에 본격적으로 발을 들인 데다가, 부모가 아닌 다른 사람에게 사랑받고 싶다는 욕망이 충족되었기 때문이 아닐까. 진은 그리 생각하며 자기 자신에게 질문했다. 그렇다면,

윤수현이 세상과 사람을 사랑하게 된 이유는… 타인의 사랑 때문인가? 아니면 그가 품게 된 또 다른 욕망 때문인가?

“경위님? 무슨 생각 해요?”

아쉽게도, 진은 정답을 알 수 없었다. 수현을 바꾼 것이 사랑인지 아니면 욕망인지 알 수 없어서였다. 이는 수현 역시 모를 터였다. 당시의 수현은 제 욕심을 채우기 바빴다. 그런 인간이 자기 자신을 진지하게 고찰했을 리 없었을 테고, 애초에 고찰할 생각도 없었으리라. 결론적으로, 무엇이든 답이 될 수 있었다. 만일 수현이 답을 알고 있다고 하더라도, 진은 자신의 힘으로 답을 찾고 싶었다. 이런 연유로, 진은 더는 질문하지 않았다.

“……욕심도 많아. 존경받는 의사로도 충분했을 텐데.”

진이 혀를 차며 감상을 표하자, 수현이 웃음을 터트렸다.

“그러니까, 저번에도 말했잖아요. 나는 착한 게 아니라, 위선 떠는 것뿐이라고.”

철저한 자기 객관화가 곁들여진 명쾌한 답에, 진은 더는 대꾸할 수 없었다. 갑작스레 들려온 고함 때문에 더욱 그러했다.

“뭐? 정문에 사람이 죽어있어?! 이게 대체 무슨……!”

분명 경일의 목소리였다. 그는 심부름을 마치고 돌아온 신입 형사의 전화를 받은 터였다. 살인 현장을 난생처음 목격한 신입 형사는, 겨우 정신을 가다듬고는 경일에게 자신이 본 광경을 더듬거리는 목소리로 전달했다. 이에 경일은 아연실색하며 소리를 질렀다. 여기까지가 조금 전, 진과 수현이 복도를 타고 쩌렁쩌렁 울려 퍼진 경일의 목소리를 듣게 된 경위였다.

진과 수현은 망설임 없이 의자에서 일어나, 전담팀에서 뛰쳐나왔다. 그러고는 광수대의 복도를 달리고 또 달려, 어느새 정문 앞에 멈춰 섰다. 그러자 얼굴과 목이 선홍빛으로 물든 노년의 남성과 경비복을 입은 중년의 남성이, 대략 3m에서 4m의 간격을 두고 쓰러져있는 광경이 눈앞에 펼쳐졌다. 경비복 차림의 남성은, 역사의 뒤안길로 사라진 의무경찰을 대신해 광수대의 정문을 지켜온 경비원이었으며 그의 목 앞쪽에는 예리한 날에 베인 상처(절창)가 선명했다. 그리고 이러한 상처에서 흘러내린 다량의 피가 바닥을 붉게 물들인 상태였다. 치명상을 입힌 흉기는 범인이 가져갔는지, 보이지 않았다. 한편 이들에게서 2m 정도 떨어진 거리에는, 창백한 낯빛의 신입 형사가 스마트폰을 꽉 쥔 채로 주저앉아 있었다.

"사, 삼십 분 전까지만 해도… 경비아저씨, 살아계셨습니다! 제, 제 인사를 웃으며 받아주셨다고요……!"

진과 수현은 자신들을 향해 울부짖는 신입 형사를 진정시키고는, 코트 주머니에서 라텍스 장갑과 족흔 방지 커버가 담긴 봉투를 꺼냈다. 혹시 모를 상황을 대비해, 항상 가지고 다니던 것들이었다. 이윽고, 장갑과 커버를 착용한 수현이 노인과 경비원 사이에 쭈그리고 앉았다. 그러자 진 역시 쭈그리고 앉았다.
수현은 노인의 몸에서 선홍빛 시반(屍斑)을 포착했고, 이러한 사실을 통해 노인이 죽고 나서 시간이 어느 정도 흘렀다는 사실을 단박에 알아차렸다.
관찰은 계속되었다. 수현은 시선을 옮기기 위해 몸을 움직인 뒤, 경비원을 살피기 시작했다. 경비원의 목에는 깊이가 깊고 길이가 긴 상처가 있었다. 상처는 목 옆면에서 시작되어 목 앞쪽까지 이어졌다. 그런 그의 몸에는 아직 시반이 형성되지 않은 상태였다.

"마침 잘됐네. 유 경위하고 윤 경위가 해결하면 되겠어. 마침 창인고 살인 사건도 끝냈겠다, 시간 많잖아?"

그때, 뒤에서 경일의 목소리가 울려 퍼졌다. 이에 진과 수현이 일어서며 음성의 근원지를 바라보았다. 그러자 뒤늦게 정문에 도착한 경일과 그의 뒤를 따라온 형사 몇 명 그리고 신입 형사가 호출한 감식반 수사관들의 모습이 두 사람의 시야를 가득 채웠다.
정문에 모인 형사들은, 광수대의 규모에 비해 매우 적었다. 만일 오늘이 평일이었다면, 경일의 목소리를 들은 수많은 형사가 여기로 모였으리라. 하지만 오늘은… 토요일이었다. 그렇기에 진과 수현처럼 밤을 지새웠거나, 주말 근무를 택한 형사 중 자리를 지키던 사람만이 광수대에 남아있던 상황이었다.

"정말 저희가 수사해도 됩니까?" 진이 무뚝뚝한 어조로, 확인차 질문을 던졌다.
"하라면 그냥 해. 뭘 물어봐? 이런 해괴한 사건을 해결하기 위해 특수사건전담팀이 존재하는 거 아니었나?"

경일이 얼굴을 잔뜩 구기며 날카롭게 대꾸한 뒤, 몸을 돌려 광수대 건물로 향했다. 그러자 경일을 따라온 형사들과 신입 형사 역시 경일을 따라 되돌아갔고, 감식반의 수사관들은 쓰러진 피해자의 주변을 샅샅이 살피기 시작했다.

"흉기가 경비원의 경동맥(목동맥)과 경정맥(목정맥) 그리고 성대 아래에 있는 기도를 훼손한 걸로 보이네요. 분명, 금방 의식이 끊어지고 숨이 멎었을 거예요. 성대 아래에 있는 기도가 손상됐으니… 말할 정신이 남아있었다고 해도, 목소리가 안 나왔을 거고요."

조용히 있던 수현이, 진을 보며 마침내 입을 열었다. 그러고는 다시 쭈그리고 앉아, 자세를 더욱 낮춘 다음 노인의 코와 입을 바라보았다. 그러자 부식된 입술이 보였다. 이에 수현은 옆에서 진동하는 피 냄새를 철저히 배제하며, 노인의 코와 입에서 나는 냄새에 집중했다.

"선홍빛 시반, 부식된 입술. 그리고 코와 입에서 나는 살구씨 냄새를 보니…… 사이안화나트륨이나 흔히 '청산가리'나 '사이안화칼륨'이라고 불리는 사이안화 포타슘(potassium cyanide) 같은, 청산염 중독이네요."

상체를 일으켜 세운 수현이 말을 마쳤다. 유전적인 이유로 청산

특유의 '살구씨 냄새'를 맡지 못하는 경우가 많다지만, 그는 이를 감지할 수 있는 사람 중 하나였다.

"사망 추정 시각은……."

수현이 말끝을 흐리며 짧게 앓는 소리를 내더니, 노인의 시신을 다시금 살폈다. 그리고 '지금 이 자리에서 확인할 수 있는 정보'를 기반으로 조심스레 사망 추정 시각을 입 밖에 냈다.

"2시간에서 3시간 전이라고 봐요. 물론, 부검을 통해 알아낸 것보다는 정확도가 떨어지지만요." 그는 말을 이어 나갔다. "여기서는 시신을 상세히 조사할 수 없으니까, 다른 데서 2차 검안(檢案)을 해야겠어요."

지금처럼 시신이 건물 출입구 주변에서 발견됐거나, 시신이 인도나 도로 한복판에 있거나, 강이나 바다에서 시신이 발견됐거나, 시신이 발견된 현장이 매우 어둡거나 협소한 경우에는 시신을 다른 곳으로 옮긴 다음 2차 검안(재조사)을 하는 게 원칙이다. 앞서 언급한 현장에서는 변사체를 상세하게 조사할 수 없기 때문이다.

수현의 말을 들은 진은 잠시 표정을 구기며 생각에 잠기더니, 경비원이 머물던 작은 초소를 향해 걸어가며 수현을 향해 가볍게 손짓했다. 그러자 수현이 자리에서 일어나 진을 따라갔다. 이렇게 두 사람은 초소를 향해 걸어가며 주변을 꼼꼼히 살폈다. 초소로 향하는 도로 위에는 혈흔이 없었으며 누군가 초소에 침입한 흔적 등, 초소 안에서 살인이 벌어진 흔적은 없었다. 즉 경비원은 정문에서 살해당했다는 의미였다.

간단한 추리를 마친 진과 수현은 초소 안에 있는 CCTV 열람용 컴퓨터 앞에서 멈춰 섰다. 데스크톱 본체와 연결된 모니터에는, 광수대 정문에 설치된 CCTV로 녹화 중인 영상이 실시간으로 재생되고 있었다. 이를 본 진은 손을 뻗어 마우스를 잡더니, 몇 번의 클릭 끝에 경비원이 살해당한 시점의 영상을 찾아냈다.

녹화된 영상에 따르면, 당시 상황은 이러하였다. 먼저, 신입 형사가 초소를 향해 인사하며 정문을 빠져나간다. 이로부터 몇 분 뒤, 윤미가 광수대 앞에 도착했고 윤미의 연락을 받은 수현이 출입구 안쪽에서 걸어 나와 윤미 앞에 선다. 이렇게 모인 두 사람은 짧은 대화를 나누고, 이내 헤어져 갈 길을 간다. 그리고 약 2분 뒤, 정문 앞에 흰색 승용차 한 대가 멈춰 선다. 차에서 내린 운전자는 모자와 선글라스, 장갑과 마스크, 신발 위에 신은 덧신, 상의와 하의로 전신을 가린 상태였다. 그가 착용한 물건은 모두 시커멨다. 그는 곧바로 뒷좌석으로 향하더니, 문을 연 다음 누워있던 사람의 겨드랑이에 손을 넣어 끌어낸다. 이를 목격한 경비원이 아연실색하며 달려가고, 결국 운전자의 손에 목을 베인다. 흉기를 손에 든 운전자는 그런 그를 뒤로한 채, 유유히 현장을 빠져나간다. 그리고 약 15분 뒤에, 돌아온 신입 형사가 시신 두 구를 마주한다.

영상을 본 진과 수현은 각기 다른 표정을 지으며 침묵했다. 하지만 이는 얼마 가지 않아, 수현의 목소리에 의해 부서졌다.

"운전자가 어르신을 죽인 범인인지, 아니면 자살한 어르신의 시신을 유기하기만 한 건지는 알 수 없지만… 둘 중 어떤 경우든, 경비를 서던 경비원을 죽이면서까지 광수대 앞에 시신을 유기해야만 하는 이유가 있었던 거예요."

"맞아. 그래야만 하는 이유가 있었던 거야. 그렇지 않은 이상, 광수대 앞에다 보란 듯이 시신을 유기할 필요는 없으니까. 어쩌면…… 시신 유기를 통해 경고 메시지를 전하고 싶었는지도 모르지. 혹은 수사 기관과의 게임을 위한 선전포고이거나."

물론, 현실에서 벌어지는 범죄는 종합 예술인 게임과 비견할 수도 없고 해서도 안 되지만. 진이 낮은 목소리로 덧붙였다. 그러고는 스마트폰을 꺼내 서울청 교통계에 연락해 지금까지의 상황을 설명한 다음, 영상 속 자동차의 이미지를 추출해 전달하며 용의 차량이 어디에서 나와서 어디로 향했는지 알아봐달라고 부탁했다. 이에 교통계 소속 경찰은 이미지 파일 속 자동차의 번호판에 적힌 문자들을 자동차 번호판 조회 시스템에 입력했다. 하지만…… 기대와 다르게, 그가 얻은 결과는 문제의 번호판이 세상에 존재하지 않는 가짜라는 사실뿐이었다. 결국, 그는 번호판 조회 결과를 설명한 다음, 광수대 인근 도로에 설치된 CCTV를 모두 확인해 보고 연락을 드리겠다고 말했다. 이에 진은 부탁드린다는 말을 남기고 전화를 끊은 뒤, 현장 감식을 위해 수현과 함께 다시 두 구의 시신이 있는 지점으로 되돌아왔다.

진과 수현은 현장을 마저 살피며 노인의 신원을 알려줄 단서를 찾아 나섰다. 하지만 노인은 신분증과 휴대전화기 등, 신원을 밝힐 수 있는 물건을 단 하나도 가지고 있지 않았다. 결국 두 사람은 노인의 지문을 이용해 신원을 밝혀내기로 했다.

그때, 진에게 한 통의 전화가 걸려 왔다. 전화를 건 사람은 교통계 경찰이었다. 경찰은 동료들과 함께 살펴본 광수대 인근 도로의

CCTV 녹화 영상 속에서, 도주 직후의 용의 차량을 발견했으나 추적에는 실패했다고 털어놓았다. 그의 말에 따르면 용의 차량은 약 130km/h로 토요일 아침의 한적한 도로를 질주하다가, CCTV의 사각지대를 노려 홀연히 모습을 감춘 모양이었다. 또한, 그는 같은 이유로 용의 차량이 정확히 어디에서 나왔는지도 확인이 불가했다는 이야기를 꺼내며 인근 자동차들의 블랙박스를 확인해 용의 차량을 추적해 보겠다는 말을 덧붙였다. 이에 진은 짧게 앓는 소리를 내더니, 감사를 표하며 통화를 마쳤다. 그러고는 노인의 손에서 채취한 지문을, 주민등록 데이터베이스와 연동된 지문 조회기에 입력했다.

기계가 알려준 노인의 이름은 김일남이었다. 72세 남성인 그는 한때 작은 사업체를 운영했고 몇 년 전부터는 별다른 직업 없이 살아왔으며, 전과가 없는 평범한 사람이었다. 그런 그가 경찰 조사를 받은 경험은 단 한 번, 20여 년 전 배우자와 자식을 앗아간 불의의 사고 때문이었다. 오래전에 부모를 잃은 일남은, 결국 세상에 홀로 남겨졌다.

일남의 기본적인 인적 사항을 알아낸 진은 2차 검안을 위해 수현과 함께 자리를 옮겼다. 2차 검안 결과는 1차 검안 결과와 별 차이가 없었다. 이렇게 검안을 끝낸 진과 수현은 통신사의 협조를 받아, 일남의 휴대전화가 어젯밤부터 지금까지 그의 집에서 벗어난 적이 없다는 정보를 손에 넣었다. 그런 다음 수사와 부검을 위한 각종 영장을 신청했고, 얼마 뒤 영장을 발부받았다. 이런 두 사람에게는 두 가지 선택지가 있었다. 부검을 마친 다음 일남의 집을 수색하거나, 일남의 집을 수색한 다음 부검에 임하거나. 하지만 부검실이 하나도 남김없이 꽉 들어찬 데다가 일남의 집에서 범죄가 발생했을 수도 있는 상황이었기에, 결과적으로 무언가를 자유로이 선택할 수 없는 상황이나 마찬가지였다. 이렇게, 진과 수현의 향방은 자연스레 일남의 자택으로 결정되었다.

*

진의 자동차가 한적한 단독주택 앞에서 멈춰 섰다. 옅은 풀 내음이 인상적인 장소였다. 진과 수현은 차에서 내린 다음, 라텍스 장갑과 족흔 방지 커버를 착용했다. 그리고 감식반 수사관들과 함께 대문 안으로 발을 들였다. 그러자 차고와 잘 정돈된 잔디로 가득한 마당이 시선을 사로잡았다.

두 형사와 수사관들은 크고 작은 돌로 만든 길 위를 걸어, 현관문 앞에 멈춰 섰다. 그러고는 현관문을 열며 집 안으로 발을 들였다. 그러자 벽면에 가지런히 걸린 액자들이 가득한, 깨끗이 정돈된 거실이 모습을 드러냈다. 액자에는 각기 다른 성경 구절이 적혀있었다.

"아마… 아내와 자식을 잃었을 때부터 모았을 거야. 절망적인 상황에서, 기댈만한 것은 종교밖에 없었을 테니까."

진이 액자를 훑어보며 말했다. 이에 수현은 고개를 살짝 끄덕였다. 그의 고향에는 종교가 없었다. 좀 더 정확히 말하자면, 있었지만 어느 시점에 자취를 감추었다. 이는 과학자들이 "우리 행성이 속한 우주(차원계)에, 절대자는 없다."라는 사실을 증명해 버린 까닭이었다. 그렇기에 그는 신을 믿지 않았지만… 그렇다고 해서 타인의 신념을 공격하지는 않았다. 물론, 할 생각도 없었다. 믿는 것은 자유이고, 그 누구도 막을 수 없다. 신이 존재한다고 믿으면 신은 존재하는 것이고, 존재하지 않는다고 여기면 신은 존재하지 않는 것이다. 그는 그리 생각하며 다른 쪽 벽면을 향해 시선을 돌렸다. 그 순간, 수현의 눈빛이 얼어붙었다.

"…경위님."

수현의 부름에, 진은 수현의 시선이 머문 곳을 바라보았다. 그러자 사진이 들어 있는 액자 하나가 눈에 띄었다. 일남의 소유로 추정되는 자동차와 그 옆에 서 있는 일남을 찍은 사진이었다. 여기까지는 평범한 사진에 불과했고, 실제로 사진 자체는 평범했다. 문제는, 사진 속 자동차에 있었다.

"김일남 씨를 유기했던 자동차. 저 액자 속 차하고 똑같은 모델이잖아요. 색깔도 똑같고!"

수현의 말대로, 사진 속 일남의 자동차는 범행에 쓰인 자동차와 모든 게 같았다. 색깔도, 모델도. 다른 것은 단 하나. 번호판뿐이었다. 이를 확인한 진이 굳은 얼굴로 수현을 바라보자, 수현 역시 진을 바라보았다. 굳이 입을 열 필요는 없었다. 설마, 하는 마음에 그들은 마당 옆 차고를 향해 달려갔고, 곧바로 차고의 문을 열었다. 그러자 자동차 한 대가 모습을 드러냈다. 가짜 번호판을 단, 범행에 쓰였던 바로 그 흰색 승용차가…… 보란 듯이 차고 안에 있었다. 이를 멍하니 보던 진과 수현은 마음을 다잡고 벽면의 스위치를 눌러, 천장의 등을 켰다. 그러자 바닥에서 작은 불빛이 일순간 반짝였다. 이를 본 진과 수현은 불빛을 향해 다가갔고, 불빛의 정체가 은빛 열쇠라는 사실을 깨달았다. 열쇠는 자동차의 전면부에서 1m 정도 떨어진 지점이면서, 한 쌍의 헤드라이트 사이의 거리를 정확히 절반으로 나누는 위치에 '숫자 1'처럼 세로로 놓여있었다. 정황상, 범인이 일부러 놓고 간 듯했으며 눈앞에 있는 자동차를 제어할 수 있는 열쇠일 확률이 높았다.

진은 허리를 숙여 열쇠를 집어 들었다. 그리고 자신과 수현을 뒤따라온 과학수사관에게서 지문 채취 도구를 빌려 열쇠에 덕지덕지 묻은 지문을 채취했다. 그러고는 운전석의 열쇠 구멍에 은빛 열쇠를 조심스레 끼워 넣었다. 열쇠는 한 치의 오차 없이 맞물려 들어갔고, 이내 잠금장치가 해제되었다. 이렇게 운전석을 연 진은, 수현과 함께 자동차를 살피기 시작했다. 그러자 메모리카드가 제거된 블랙박스가 가장 먼저 그들을 반겼다. 그럼에도 두 사람은 수색을 멈추지 않았고, 얼마 지나지 않아 트렁크에서 번호판 하나를 찾아냈다. 번호판 위에 수놓아진 아라비아 숫자와 한글의 조합은, 거실 액자 속 자동차의 번호판과 완벽히 일치했다.

진은 쯧, 하며 혀를 찼다. 지금 내 눈앞에 있는 흰색 승용차는, 일남의 차다. 그는 그리 확신했다. 그리고 이러한 확신은 자동차 번호판과 차대번호(차량 식별 번호) 조회로 인해 현실이 되었다.

진과 수현은 재빠르게 사고회로를 작동시켰다. 그리고 얼마 가지 않아 찾아낸 새로운 가능성을, 거의 동시에 입 밖에 냈다.

"김일남이… 시신 유기범한테 자동차 열쇠를 직접 건넨 거라면?"

"김일남 씨와 시신을 유기한 운전자가, 합의 끝에 일을 벌인 거라면요?"

범죄의 가해자와 피해자가 모종의 합의 혹은 거래를 통해 일을 벌인 경우는 극히 드물었다. 그러나 "드물다"와 "존재하지 않는다"는 엄연히 달랐다. 이런 탓에, 두 형사의 머릿속은 복잡하기 짝이 없었다. 하지만 멈춰 설 수도, 섣부른 결론을 내릴 수도 없었기에 진과 수현은 새로운 단서를 찾아 수사를 재개했다. 이렇게 차고를 포함한 일남의 집이 진과 수현 그리고 과학수사관들의 손에 의해 해체되었으며, 일남의 방에서는 적은 양의 음료수가 남아있는 물컵과 스마트폰 한 대 그리고 신분증이 들어있는 지갑이 발견되었다. 물건들의 주인은 당연히 일남이었으며, 이 중 비밀번호가 설정된 스마트폰은 디지털 포렌식을 하게 될 유일한 전자기기였다.

눈길이 가는 물건은 또 있었다. 바로, 진이 찾아낸 일남의 투병일지였다. 일지에 따르면 사고로 가족을 잃고 얼마 지나지 않은 시점에, 일남은 췌장암 말기 판정을 받았다. 절망적이기 그지없는 상황이었다. 하지만 불행과 절망은 갑작스러운 췌장암 완치 판정으로 막을 내렸다. 가히 기적이라 할 수 있는 일이었다.

진은 일지에서 시선을 거두더니, 제 곁에 있는 수현을 쳐다보았다. 말기 암을 순식간에 치료할 수 있을 법한 사람은 윤수현밖에 없었다. 그러나, 그의 추리는 보기 좋게 빗나갔다. 진의 눈빛을 읽은 수현이 고개를 가로저으며 아주 작은 목소리로 "저런 건, 내 분야가 아니에요."라고 말했다. 이에 진은 목소리를 내지 않고 입만 움직여 "그게 무슨 소리야?"라고 말했고, 수현은 그런 그에게 "조금 이따가 자세히 알려줄게요."라고 답했다.

수색에는 몇 시간이 소요되었다. 일남의 집에는 CCTV가 없었기에, 수색을 끝낸 진과 수현은 인근 도로의 CCTV에 녹화된 영상 속에서 일남의 차를 운전한 자와 관련된 단서를 찾아보기로 하였다. 하나, 유의미한 단서는 끝내 발견되지 않았다. 두 형사가 찾는 사람은 그 어떠한 흔적도 남기지 않은 채, 또다시 모습을 감추었다.

그 순간, 수현에게 드디어 부검실이 비었다는 연락이 날아들었다. 이에 그는 국과수에 가기 위해서 진의 전기차에 올라탄 다음, 이랑에게 광수대 시신 유기 사건에 대하여 설명하며 일남의 집에서 발견한 스마트폰의 디지털 포렌식을 부탁했다. 그러고는 진에게 자신의 치유 능력에 관한 사실을 좀 더 자세히 알려주었다.

수현의 치유 능력은 이론적으로 그 어떠한 외상이든 순식간에 낫게 할 수 있었다. 하지만 말 그대로 '낫게만 하는 게' 문제였다. 그렇기에 수현은 치유 능력을 '상처를 봉합하는 실', 혹은 '출혈이 발생한 혈관을 지혈하는 기구'로 여겼다.

가벼운 외상, 즉 찰과상과 경증 화상 같은 경우는 혈관이나 신경이 훼손된 게 아니다. 그렇기에 아무 조치 없이 상처만 낫게 해주면 된다. 그러나 중증 외상은 차원이 달랐다. 장기가 터졌거나 혈관이 떨어져 나간 상황에서는, 각종 기구로 장기와 혈관을 이어 붙여야 했다. 하지만 수현에게는 도구가 필요 없다. 치유 능력을 사용해 상처를 순식간에 낫게 할 수 있으니 말이다.

그렇다면, 이러한 절차를 무시한 채 치유 능력을 쓰면 어떻게 될까? 간단하다. 엉망이 된 혈관과 장기가 뒤엉킨 채 그대로 회복되고 마는 대참사가 벌어지고 만다. 여기까지가 수현의 입에서 나온 말이었다. 이에 진은 수현이 전지전능한 신이 아니라는 사실을 새삼 깨닫고는, 다시 수사에 집중했다.

두 형사를 태운 차는 도로 위를 달렸고, 어느 순간 멈춰 섰다. 두 쌍의 바퀴가 움직이기 시작한 시점은, 수현이 이랑에게 일남의 휴대전화를 건네고 돌아온 직후였다. 전기차는 다시 도로를 질주했고, 어느 정도 시간이 흐른 뒤에 국과수 앞에서 완전히 멈춰 섰다. 목적지에 도착한 진과 수현은 일남의 집에서 얻은 증거들을 감식 담당자에게 넘겼다. 감식 담당자는 두 사람에게, 일남의 몸과 옷에서 타인의 흔적을 찾을 수 없었다고 말하였다. 이에 그들은 감사를 표하고는 곧바로 빈 부검실로 발걸음을 옮겼다.

이윽고, 진과 수현은 흰색 천에 의해 전신이 가려진 시신을 마주했다. 본격적인 부검에 앞서, 시신은 영상 부검(CT 촬영) 절차를 거친 상태였다. 부검의 차림의 수현은 손을 뻗어, 일남의 몸을 덮은 천을 걷었다. 그리고 사진기로 시신 곳곳을 촬영하며 노인의 몸을 살폈다. 현장에서 봤던 대로 상처 하나 없는 것을 보아, 물리적인 공격에 휘말린 적이 없는 게 확실했다.

관찰을 마친 수현이 망설임 없이 메스를 움직이며 부검의 시작을 알렸다. 그는 부검을 이어 나갔고, 어느덧 위를 살피기 시작했다. 그러자 살구씨 냄새가 수현의 후각을 또다시 자극했다.

“확실히, 청산염을 먹은 게 맞아요. 다만 정확히 어떤 종류인지는 정밀 감식을 해 봐야 알 수 있겠네요.”

수현이 부식된 식도와 위점막을 내려다보며 입을 열었다. 진은 팔짱을 낀 채로, 그런 수현의 손을 물끄러미 바라보았다. 수현은 정밀 검사를 위한 시료를 채취하는 등 부검에 성실히 임하며, 부검을 통해 얻은 사실을 기반으로 사망 추정 시각을 읊었다. 낮에 예측했던 대로, 일남이 죽은 시점은 일남이 광수대 앞에 유기된 시점으로부터 2시간에서 3시간 전이었다.

“역시. 자살인지 타살인지는, 김일남의 집에서 나올 단서를 토대로 판단할 수밖에 없겠어.”

수현의 설명을 듣던 진이 옅은 한숨을 내쉬며 말했다. 이에 수현은 고개를 천천히 한 번 끄덕였다.

부검은 계속되었다. 첫 번째 부검을 마친 수현은 두 번째 부검에 돌입했다. 진은 이어지는 부검 과정을 묵묵히 지켜보았다. 광수대 정문 앞에서 수현이 내렸던 판단대로, 경비원은 경동맥과 경정맥 절단으로 인한 과다출혈로 사망했으며 기도가 잘린 상태였다.

이렇게 부검을 모두 마친 수현은, 자신이 부검에 몰입한 상태일 때 도착한 메일과 자료를 진과 함께 확인하기 시작했다. 이랑은 일남 명의의 스마트폰 포렌식을 마쳤으며, 수상한 연락을 주고받은 기록이나 자살용 독극물을 구입한 흔적 그리고 스마트폰 내의 자료를 긴급히 삭제한 흔적은 없었다는 사실을 수현에게 알려 왔다. 자료를 주의 깊게 살핀 진과 수현은 의견을 주고받은 끝에, 일남의 집에서 확보한 것들과 그의 목숨을 앗아간 독극물을 정밀 감식한 결과가 나온 다음에 수사를 이어가기로 했다. 다만 정밀 감식에서 어떤 결과가 나오든, 진실에 닿기 위해서는 일남의 지인들을 만나 이야기를 나눠야 했다. 즉, 두 형사의 미래는 어느 정도 정해진 셈이었다. 하지만 지금 당장 일남의 지인들을 찾아갈 수는 없는 노릇이었다. 사람들 대부분이 지금과 같은 밤 시간대에 자기 때문이다. 낮에 자고 밤에 일하거나 진과 수현처럼 밤낮을 가리지 않고 일하는 사람은 비교적 소수였다. 게다가 백승찬 사건을 해결한 뒤로부터 계속 깨어있는 진도 쉴 필요가 있었다. 즉 이런저런 이유와 사정을 고려한다면, 날이 밝은 뒤에 수사를 이어가야 했다.

계획이 정해지자, 수현은 진에게 이만 쉬는 게 어떻겠냐고 말했다. 두 사람의 길고 길었던 하루는, 이렇게 끝이 났다.

*

광수대로 출근하기 전, 진은 전기차의 운전석에 앉은 채로 조금 전 가판대에서 사 온 신문들의 헤드라인을 읽고 있었다. 황색언론을 포함한 다양한 언론사에서 발간한 신문들은 「재벌 4세 일감 몰아주기?」, 「기부할 줄도 모르는, 이기적이고 피도 눈물도 없는 재벌 4세」와 같은 이야기를 떠들어댔다. 언론인들은 진의 정체가 만천하에 알려지자, 하이에나처럼 달려들었다. 그리고 그 악의를, 활자에 담아 세상에 흩뿌렸다.

'특수사건전담팀이, 나의 승진을 위해 만들어졌다고? 어이가 없군.'

진이 실소를 터뜨리며 탁, 소리가 나도록 신문을 조수석 위에 내려놓았다. 그렇게, 신문지로 만들어진 탑이 이전보다 조금 높아졌다.

'윗선이 은폐한 사건들을 손대는 것만큼 미움받기 좋은 게 없는데. 말이 되는 소리를 해야지.'

진이 나직이 으르렁거리며, 세화(歲華)시 연쇄살인 사건을 떠올렸다. 피해자의 백골을 발견했음에도, 당시 담당 경찰이 증거를 은닉한 희대의 사건. 그렇기에 세화시 연쇄살인 사건은 경찰의 어두운 역사 이자 치부 중 하나였다. 하지만 경찰이 숨기고자 한 어둠은, 한 아웃사이더 형사에 의해 폭로되었다.

지금으로부터 약 1년 전, 진은 소문의 부부와 우연히 마주쳤다. 그들은 이름 모를 형사의 앞에서 무릎을 꿇은 채 울부짖었다. 그들은 자신들이 20여 년 전의 세화시 연쇄살인 사건의 유가족이라며, 당시 담당 형사가 제 아이의 시신을 옮겨 묻었다고 호소했다. 하지만 형사는 말도 안 되는 소리를 지껄인다는 폭언을 내뱉으며, 매몰차게 부부를 뿌리쳤다. 광수대의 형사 중, 승진한 선배의 허물을 들추려는 사람은 없었다. 그러나 전담팀 소속의 진은 달랐다.

진은 백골 발굴용 전문 장비를 든 채 홀로 길을 나섰고, 피해자의 백골이 처음 발견된 장소를 기반으로 시신을 옮겨 묻은 위치를 추측했다. 그렇게 일주일 동안 허탕을 쳤다. 하지만 그는 포기하지 않았다. 그저 성실함과 각종 장비로 무장한 채, 야산과 농지를 뒤엎었다. 흙 속에 갇힌 희망을 찾아내기 위해, 온 힘을 쏟았다.

희망은 8일째 되는 날에 찾아왔다. 그는 지금껏 해왔던 것처럼 조심스레 야산의 땅을 팠다. 그러던 중, 익숙한 감각이 삽을 통해 전해졌다. 암매장된 시신을 파낼 때를 연상케 하는 감각이었다. 이에 진은 신중에 신중을 기했다. 그는 삽을 내려놓고 장갑을 낀 손으로 흙을 헤집었다. 그러자 사람의 두개골(온머리뼈, skull)이 모습을 드러냈다. 크기를 보아 10살 정도 된 아이 같았다. 진은 숨쉬는 것도 잊고, 멍하니 망자의 흔적을 내려다보았다.

그 순간, 그림자 하나가 진의 뒤에서 날아들었다. 그의 목을 노린 일격은, 피할 수 없을 정도로 빨랐다. 이를 감지한 진은 재빠르게 몸을 튼 다음 왼손을 들어 올려 공격을 막았다. 그러자 그의 왼쪽 아래팔에서 피가 뚝뚝 흘러내렸다.

진은 저를 향해 날아든 물체를 노려보았다. 제 피가 묻은 흉기의 정체는 삽이었다. 그가 가져온 삽과는 달리, 좀 더 무겁고 긴 삽. 그는 삽의 손잡이를 잡은 괴한에게 시선을 주었다. 역시나, 괴한은 경찰청 DB에서 찾아낸 사람이 맞았다. 20여 년 전, 세화시 연쇄살인 사건의 담당 형사. 그가 바로 진을 공격한 괴한이었다.

"후배 구타는 악습입니다, 선배님."

진이 이를 악물며 날을 세웠다. 그런 다음 포효하며 오른손을 뻗더니, 제 왼팔에 박힌 삽을 낚아챘다. 그리고 온 힘을 실어, 중년 남성의 무게중심을 무너뜨렸다.

순식간에 벌어진 일이었다. 삽을 쥐고 있던 남성은 별 반응도 하지 못하고 기우뚱하더니, 그대로 산비탈을 굴렀다. 그의 몸은 나무 한 그루를 들이받고 나서야 움직임을 멈췄다. 남성은 고통에 휩싸여 비명조차 지르지 못하고 꺽꺽거렸다. 진은 그런 그를 향해 달려들었다.

진은 오른손잡이였다. 일부러 왼손을 들어 올려 제 목을 보호한 것도, 이러한 이유였다. 어떤 일이 있어도 반격할 수단을 확보해야만 했다. 그렇지 않으면 자신의 안전도, 범인 검거도 보장할 수 없었다. 그는 오른손에 제 몸무게를 실어, 남성을 제압했다. 그러고는 미란다 원칙을 고지하며 왼손으로 수갑을 꺼내 들었다. 이에 남성이 쿨럭이며 악을 썼다.

“감히 하늘 같은 선배한테 이따위로 굴어?! 이런 개자식을 봤나!”
“선배? 웃기지 마. 나는 당신 같은 선배 둔 적 없어.”

진이 일갈하며 남성의 손목에 수갑을 채웠다. 그런 진의 왼팔에서는 흙이 섞인 피가 끊임없이 흘러내렸다. 마치 진실을 밝히기 위한 대가라도 되는 것처럼.
이런 진의 활약으로, 20여 년 전 은폐됐던 피해자의 백골이 세상의 빛을 보았다. 언론은 이 사건을 대서특필했다. 다만 진의 강력한 요청에, 진실을 파헤친 형사가 누구인지는 끝까지 알려지지 않았다. 그는 ‘익명의 형사’라는 수식어에 만족할 따름이었다.
진은 중년 부부의 앞에서 무릎을 꿇고 사죄했다. 물론 그의 잘못은 아니었다. 사과는 당시의 담당 형사가 해야 하는 일이었다. 그러나 진은 경찰이었다. 그가 몸담은 조직에서 벌어진 일이니, 그라도 사죄해야만 했다.
부부는 진의 사죄를 받을 수 없었다. 그들에게 진은 은인이었다. 게다가 세화시 연쇄살인 사건이 벌어졌을 당시의 진은 학생이었다. 애초에 그는 제삼자였다. 그 어떠한 짐도 짊어지지 않은 제삼자 말이다. 그럼에도 불구하고, 진은 무릎을 꿇었다. 이에 부부는 그를 끌어안고 하염없이 기쁨과 감사의 눈물을 흘릴 뿐이었다. 세화시 연쇄살인 사건은, 그렇게 진의 기억 속에 남았다.

‘추악한 사건이었지.’

진이 왼팔에 남은 흉터를 내려다보며 한숨을 내쉬었다. 그러고는 손을 뻗어 운전대를 잡더니, 광수대를 향해 차를 몰기 시작했다. 그렇게 시간이 흐르고, 전담팀에 도착한 진은 수현과 함께 정밀 감식 결과가 담긴 서류를 살피기 시작했다. 서류에 따르면, 일남이 먹은 독극물은 사이안화 포타슘이었다. 사이안화 포타슘은 일남의 집에서 발견된, 음료수가 들어 있는 물컵과 1.5L들이 음료수병에서 검출되었다. 또한 물과 같은 액체에 젖지 않은, 마른 상태의 사이안화 포타슘은 일남의 집에서 발견되지 않았으며 일남을 제외한 사람의 흔적은 그의 집에서도, 그의 차에서도 찾을 수 없었다.

분석 결과를 모두 읽은 진과 수현은 표정을 구기며 침음했다. 독극물이 음료수병 안에서 검출된 것을 보아서는, 일남의 죽음은 타살일 가능성이 컸다. 하지만 그의 집에서는 침입자의 흔적이 발견되지 않았다. 반대로 일남이 스스로 목숨을 끊었다면, 그는 독을 탄 음료수병을 통째로 들이키지 않고 굳이 컵에 따라서 마시는 수고를 했다는 게 된다. 누군가가 음료수병에 독극물을 넣은 상황을 연출하려는 의도가 깔려있지 않은 이상, 쉬이 이해할 수 없는 행위였다.

'결국 원점이군. 어느 하나 확실한 게 없어.'

진이 혀를 차며 표정을 잔뜩 구겼다. 집에 머물던 일남은 독살당했을 수도, 음독자살을 택한 뒤에 옮겨졌을 수도, 시신을 유기한 운전자와 손잡고 일을 벌였을 수도 있었다. 이론적으로 세 가지 모두 가능한 상황이었다. 그러므로 모든 가능성을 염두에 둔 채로 움직여야 했다.

진과 수현은 이랑이 보내온 자료를 살폈다. 이랑은 일남의 스마트폰 속 전화번호부에 저장된 사람들의 이름 및 전화번호가 적힌 서류와 최근 몇 달 동안의 동선 등을 낱낱이 기록한 자료를 보내왔고, 두 사람은 이를 토대로 수사를 이어가기 위해 잠시 흩어지기로 하였다. 그렇게 그들은 탐문 수사에 나섰고, 일남이 모아둔 돈으로 노후를 보내고 있다는 사실과 각종 동호회 활동에 열정을 쏟아왔다는 사실을 알게 되었다. 또한 그는 원한을 살만한 성격이 아니며, 자살을 암시하기는커녕 평소와 다를 바 없었다는 정보를 입수했다. 그리고…… 일남의 스마트폰에 기록되어 있는 사람 중, 일을 벌일 수 있었던 사람은 단 한 명도 없다는 것을 깨달았다. 그들 모두에게는 알리바이가 있었으며, 범행 동기가 될 만한 요소가 존재하지 않았다.

탐문은 하늘 한가운데서 빛나던 태양이 지고 나서야 종료되었다. 전담팀 회의실로 복귀한 진과 수현은, 탐문을 통해 얻은 정보를 주고받았다. 상황이 상황인지라, 이야기를 마친 두 형사의 표정은 밝지 않았다. 결국 두 사람은 휴식을 취한 다음, 이른 아침부터 다시 수사에 임하기로 하였다. 좀 더, 탐문의 범위를 넓힐 필요가 있었으므로.

그 순간, 드르륵거리는 진동음이 끼어들었다. 진은 손을 휘적거리며 일정한 간격으로 울려대는 전화기를 꺼내 들었다. 발신인이 인영의 경호원인 것을 보아, 보통 급한 일이 아닌 듯했다. 이에 진은 스마트폰을 귓가로 가져가며 용건을 물었다. 그러자 공포에 잠식된 경호원의 목소리가 흘러들어왔다. 경호원은 목소리를 쥐어짜, 인영이 칼을 든 사람에게 공격당했다는 소식을 내뱉었다. 그리고 인영이 의식을 잃지 않았다는 정보를 재빠르게 덧붙였다.

"어머니가……?"

진이 멍하니 중얼거렸다. 그의 사고회로는 인영의 피습으로 인해 멈추고 말았다. 그는 저도 모르게 숨을 몰아쉬었다. 시뻘건 불길 속에 갇힌 것 같았으며, 세상이 빙빙 돌았다. 상상 속의 피 냄새가 그의 혼란을 부추겼고, 결국 그는 손에 들고 있던 전화기를 놓치고 말았다.

"경위님."

이를 바라보던 수현이 진을 나직이 불렀다. 수현은 자세를 낮추더니, 손을 뻗어 진의 스마트폰을 집어 들었다. 그리고 일어서며 스피커에서 흘러나오는 목소리를 말없이 듣고만 있더니, 이내 손에 넣은 물건을 원주인의 손바닥 위에 얹어놓았다. 그러자 제정신을 차린 진이 제 손 위에 놓인 스마트폰을 꽉 쥐며, 수현을 향해 "내일 보자. 나는 어머니한테 가볼게."라고 말했다. 인영의 목숨을 지키기 위해서는, 당장 달려가 수술 동의서를 작성해야만 했다. 수현은 그런 그를 바라보며 "나도 갈게요."라고 나직이 말했다.

전담팀에서 나온 진과 수현을 태운 전기차는 전속력으로 달렸고, 인영이 이송된 병원에 도달했다. 이렇게 병원에 발을 들인 진이 집도의를 만나 수술 동의서를 작성하기까지는 오랜 시간이 걸리지 않았다. 그는 일을 일사천리로 처리하고 나서야, 사건의 자세한 내막을 들을 수 있었다.

오늘, 인영은 백신 공동 개발 사업의 만찬회 겸 발족식에 참석했다. 워낙 큰 행사였기에 고위 공무원들과 타 기업의 총수들이 모인 자리였다. 성일 그룹의 총수인 최성욱 역시 그 자리에 있었다.

인영은 막역한 사이인 성욱과 인사를 나눈 후, 발족식의 시작을 알리는 연설을 하기 위해 연단 위에 섰다. 그리고 청년 실업률과 노인 빈곤율 그리고 자살률이 매년 오르고 있다는 통계로 포문을 열었다. 그는 이런 사회를 '폐허'라고 정의했으며 이 폐허를 재건할 수 있는 것은 사람과 사람 사이의 연대뿐이라는 말을 덧붙였고, "연대하는 인간은 반드시 승리합니다."라는 말로 연설의 마지막을 장식했다. 청중들은 그런 그를 향해 우레와 같은 박수갈채를 보냈다.

인영은 따스한 미소를 지으며 청중들을 향해 인사했다. 제 차례가 끝났으니, 이제 연단 아래로 내려갈 일만 남았을 터였다. 그러나 사회자가 그를 붙잡았다. 사회자는 인영에게 질문이 있다고 했고, 이에 인영은 흔쾌히 질문을 받아 줄 요량이었다. 그러나 그랬으면 안 됐다. 사회자의 청을 들어준 것이, 비극의 시작이었다.

사회자는 웃는 낯으로 인영을 향해 다가왔다. 그리고 대본 사이에 숨겨놓았던 칼을 꺼내, 인영의 복부에 쑤셔 박았다. 순식간에 벌어진 일이었다. 인영은 제 배에 박힌 칼을 멍하니 내려다보았다. 격류처럼 흘러든 고통이, 생생히 느껴졌다. 그는 바닥에 주저앉으며, 자신을 향해 달려오는 경호원들과 새로운 칼을 꺼내든 사회자를 멍하니 바라보았다. 마치, 시간이 영원히 멈춘 것만 같았다.

인영의 경호원과 비서의 말에 따르면, 사회자는 인화 그룹과 아무런 관련이 없을뿐더러 실낱같은 인연조차 없었다. 이는 사회자의 친척이나 지인도 마찬가지였다. 즉 원한에 의한 범죄는 아니었다.

사건의 내막을 모두 전해 들은 진은 말이 없었다. 제 어머니한테 칼을 휘두른 사회자는, 새로 꺼내든 칼로 자신의 목을 그었고 병원으로 옮겨지는 도중에 숨이 끊어진 상황이었다. 너무나 편한 최후였다. 진은 범인이 법의 심판대에 서는 것을 원했다. 죽음은 벌이 아니었기에, 진은 법이 내리는 처벌만을 원했다. 그러나 범인은 진실과 함께, 삶이라는 길 위에서 영원히 사라졌다.

"……이상하네요. 애초에 죽일 생각이 없었나?"

진과 함께 사건의 내막을 듣고, 보호자 대기실로 들어온 수현이 속삭이듯이 말했다. 그는 지금 보호자 대기실의 의자에 앉아 있는 진의 옆을 지키고 있었다. 진은 저에게만 들릴 정도로 작고 낮은 목소리로 말한 수현을, 대체 무슨 말이냐는 표정을 지으며 바라보았다. 그러자 수현이 소곤소곤 말을 이어 나갔다. 그들 가까이에는 아무도 없는 데다가 대기실 벽면에 설치된 TV가 켜진 상태여서, 수현의 말을 들을 수 있는 사람은 오직 진뿐이었다.

"사회자는 유인영 씨의 복부에 칼을 박아 넣기만 했지, 뽑아내지는 않았잖아요? 정말 죽일 생각이었으면." 수현은 잠시 말을 멈추었다. 하지만 침묵은 오래 지속되지 않았다. "복부에 박힌 칼을, 뽑아냈겠죠. 그래야 출혈량이 치솟을 테고, 죽을 확률이 더 높아질 테니까요."

수현의 말에, 진의 눈빛이 흔들렸다. 그는 거세게 박동하는 심장이 서서히 진정되는 것을 느끼며 상념에 잠겼다. 제 어머니를 공격한 사회자는, 흉기를 두 개나 챙기는 '쓸데없는 짓'을 했다. 인영을 죽인 뒤 자살을 감행하는 건, 칼 하나로 충분히 벌일 수 있는 일이 아닌가?

'대체…… 왜 살리려고 한 거지?'

진이 얼굴을 구기며 상념에 잠겼다. 그 순간, TV에서 흘러나오는 긴급 속보가 진의 관심을 끌었다. 뉴스 진행자는 인영의 쾌유를 비는 성욱의 긴급기자회견 현장을 시청자들에게 보여주었다.

"내일 있을 자선 파티는, 매년 자선 파티에 빠짐없이 참석해 오신 유 회장님의 수술 결과에 따라 결정될 예정입니다. 사실, 웬만해서는 파티 자체를 취소하려고 했습니다만… 행사를 위해 몇 주 전부터 저희 호텔에 묵고 있는 수많은 초대 손님의 편의를 고려하지 않을 수 없었습니다. 만일 유 회장님의 수술이 무사히 끝난다면, 이번 파티는 유 회장님의 쾌유를 비는 자리가 될 것입니다."

진은 비통해하는 성욱을 복잡한 눈빛으로 바라보았다. 인화 그룹과 성일 그룹은 말 그대로 가족 같은 사이였다. 그렇기에 진은 자선 파티 일정을 취소하지 않는 성욱이 언짢았다. 그러나 그는 성욱 역시 곤란한 상황과 맞닥뜨렸다고 생각하며 마음을 다스렸다.

성일 그룹이 매년 개최하는 자선 파티는, 단언컨대 대한민국에서 가장 성대하고 유명한 파티이자 인화 그룹을 포함한 재벌가 사람들이 모이는 교류회 -물론, 앞에서 언급했듯이 진은 이러한 교류회를 포함한 각종 행사에 참석한 적이 단 한 번도 없었다- 였다. 파티에는 당연히 각종 언론사의 기자들도 드나들었다. 따라서, 성일 그룹과 가족 같은 사이인 인영이 자선 파티에 빠짐없이 참석해 왔다는 사실을 포함한 다양한 정보 역시 세간에 널리 알려진 사실 중 하나였다.

세간에 알려진 정보에는, 파티를 준비하는 과정에 관한 것도 있었다. 성일 그룹은 파티를 위해서 몇 주 전부터 호텔을 통째로 비운다. 즉, 몇 주간 손님을 단 한 명도 받지 않는다! 이렇게 비워진 호텔에는 성욱이 직접 초청한 전국 각지의 의인과 저소득층 학생이 머물게 된다. 그리고 이에 들어가는 모든 비용은 성일 그룹이 감당한다. 이렇듯 워낙 규모가 큰 행사이다 보니, 쉽게 취소할 수 없었다. 또한, 인화 그룹의 유인영을 포함한 재벌가 사람들의 교류회를 겸하므로 더더욱 취소에 신중할 수밖에 없었다.

'그래. 세상의 중심은 나와 어머니가 아니야. 우리는… 넓고 넓은 세상, 수많은 사람 중 하나일 뿐.'

진이 숨을 들이쉬었다 내쉬며 마음을 다잡았다. 그리고 옆에 앉아 있는 수현에게 말을 건넸다.

"나는 말이야. 살인에 익숙해졌다고 생각했어. 사건 현장을 봐도, 추악한 세상과 마주해도… 별 감흥이 없으니까."

진은 너무나 많은 악인을 보아왔다. 출세를 위해 사건을 은폐하고 무고한 사람을 고문한 비리 경찰. 가장 아름다운 재료는 인간의 신체라며 살인은 곧 예술이라고 주장하던 범죄자. 이별을 통보한 연인을 찾아가 살해한 파렴치한. 제 아이를 학대해 죽인 부모 등. 그는 수많은 악행을 두 눈으로 똑똑히 보았다. 그는 자신이 해결한 모든 사건을 기억 속에 차곡차곡 쌓아놓았다.
그러나, 이러한 경험에도 진은 범죄를 남의 이야기로 치부해 왔다. 어쩔 수 없는 일이었다. 이 세상의 모든 사람은 자신이나 제 가족이 범죄 피해자가 되리라고는 생각하지 않는다. 그들이 특별히 악하거나 무감정해서가 아니라, 원래 인간이라는 존재가 그러했다. 그리고 이는 유 진 역시 마찬가지였다.

"하지만… 내 가족이 범죄에 휘말리는 건, 익숙하지 않아."

진이 두 손을 맞잡은 채 천천히 눈을 깜빡였다. 그는 TV에서 흘러나오는, 인화 그룹 사람들의 가족사를 듣고 있었다. 뉴스 진행자는 인화 그룹의 창시자인 유재형부터 재벌 4세인 유 진까지, 4대에 걸친 이야기를 압축해 풀어나갔다. 일제 강점기 때의 독립운동부터 해방 후 민주화 운동까지, 대한민국의 파란만장한 근현대사가 순식간에 지나갔다.

"누구나 다 그럴 거예요. 나도, 내 부모님이 외상센터에 실려 오면… 경위님처럼 반응할걸요?"

진의 말을 조용히 듣던 수현이 위로의 말을 건넸다. 그 역시 진만큼 극한 상황에 익숙한 인간이었다. 게다가 타고난 성향이 성향인지라, 더욱 그러했다. 하나 아무리 수현이라도 숨이 끊어지기 직전인 가족의 얼굴을 평온히 보고만 있는 것은 무리였다.

"유, 유 진 씨!!!"

그 순간, 잔뜩 떨리는 목소리가 보호자 대기실 안으로 뛰어들었다. 진은 저를 찾는 목소리의 주인에게 시선을 주었다. 그러자 난생처음 보는, 잔뜩 흐트러진 모습의 여성이 그의 시야를 채웠다.

"부탁드립니다! 제발… 제발 소송만은……!"

여성이 흐느끼며 무릎을 꿇었다. 그리고 진의 다리에 매달렸다. 진은 굳은 얼굴로 그를 내려다보며 직감했다. 이 사람은, 내 어머니를 습격한 자의 가족이다. 그렇지 않은 이상, 저런 말을 할 리 없어.

"저, 저희 아이 치료비만으로도 빠듯해요……."
"놓아주시겠습니까?"

한숨을 내쉰 진이 무미건조한 어조로 입을 열었다. 여성은 그런 진을 망연자실한 얼굴로 올려다보았다. 여성의 눈에, 주변 사람들의 눈에 비친 진은 냉정하기 짝이 없었다. 결국, 사회자의 배우자인 여성은 망연자실한 눈빛을 한 채로 비척거리며 대기실을 떠났다. 진은 그런 그의 뒷모습을 바라보더니, 이내 시선을 거두었다. 그러고는 침묵하며 조용히 상념에 잠겼다. 진의 두 눈에는 고요한 총기가 감돌았고, 이를 본 수현은 진이 저와 똑같은 생각을 떠올렸다는 것을 깨달았다. 하지만 그는 제가 깨달은 바를 입 밖에 내지 않고 철저히 침묵했다. 진은 그런 수현을 향해 고마움을 담아 희미한 웃음을 짓고는, 수술이 끝나기만을 기다렸다.

"유인영 씨 보호자 분!"

기약 없는 기다림 끝에 볕이 들었다. 저를 부르는 집도의의 목소리에, 진이 자리에서 벌떡 일어났다. 수현 역시 자리에서 일어났다. 그리고 집도의를 향해 달려가는 진의 뒤를 따랐다.
의사는 인영의 수술이 무사히 끝났다고 말한 다음, 복부를 칼에 찔린 것 치고는 상태가 매우 양호한 편이며 이대로 회복하기만을 기다리면 된다는 말을 덧붙였다. 어머니가 무사하다는 사실을 접하자마자, 진은 평소의 모습을 완전히 되찾았다. 이제 나머지는 시간이 해결해 줄 테니, 지금 필요한 것은 형사의 시선이었다. 진은 집도의에게 깍듯이 예를 차리고는 자리를 떴다. 인영이 습격당했던 장소를 살피기 위해서였다.

'죽일 생각이 없는 계획 살인이라…….'

생각에 잠긴 진이 발걸음을 옮겼다. 수현은 그런 그의 뒤를 말없이 따라 걸었다. 그렇게 그들은 전기차가 있는 주차장을 향해 걸어갔고, 마이크를 들이미는 기자들과 카메라의 플래시 세례를 묵묵히 받아냈다. 기자들은 그런 진에게 온갖 질문을 던졌다. 개중에는 진과 수현을 이성적인 관계로 몰아가려는 질문도 있었다. 이에 진과 수현은 단호히 대응했다. 그들은 서로를 직장 동료이자 든든한 전우라고 정의하며, 파도처럼 몰려든 기자들과 질문들을 헤쳐 나갔다. 그러다가 드디어 전기차 앞에 다다랐다.
이윽고, 두 형사를 태운 전기차가 서서히 움직이기 시작했다. 이에 기자들이 혼비백산 흩어졌다. 그들에게 진은 구미가 당기는 기삿감이었지만, 그렇다고 해서 목숨을 버려가면서까지 취재하고픈 대상은 아니었다. 진은 그런 그들에게 눈길조차 주지 않은 채로 성욱에게 연락했고, 인영의 수술이 무사히 끝났으니 걱정하지 않아도 된다는 말을 전했다. 그러자 위로의 말이 스피커를 타고 흘러나왔다. 진은 따스한 목소리의 주인과 몇 마디 대화를 나눈 뒤 통화를 마쳤다. 그리고 제 어머니가 습격당한 장소를 향해 쉬지 않고 차를 몰았다.

*

진과 수현은 인영이 연설을 한 곳이자, 백신 공동 개발 사업의 만찬회 겸 발족식이 열린 장소인 "한국 컨벤션 센터"에 도착했다. 과학수사관들과 함께 뒷수습을 맡은 형사가 피해자의 가족인 진에게 사건을 넘긴 덕분에, 두 사람은 사건 현장을 편히 둘러볼 수 있었다.
어둠이 내려앉은 만찬회 홀은 몇 시간 전까지만 해도 사람들이 북적이던 공간이었다. 하지만 지금은 넘어지고 쓰러진 의자와 꽃병으로 가득했다. 이를 보던 수현이 손을 뻗어 조명 스위치를 누르자, 일순간 빛이 쏟아져 내렸다. 이에 진은 손을 들어 올려, 눈을 파고드는 빛을 가렸다. 그러나 빛은 손가락 틈새를 뚫고 들어왔다.
시간이 흐르고, 빛에 익숙해진 두 사람은 도청 장치와 초소형 카메라 등이 현장에 남아있는지 확인했다. 물론 현장을 샅샅이 살핀 형사와 과학수사관들이 도청 장치와 같은 기기는 현장에 없었다는 결론을 내렸지만, 진과 수현은 혹시 모를 상황을 대비해 신중히 움직였다. 그리고 마침내 자신들을 감시하는 존재가 없다는 결론을 내렸다.

본격적인 관찰을 위해서, 진과 수현은 연단 위로 향했다. 그러자 인영이 쓰러졌던 자리가 시선을 사로잡았다. 흰색의 분필이, 인영이 쓰러진 모양을 따라 궤적을 남긴 채였다. 이를 본 진은 흰색 선 안에 말라붙은 피를 보기 위해 자세를 낮췄다. 그러자 말라붙은 피가 한층 더 가까워졌다. 그는 그렇게 검붉은 얼룩을 물끄러미 바라보았다. 매일같이 지겹도록 보아온 광경이었지만, 제 어머니의 피라는 사실만큼은 아직도 낯설었다.

얼룩을 내려다보던 진이 숨을 들이쉬었다가 내쉬며 자리에서 일어섰다. 그런 다음 눈을 감았다. 그러자 상상력이 만들어 낸, 시끌벅적한 소리가 들려오기 시작했다. 이윽고 진은 눈을 뜨며 제가 재현해 낸 풍경과 사람들을 흘끗 보더니, 자신의 경찰 공무원증을 꺼냈다.

"칼 대용으로 쓸 거야."

진은 수현을 향해 공무원증을 내밀었다. 그러자 수현이 진의 경찰 공무원증을 물끄러미 내려다보았다. 그는 공무원증을 보자마자 진의 의도를 파악했다. 진은 인영이 칼에 찔리는 상황을 재현할 생각이었다. "칼 대용으로 쓸 거야."라는 말은, 공무원증이 인영의 복부를 헤집은 흉기를 대신할 것이라는 의미였다. 수현은 내키지 않았으나, 이내 진이 내민 물건을 받아들었다. 그러자 딱딱한 감촉이 손가락을 타고 전해졌다.

"뭐야? 생각보다 더 소심하잖아?"

진의 놀리는 듯한 어조에, 수현이 움츠러들며 대꾸했다.

"아니요. 그럼 외과 의사는 꿈도 못 꿨겠죠."
"그래! 톱으로 자기 팔도 자르는 인간이, 이까짓 거에 울상을 지으면 안 되지."

놀림이 계속되자, 수현이 "그건 잊어 줘요…."라고 중얼거렸다. 진은 그런 수현을 뒤로한 채, 연단 뒤의 대기 공간으로 향했다.
대기 공간은 연설자들의 사회적 위치가 투영된 장소였다. 보통 대기 공간이라고 한다면, 의자만 그득하게 놓인 장소를 떠올릴 터였다. 그러나 진의 눈 앞에 펼쳐진 대기실은 앞선 풍경과는 달랐다. 수려한 디자인의 식탁보와 고급 와인 그리고 디저트가 오감을 자극했다. 물론 모두 진의 상상력이 만들어 낸 이미지였다. 하지만 당시 출동한 경찰과 뒷수습을 담당했던 형사가 작성한 기록을 기반으로 재현했기에, 현실과 다를 바 없었다.

'어머니는 첫 번째 순서였어.'

진은 제 앞에 앉아 있는 인영을 물끄러미 내려다보며 본격적으로 추리를 시작했다. 그러자 기다렸다는 듯, 사회자의 목소리가 마이크를 거쳐 스피커로 흘러나왔다.

“유인영 인화 그룹 회장님의 축하 연설을 듣겠습니다!”

저를 부르는 신호에, 인영이 자리에서 일어났다. 그리고 곧장 대기실 밖의 연단으로 걸어가기 시작했다. 진은 그런 인영의 뒤를 따라 걸었다.

연단 위에 선 인영은 사람과 사람이 만들어 내는 희망을 이야기했다. 그렇게 연설이 끝나고 열화와 같은 박수갈채가 쏟아졌다. 진은 이 모든 것을 바라보았다. 그리고 때가 되자, 큰 소리로 윤수현을 불렀다.

“윤수현!”

저를 부르는 목소리에, 수현이 진을 바라보았다. 진은 어느새 인영이 쓰러졌던 자리 바로 옆에 서 있었다. 수현은 한숨을 내쉬더니, 공무원증을 고쳐 쥐었다. 그러고는 그대로 진을 향해 걸어갔다.

수현이 제 앞의 진을 물끄러미 보았다. 그러다 내키지 않는다는 얼굴로 한숨을 내쉬었다. 그러고는 진의 오른쪽 어깨를 살짝 붙잡더니, 공무원증의 둥근 모서리 부분을 칼날 삼아 찌르는 시늉을 했다. 진은 제 복부를 지그시 누르는 힘을 고스란히 느꼈다. 비록 재현에 불과했으나, 그는 인영이 얼마나 두려웠을지 짐작할 수 있었다. 진은 숨을 몰아쉬며 수현의 팔을 붙잡았다. 인영이 느꼈을 법한 고통이 그대로 스며든 탓에, 서 있는 것조차 버거웠다. 수현은 그런 그가 넘어지지 않도록, 그를 부축했다.

진의 정신 상태가 불안정해지자, 상상력으로 덧칠한 과거의 잔해

들이 바스러지기 시작했다. 그는 원래대로 돌아온 현장을 보며 숨을 골랐다. 한편 수현은 진을 걱정스레 바라보며, 진이 원래의 모습을 되찾기만을 말없이 기다렸다.

얼마 지나지 않아, 진이 원래의 호흡을 되찾았다. 그러자 수현이 기다렸다는 듯이 진을 붙잡은 손을 거두어들였다. 그러고는 제가 가지고 있던 공무원증을 새로 꺼내 들더니, 모서리를 제 목에 가져다 댔다. 신분증의 둥근 모서리가, 경동맥의 느리게 뛰는 맥박에 맞닿았다.

"두 번째 흉기로, 이렇게 목을 그었다고 했었죠."

진은 읊조리듯이 말하는 수현을 향해 고개를 끄덕였다. 그러자 수현은 제 목에 가져다 댔던 신분증을 챙긴 다음, 진의 신분증을 조심스레 주인에게 내밀었다. 진은 손을 뻗어 수현이 내민 신분증을 챙겼다. 그리고 보호자 대기실에서 했던 생각을, 애써 집어삼켰던 생각을 드디어 입 밖으로 끄집어냈다.

"광수대 시신 유기 사건과 유인영 피습 사건. 이 두 사건이 본질적으로 같은 사건일 가능성에 대비할 필요가 있어."

진이 천천히 운을 뗐다. 형사인 그는 최대한 객관적인 시선을 유지해야만 했다. 그래서 제 어머니의 목숨이 끊어질 뻔했던 사건을, 일부러 유인영 피습 사건이라 칭했다. 차갑기 그지없는 인간으로 보일 법한 태도였다. 그러나 수현은 진이 매사에 최선을 다한다는 것을 잘 알았기에, 진의 감정을 세심하게 읽어낼 수 있었다. 다른 사람들의 눈에 비추어진 진은 무감정한 냉혈한일지라도, 수현에게는 아니었다.

“인화 그룹의 후계자인 경위님을 성일 그룹의 자선 파티에 끌어낼 요량으로, 유인영 씨를 공격한 거예요. 물론…… 경위님이 파티에 끝까지 참석하지 않을 수도, 파티 자체가 취소될 수도 있었지만요.”

수현은 기다렸다는 듯이 문장을 얹었다. 보호자 대기실에서, 두 사람은 같은 결론에 도달했다. 강력 사건을 해결하는 베테랑 형사들이 모인 광수대의 정문에 시신을 유기한 행위와 수많은 사람이 모인 장소에서 대기업 총수를 정말로 죽일 생각은 없었으나 ‘살의를 품고 덤벼든 것처럼 위장’하고 자살한 행위. 둘 다, 특별한 목적이 있지 않은 이상 벌일 필요가 없는 일이었다. 게다가 두 사건 모두 비슷한 시기에 벌어졌으며, 일남이 시신을 유기한 운전자와 손잡았을 가능성 그리고 인영을 습격한 사회자와 일남을 광수대 앞에 유기하고 도주한 운전자의 체격이 확연히 다르다는 사실까지 고려한다면…… 두 사건의 배후에 범죄 조직이 존재할 수도 있다는 추리에 다다를 수 있었다. 그것도 자신들의 메시지를 퍼트리기 위해서 범죄를 저지르는, 악질적인 범죄 조직이. 이러한 결론에 도달한 탓에, 진과 수현은 컨벤션 센터에 도착하자마자 주변에 도청 장치와 같은 기기가 있는지 직접 확인한 것이다.

“놈들은 내가 인화 그룹의 후계자라는 사실이 알려지기 훨씬 전부터 일을 계획했을 거야. 나를…… 공식 석상에 끌어내기 위해서.

재벌가의 총수가 공식 행사에 참여할 수 없을 정도로 위급할 때는, 후계자가 그 자리를 대신하기도 하니까. 다른 사람들을 공격하지 않고, 어머니만 공격한 건… 파티가 취소되는 걸 막기 위해서일 거고. 어머니에게 큰 상처를 입힌 주제에, 어머니가 죽지 않도록 나름대로 애쓴 것도 같은 이유겠지. 어머니가 돌아가시면…… 성일 그룹이 다음 날 열릴 자선 파티를 취소할 테니까." 진이 두 사건 뒤에 범죄 조직이 존재한다는 것을 전제로 하는 대화를 이어 나갔다.

"광수대 시신 유기 사건은, 경찰에 무언가를 말할 생각으로 벌인 짓일 테고요." 수현이 흐음, 하는 소리를 내더니 오른손을 입가로 가져가며 다시 입을 열었다. "광수대 앞에 김일남 씨를 유기한 것도, 경위님의 정체가 밝혀지기 전부터 기획한 것 같아요."

"내가 누구인지 알려졌는데도 계획을 수정하지 않고 강행했다는 건…… 나를 우습게 봤다는 거겠지?"

진의 눈빛이 날카롭게 번뜩였다. 놈들은 제가 인영을 대신해 재벌가의 교류회를 겸하는 자선 파티에 참석하리라고 확신한 모양이었다. 형사인 저에게는 사건 해결이 최우선인데도 말이다.

'하긴…… 언론이 나를, 기부할 줄 모르는 이기적인 재벌 4세로 몰아갔으니. 어머니를 대신해 교류회에 참석할 거라고 확신할 법해.'

생각을 마친 진이 쯧, 소리를 내며 혀를 찼다. 그리고 수현을 향해 웃음을 지으며 다시 입을 열었다.

“좋아. 그러면 기대에 부응해 줘야지.”

진은 적의 빈틈을 파고들, 예리한 칼날이자 미끼가 될 생각이었다. 저와 수현이 두 사건의 배후에 범죄 조직이 존재할 가능성을 떠올렸다는 것을, 적들이 알 방법은 없다. 그러니 이를 이용해 그들을 잡아야 한다. 그리 생각한 두 형사는, 범죄 조직이 존재한다는 가정하에 작전을 짜기 시작했다. 일단, 적들을 속이기 위해 유인영 피습 사건을 ‘재벌가에 증오를 품은 사람이 벌인 일’이라 여기는 것처럼 행동하고, 일남이 사업체를 운영하던 때에 만났던 사람들을 만난다. 배후에 범죄 조직이 있을 가능성을 상상조차 하지 못한 것처럼, 자연스럽게. 그러다가 교류회를 위해 성일 호텔을 찾은 기업가들이 속속들이 도착할 때가 되면, 진은 탐문 수사를 멈추고 성일 호텔로 향한다. 반면에 자선 파티와 일절 관계가 없는 수현은 성일 호텔 주변에서 탐문을 이어가는 척하며, 파티에 참석한 진을 노리는 존재가 모습을 드러낼 때를 대비한다. 여기까지가, 진과 수현이 세운 작전이었다.

“지원 인력은…… 의미가 없겠죠?”

수현이 곤란한 표정을 지으며 입을 열었다. 앞선 추리대로, 진을 노리는 자들이 성일 그룹이 개최하는 파티에 스며들려고 한다면… 이는 곧 범죄 조직의 마수가 성일 호텔 내부까지 뻗쳤다는 의미가 된다. 나아가, 그들이 경찰 내부에까지 침투했을 가능성도 고려해야 한다. 그러므로 상부에 섣불리 지원 인력을 요청할 수는 없었다. 설혹 범죄 조직의 조력자가 경찰 내에 없다고 하더라도, 대규모의 인력 지원을 요청할 수 없는 것은 매한가지였다. 무릇 정보란 아는 사람이 많을수록 새어나가기 쉬운 법인 데다가, 잘못했다가는 현장에 스며든 조직원들이 수상한 낌새를 알아차릴 수 있었다. 같은 이유로, 작전 수행 시 성일 호텔에서 무전이나 전화 등을 이용한 '음성을 주고받는 식의 소통' 또한 불가능할 터였다.

"어. 있으나 마나일 가능성이 커. 하지만……."

진이 표정을 구기며 말끝을 흐렸다. 이번 작전에는 많은 인원을 투입할 수 없었다. 하지만 그렇다고 해서, 저와 수현 둘만 작전에 임할 수도 없는 노릇이었다. 범죄 조직을 무너뜨리는 것만큼, 시민을 보호하는 것 역시 중요했다. 이런 연유로, 두 사람은 고민 끝에 절충안을 도출해 냈다. 공식적으로 인력 지원을 요청하지 않되, 신뢰할 수 있는 사람에게 협력을 요청해 소수 정예 팀을 구성한다는 절충안을. 이렇게 작전 구상을 마친 두 사람은, 믿을만한 사람에게 연락을 취했다. 진의 연락을 받은 사람들은 진에게 도움과 지원을 아끼지 않던 과학수사관들과 파티 개최자인 최성욱 그리고 성욱의 배우자 우미애였고, 수현의 연락을 받은 사람들은 국정원 요원 중 수현에게 우호적인 요원들이었다. 다만, 지금의 진은 제가 믿어 의심치 않았던 사람이 모든 일의 원흉이라는 사실을 알지 못했다. 성욱의 이중성을 알았더라면, 이 모든 사실을 '가족으로 여겼던' 그에게 말하지 않았으리라.

*

수현과 헤어진 뒤, 집으로 돌아온 진은 편한 차림으로 소파에 앉았다. 잠을 청하고 싶었지만, 머릿속이 너무나 복잡했던 탓이었다. 결국, 그는 이런저런 생각을 떨쳐낼 요량으로 소맷자락을 걷어붙이고 게임패드를 잡았다. 가을밤의 서늘한 공기가, 그의 왼팔에 남은 흉터를 훑고 지나갔다.

진은 게임패드에서 흘러나오는 진동을 느끼며 게임 속 캐릭터를 조종했다. 하지만 얼마 가지 않아 게임을 그만두었다. 당연한 일이었다. 제 어머니가 중환자실에 누워있는 상황에서, 게임을 즐길 수 있을 리 만무했다. 그런데도 그는 게임에 매달렸다. 병원에서 마주했던, 가해자의 가족이 자꾸만 떠오른 탓이었다. 진은 어떻게든 그를 잊고 싶었다.

그때, 진의 전화기에서 음악이 흘러나왔다. 그는 하던 게임을 잠시 멈춰놓은 뒤 스마트폰의 화면을 확인했다. 그러자 하연희라는 세 글자의 이름이 시야를 가득 채웠다.

"정말 괜찮은 거야?!"

진이 전화기를 귓가로 가져가자, 인사를 생략한 연희의 목소리가 날아들었다. 이에 그는 오늘 있었던 일을 복기했다. 그리고 얼마 지나지 않아 원인을 찾아낼 수 있었다. 그가 찾은 원인은 저에게 매달렸던 여성과 기자들이었다. 물론, 그의 예상은 보기 좋게 적중했다. 여성은 기자들을 찾아가, 인영을 습격하고 자살한 사회자의 배우자가 바로 자신이라며 다음과 같이 분노를 표출했다.

"유재형 선생님의 증손녀면 뭐해요?! 인성이 쓰레기인데! 나, 나 같은 서민은… 어떻게 먹고살라고!"

여성은 진과 인영이 민사소송을 제기할 것이라고 믿어 의심치 않았다. 그가 이러한 결론을 도출한 데에는, 세간에 널리 알려진 "범죄 피해자는 죽은 가해자의 유족에게 치료비와 정신적인 충격에 대한 위자료를 청구할 수 있다."라는 사실이 지대한 영향을 끼쳤다. 이처럼 피해자가 가해자의 유족에게 위자료를 청구할 수 있는 것은, 가해자가 피해자에게 지급해야 하는 위자료 역시 상속 대상이기에 가능한 일이다. 하나, 상속은 포기하면 그만이다. 즉 여성이 상속을 포기하면, 피해자는 손해 배상금을 받아내지 못한다. 그러나 여성은 이러한 사실을 모르는 듯했다. 아니면 "인화 그룹"이라는 이름이 지닌 무게감 때문에, 자신이 처한 상황을 냉정히 분석해 볼 여유가 없었거나. 어찌 됐든, 그는 자신의 배우자가 사람을 해쳤다는 사실은 안중에도 없는 게 확실했다.

"명예 훼손 혐의로 고소하고 손해배상 소송을 걸어도 모자랄 판에……!"

인화 그룹 법무팀의 해명을 전해 들은 연희가 답답하다는 듯 말을 토해냈다. 억울하다고 외쳐도 모자랄 상황인데도, 진은 인화 그룹의 법무팀을 통해 "손해배상소송을 제기할 생각은 없습니다."라는 짧고 무미건조한 메시지만 전달했을 뿐이었다. 마치 아무런 감정이 없는 사람처럼. 하지만 이는 연희의 착각이었다. 진은 그 누구보다 화가 난 상태였다.

"왜? 너도 내가 이상해 보여? 내가…… 감정 따위 없는 냉혈한 같아?"

진의 목소리가 화염이 되어 들끓었다. 이러한 열기에, 연희는 화들짝 놀라 물러섰다. 조금만 더 가까이 다가갔다면, 온몸이 불타 재가 되었으리라. 연희는 제 앞에 자리 잡은 푸른색의 화염을 멍하니 바라보았다.

"나는 성인군자가 아니야. 자칫하면 장례식을 치를 뻔한 상황이었다고. 그런데 어떻게 화가 안 났겠어?"

진이 들고 있던 게임패드를 내려놓으며, 애꿎은 연희를 집어삼킬 뻔 한 분노를 밟아 꺼뜨렸다. 그러자 푸른빛을 내던 화염이 사그라들었다.

"마음 같아서는… 멱살 잡고 윽박지르고 싶었어. 어머니 걱정은 커녕, 돈 걱정만 했거든! 그런데… 그러면 안 되잖아. 화풀이하면 안 되는 거잖아. 그 사람은… 천문학적인 돈을 배상할 자신이 없어서 그런 것뿐이잖아."

진이 침음하더니, 이내 손을 들어 올려 두 눈을 덮었다. 그는 제 앞에서 무릎을 꿇어가며 애원하던 여성의 마음에 공감할 수 있었다. 재벌가 하나가 마음먹으면 한 가정을 철저히 파괴하는 것은 일도 아니었다. 상황이 이러니, 여성은 피해자의 고통에 공감할 수 없었으리라.
스피커 너머의 연희는 아무 말도 할 수 없었다. 진의 말에 논리적인 흠결은 없었다. 그러나, 진은 기계가 아니었다. 이렇게까지 객관적일 필요는 없었다. 아니, 객관적이다 못해 감정을 제거한 것에 가까운 반응이었다. 연희는 마른침을 삼키며 입술을 달싹였다.

"너… 만약에. 어머님께서 돌아가셨어도, 지금과 똑같이 반응했을까?"

스마트폰을 쥔 연희의 손에 힘이 들어갔다. 무덤덤한 진과는 정반대의 반응이었다. 진은 두 눈을 가린 손을 거두어들였다. 그리고 옆에 있던 게임패드를 만지작거리며 답했다.

"……똑같아. 지금처럼 생각했을 거고, 지금처럼 말했겠지."

진이 말을 마치자, 그와 연희 사이에 잠시 침묵이 감돌았다.

"혹시, 용서할 생각이야?"

침묵을 깬 연희가 조심스레 입을 열었다. 그러자 진이 얼굴을 잔뜩 구기며 즉답했다.

"아니."

생명체가 지닌 최후의 수분까지 얼려버릴 것만 같은 어조였다. 이에 연희는 알겠다는 말과 함께 위로의 말을 덧붙이며 전화를 끊었다. 그렇게 진의 스마트폰에서 흘러나오던 소리가 멎었다. 진은 입술을 짓씹으며 전화기를 던지듯이 내려놓았다. 그리고 거친 손길로 게임패드를 조작했다. 그러자 멈춰있던 주인공이 다시금 움직이기 시작했다. 현실의 그와는 다르게, 게임 속 주인공은 아무렇지 않게 총을 쏘고 달음질쳤다. 그러나 이는 오래가지 못했다. 진이 또다시 게임패드를 놓아버린 탓이었다. 그는 현실과 가상 세계의 괴리감을 참을 수 없었다. 현실의 자신은 분노와 죄책감에 찌들어 있었다. 그러나 가상 속의 자신, 다시 말해 게임 속의 주인공은 팔팔하기 그지없었다. 현실은 얽히고설켜 복잡했으나, 게임 속 세상은 단순명쾌했다.

진이 복잡한 마음을 달래며 소파에 드러누웠다. 현실도 게임처럼 명쾌하게 풀린다면 얼마나 좋을까. 하지만 현실과 게임은 달랐다. 그는 이러한 사실을 명확히 인지하고 있었다. 쉬운 길만을 고집할 수 없는 이유는 간단했다. 진은 현실의 인간이었다. 그렇기에 고뇌해야만 했다.

*

일반적으로, 실험실이라고 하면 서늘함을 떠올린다. 그리고 이 서늘함은 인간을 포함한 생명체에 이로운 결과를 가져다주었다. 그러나 이번만큼은, 여기 이 실험실만큼은 아니었다.

사방에서 들려오는 사람들의 비명에는 절망이 깃들어 있었다. 이는 단 한 줄기 빛도 드리워지지 않은, 칠흑 같은 어둠과 같았다. 여기에 굵은 은색의 쇠창살까지 더해져, 사람들의 희망을 완전히 유폐시킬 수 있었다.

“사, 살려주세요!”

실험체 격리 시설의 복도를 가로지르던 발소리가, 새된 외침에 우뚝 멈춰 섰다. 그러고는 뒤를 돌아, 소리의 근원지로 향했다.
발소리의 주인은 20대 후반 혹은 30대 초반으로 보이는 여성, 황지혜였다. 그는 흰색 가운을 입고, 옅은 상아색의 라텍스 장갑을 낀 채였다. 누가 보아도 과학자라고 할 법한 모습이었다.
지혜는 저를 부른 여성을 내려다보았다. 그 역시 자신과 비슷한 나이대의 여성이었다. 그렇기에 따스한 눈길을 줄 법도 했다. 그러나 이 과학자는 그러지 않았다. 그는 여성과 눈높이를 맞추기 위해 쭈그리고 앉았다. 그리고 칼날 같은 말을 서슴없이 퍼부었다.

“뭘 더 원하는 거예요?”

얼음장처럼 차가운 어조에, 창살 너머 여성의 낯빛이 새하얗게 물들었다. 하지만 지혜는 날이 선 말을 이어갔다.

“여태껏 잘 살아왔잖아. 그러니까 누린 만큼 나눠야지. 세상에 보답해야지!”

갇힌 여성은 눈을 굴렸다. 그는 지혜가 당최 무슨 말을 하는지 이해할 수가 없었다. 그러나 칼자루를 쥔 사람은 자신이 아닌 창살 너머의 과학자였다. 그는 고개를 더욱 숙이고 흐느꼈다. 지금 상황에서는, 애원만이 자신을 구제할 유일한 방법이었다.

“제… 제발… 집에 애가 있어요. 집에 아무도 없어요. 3일 넘게 굶었을 텐데…!”

제 아이를 떠올린 여성은, 결국 울음을 터트렸다. 하지만 지혜는 요지부동이었다. 그는 물끄러미 여성을 바라보았다.
여성은 아무런 답도 하지 않는 지혜에게 일말의 희망을 품었다. 3살 아이가 굶고 있다는 상황에서, 모질게 굴 수 있는 사람은 손에 꼽힐 터였다. 그러나, 희망이 무너져 내리는 것은 일순간이었다.

“저기요, 아줌마.”

시종일관 무표정을 유지하던 지혜의 얼굴에, ‘이것 봐라?’라는 말이 웃음이 되어 떠올랐다. 이에 여성은 망연자실한 얼굴로 지혜를 올려다보았다.

“굶는 아이가… 아줌마네 애새끼 하나인 줄 알아?!”

지혜의 얼굴에 깃들었던 웃음이 화들짝 놀라 날아갔다. 이내 그의 얼굴에 강렬한 분노가 서렸다. 금방이라도 모든 것을 불태워버릴 것만 같은 감정이었다.

“음식이 남아돌다 못해 버려질 동안, 다른 곳에서는 애들이 굶어 죽는데…!”

분노를 토해내는 지혜는 활화산과도 같았다. 그러나 이는 생각보다 금방 사그라들었다. 누군가가 그에게 전화를 건 덕분이었다. 지혜는 점잖게 울리는 대포폰을 꺼내 발신자를 확인했다.

휴대전화기의 화면을 채운 전화번호는, 그가 오매불망 기다리던 성욱의 대포폰 번호였다! 이를 본 지혜의 얼굴에서 분노가 씻은 듯이 사라졌다. 그는 재빠르게 몸을 일으키며 듣는 귀가 없는 장소로 향한 후에 전화를 받았다. 그의 만면에는 밝은 웃음이 떠올랐다. 조금 전 성을 내던 사람은 온데간데없었다.

"안녕하세요, 회장님. 잘 지내셨어요?"

"통화한 지 얼마나 됐다고 벌써 안부를 묻는 건가?"

성욱이 너털웃음을 터뜨리며 되묻자, 지혜가 투덜거리며 대꾸했다.

"당연히 여쭈어야 하는 거 아닌가요?"

"하하하, 장난 좀 쳐 본 거야."

서론을 넘겼으니, 이제 본론을 풀어놓을 차례였다.

"인화 그룹 꼬맹이 앞에서 절대 말실수하면 안 돼. 공식적으로 이번 일은, 꼬맹이의 정체가 밝혀지기 전부터 준비한 게 돼야 하니까. 물론, 내가 너를 도왔다는 사실도 철저히 숨겨야 한다."

"명심할게요."

"좋아. 그리고…… 이번 실험 테마는 '물'이 어떤가? 물속에서 숨 쉬지 못하는 인간이, 물속에서 기적적으로 살아남는 것만큼 운 좋은 일이 어디 있겠나?"

성욱의 제안을 들은 지혜가 잠시 입을 다물었다. 그러더니 정말 좋은 생각이라고 말하며, 아이처럼 순수한 웃음을 지었다.

*

날이 밝자, 진은 경일을 찾아가 오후 휴가를 승인받았다. 그가 휴가를 신청한 '표면적인 이유'는, 어머니를 대신하여 자선 행사에 참석하기 위해서였다.

전담팀에서 나온 진과 수현은 사업체를 운영하던 시절의 일남이 만났던 사람들의 이야기를 듣고, 알리바이를 확인했다. 그렇게 몇 시간이 흐른 뒤, 진은 탐문을 멈추고 권총(리볼버)과 무전기 등을 포함한 업무용 장비를 모두 반납하였다. 그가 권총을 반납한 이유는, 대한민국의 총기 규제 정책 때문이다. 강력한 총기 규제로 인해, 그를 비롯한 대한민국의 경찰들은 업무 중일 때만 권총을 휴대할 수 있었다. 총이 부르는 파괴적인 결과를 막기 위한 규칙은 이뿐만이 아니었다. 규칙에 따라 경찰들은 리볼버의 첫 약실을 빈 채로 두었고, 두 번째 약실에는 공포탄을 채웠다. 세 번째 약실부터 마지막 약실을 채운 실탄은, 정말 웬만해서는 사용하지 않는 게 원칙이었다. 만일 실탄을 사용한다고 하여도, '정말 웬만해서는' 사람을 향해 발사하면 안 됐다. 이에 몇몇 경찰들은 실탄이 들어가는 약실에 공포탄을 넣기도 하였다. 그만큼 대한민국은 총기 소지와 사용 그리고 유통에 엄격했다. 이러한 원칙은 한국에서 살거나 한국을 방문한 외국인에게도 적용되었다. 덕분에, 한국에는 총기에 의한 범죄나 사고가 거의 존재하지 않았다. 당연한 이치였다. 경찰이나 군인 혹은 환경부의 허락하에 생태계교란 생물을 사냥하는 사냥꾼 그리고 사격 선수가 아닌 이상은, 총을 손에 넣을 수조차 없었으니까. 그렇다고 해서 앞에서 언급한 이들 모두가 총기를 자유로이 사고팔거나 소지할 수 있는 것은 아니었다. 이들이 사용하는 총은 모두 국가에 의해 유통되고, 휴가를 나온 군인은 총을 소지할 수 없으며 군인을 제외한 사람들이 지닌 총기는 사격 훈련이나 임무를 마치면 모두 경찰서에 영치되기 때문이다.

얼마 뒤, 옷을 갈아입은 진이 성일 호텔로 향했다. 그는 정장 재킷과 롱코트 그리고 와이셔츠와 발목을 완전히 덮는 정장 바지를 입고, 굽이 낮은 구두인 로퍼(loafer)를 신은 상태로 발걸음을 옮겼다. 진과 수현을 돕기로 한 협력자들 역시, 무사히 성일 호텔 안에 발을 들일 수 있었다. 한편 홀로 남은 수현은 탐문을 이어 나갔다. 모두, 계획대로였다.

진이 호텔 정문 앞에 나타난 순간, 그를 향해 수많은 사람의 시선이 날아들었다. 하루아침에 대한민국 최고의 명문 재벌가의 일원이 된 존재를 향한 질시, 호기심, 동경이 뒤섞인 감정의 소용돌이. 하지만 진은 아랑곳하지 않고 당당히 발걸음을 내디뎠고, 성일 호텔 곳곳을 자연스레 누비며 정황을 살폈다. 협력자들 역시, 그처럼 자연스레 파티에 섞여 들었다.

“진아!”

그때, 따스하고 친근한 목소리가 진에게 다가왔다. 진은 고개를 돌려, 목소리의 주인을 바라보았다. 그러자 한 중년 여성이 눈에 들어왔다.

"안녕하세요, 아주머니."

진이 고개 숙여 인사했다. 그가 말한 아주머니는, 성욱의 배우자 우미애였다. 미애는 연회장의 그 누구보다 눈에 띄었다. 특유의 우아한 분위기와 옷차림 덕분이었다. 그는 부드러운 미소를 지으며 말문을 열었다.

"안녕, 진아. 그나저나, 어머니는 괜찮으셔?"
"예. 다행히…?"

진은 말을 끝맺지 못했다. 인영의 상태를 확인한 미애의 눈가에 눈물이 맺힌 탓이었다. 그리고 그런 미애가 저를 꽉 껴안아서이기도 했다. 미애는 눈물을 글썽이며 진을 놓아주고는 두 손을 들어 올려, 자신을 내려다보는 진의 손을 꼭 잡았다.

"…미안. 오늘 파티, 웬만하면 미루려고 했는데… 너도 알다시피, 우리 호텔에 며칠째 초대 손님들이 머물고 있었잖니. 그분들, 생업도 미루고 온 거라… 어떻게 할 수가 없더라."

진은 미안해하는 미애를 향해 고개를 가로저었다. 당신이 사과할 필요가 없다는 의미였다. 인영이 겪은 불행은 말 그대로 사고이지 않은가. 게다가 오늘 파티는 단순히 웃고 떠들자고 기획한 게 아니었다. 그렇기에 진은 성욱과 미애의 결정을 얼마든지 이해할 수 있었다. 그런 진을 보며, 미애가 고마움을 담아 웃음 지었다. 그러고는 손님맞이를 위해 떠나갔다.

“잠시 후 환영사가 있을 예정입니다!”

그때, 홀 전체에 설치된 스피커에서 사회자의 목소리가 흘러나왔다. 진은 스피커를 올려다보았다. 드디어 본격적인 파티가 시작될 터였다. 그는 성욱의 환영사를 듣기 위해 발걸음을 옮겼다. 그러나 이는 얼마 가지 못했다.

“피도 눈물도 없는 냉혈한이라더니, 정말이네.”

귓가를 파고드는 악의 섞인 말에, 진이 멈춰 섰다. 분명 저를 향해 한 말이었다. 그는 목소리가 들려온 방향으로 고개를 돌렸다. 그러자 값비싼 정장 차림의 20대 청년들이 시야에 들어왔다. 기업 총수인 부모를 따라온 자들이었다. 그들은 진에게서 5m가량 떨어져 있었다. 그런데도 이들의 목소리가 똑똑히 들렸다는 것은, 진이 들을 수 있도록 일부러 크게 말했다는 의미였다.

“그러게. 인화 그룹이면, 돈이야 차고 넘치잖아. 굳~이 서민한테 치료비를 받아낼 것처럼 굴 필요는 없었는데 말이야.”
“독립운동가에 6.25 전쟁 참전용사 집안이라더니, 조상님 얼굴 보기 부끄럽지도 않나… 아니, 아니지! 엄밀히 말하자면 조상님도 아니잖아? 입양됐으니까!"

차갑게 들끓는 진의 시선을 받으면서도, 그들은 험담을 멈추지 않았다. 그들은 기자들이 써낸 자극적인 기사가 진실이라고 믿는 듯했다. 혹은 거짓임을 알면서도 일부러 그리 말했거나.

진은 저를 헐뜯는 자들을 노려보았다. 그런 진의 시선을 느낀 그들 역시, 진을 한껏 흘겨보았다. 진은 저들의 언어는 독(毒)과 다를 바 없다고 생각했다. 저들은 물리력이 아닌, 악의 섞인 말로 타인을 파멸시키려 드는 인간이므로.

진은 폐부에서 올라오는 차갑게 들끓는 분노를 억눌렀다. 그러고는 눈을 가늘게 뜬 청년들을 향해 한 발자국 다가갔다. 그러나 그가 분노를 터트릴 일은 없었다. 갑작스레 나타난 굉음이, 모든 홀을 휩쓸고 지나간 탓이었다.

진은 폭발음이 들린 방향으로 시선을 돌렸다. 그러자 희뿌연 연기가 시선을 사로잡았다. 폭발음과 연기의 근원지는 성욱의 환영사가 시작되려던 홀이었으며, 연기의 정체는 최루 가스였다. 가스에 노출된 사람들은 눈물과 콧물을 쏟아냈다. 파티장은 순식간에 지옥도로 변모했다.

'시작됐다.'

진은 주변에 있던 장식품을 부러뜨려 무기로 삼았다. 그러고는 연기가 뿜어져 나오는 공간을 향해 달려갔다. 하지만 성일 호텔 밖으로 나가려는 인파 때문에 움직이는 게 쉽지 않았다. 그럼에도 그는 저를 집어삼키려는 파도를 헤치며 앞으로 나아갔고, 수현에게 연락해 현 상황을 알렸다. 그리고 홀에 있던 구호용품 보관함에서 귀가 드러나는 형태의 방독면, 즉 전면형 방독면을 착용한 다음 계속해서 목적지를 향해 전진했다.

그와 수현은 범죄 조직이 벌일 모든 일에 대비해서 작전을 세웠다. 만일 놈들이 아무런 일도 벌이지 않고 저를 직접 공격한다면 협력자들의 도움을 받아 조직원을 체포할 생각이었다. 반대로 그들이 파티장을 수라장으로 만들고 공포에 질린 사람들이 만들어 낸 빈틈을 노려 저를 납치하려고 한다면…… 협력자들에게 시민의 안전을 맡기고, 자신은 예상치 못한 일을 접한 형사인 양 행동할 요량이었다. 그래야 혼란 속에 숨은 범죄자와 대면할 수 있지 않겠는가?

이윽고, 진은 성욱의 환영사가 시작되려던 홀 안으로 발을 들였다. 바깥보다 더욱 짙은 연기에 휩싸인 홀은 텅 빈 것처럼 보였다. 실제로, 홀 안을 채웠을 초대 손님이나 재벌가 사람들은 보이지 않았으니까. 하지만 진은 긴장을 늦추지 않았다. 그의 감각은 어느 때보다 예민했기에, 희미한 인기척을 생생하게 느낄 수 있었다. 그는 연기 속에 숨은, 검은 장갑과 전면형 방독면을 착용한 두 사람을 급습했다. 순식간에 날아든 공격을 피하지 못한 괴한들은 짧고 낮은 신음을 내뱉더니, 재빨리 뒤로 물러났다.

'애초에, 성일 호텔에서 나를 해칠 생각은 없었나 보군. 최루탄은 사람들의 눈을 가리기 위한 수단일 뿐인 거고.'

진은 두 사람이 소극적으로 대응하고 있다는 것을 눈치챘다. 그렇다면, 나를 최대한 멀쩡하게 데려가는 게 목적이겠지. 그는 그리 생각하며 두 사람을 향해 무기를 겨누었다. 그러자 괴한들이 그를 빤히 바라보았다. 그러고는 진을 손쉽게 납치하기 위한 계획을 실행하기 위하여 입을 열었다.

"보스께서, 당신과의 대화를 원하십니다. 협조해 주시죠."

변조된 목소리가 진의 고막을 파고들었다. 이를 들은 진은 피식 웃으며 대꾸했다.

"내가 왜?"
"유인화 선생께서 돌아가시는 비극을 보고 싶은 겁니까?"

또 다른 목소리가 무감정한 어조로 협박을 해 왔다. 하지만 진은 제 눈앞에 있는 자가 하는 말이 거짓이라고 확신했다. 인영을 죽이지 않기 위해서 나름 애쓴 놈들이, 인영의 친아버지이자 인화 그룹의 전 총수인 유인화를 죽일 것 같지는 않았다. 게다가…….

'자신들의 메시지를 세상에 퍼뜨리기 위해서 범죄를 저지르는 놈들이다. 그러니 대한민국 근현대사의 영웅이라고 불리는 할아버지를 건드리지 못해. 아니, 애초에 건드릴 생각조차 하지 않았겠지.'

인영을 공격한 목적과 일남의 시신을 광수대 앞에 유기한 목적은 다르다. 그리고 저와 수현은, 무언가를 말하고자 일남의 시신을 광수대 앞에 던져두고 갔다고 판단했다. 그렇다면.

'국가를 위해 헌신한 영웅을 죽이는 건, 돌이킬 수 없는 선을 넘는 거니까.'

깊이 생각할 필요도 없는, 매우 간단하면서도 당연한 이치였다. 이 나라의 영웅으로 떠받들어지는 사람을 죽인 자들의 메시지를, 사람들이 받아들일 리 없지 않은가. 그러므로 제 눈앞의 사람들은, 눈앞의 사람들이 속한 조직은…… 6.25 전쟁 참전용사이자 민주화 운동가인 유인화를 죽일 수 없다. 진은 그리 확신했다.

'전부, 예상했던 대로야. 그럼, 어디 한번…… 호랑이 잡으러, 호랑이 굴에 들어가 볼까.'

진의 두 눈이 일순간 번뜩였다. 그와 수현은 적들이 자신을 납치하려고 할 가능성까지 고려해 작전을 세웠다. 게다가, 그에게는 조직폭력배의 본거지 한가운데서 단신으로 승리를 쟁취한 경험도 있었다. 그렇기에 진은 두렵지 않았다. 저들의 계책 따위야, 이쪽에서 역이용하면 그만이지 않은가. 이전과는 달리, 지금은 곁에 믿음직한 파트너도 있고. 그는 그리 생각했다.

"……안내해. 대신, 할아버지는 건드리지 마."

하지만 진은 자신이 모든 것을 꿰뚫어 봤음을 알릴 생각이 없었다. 그래서 분노를 한껏 억누른 목소리를 내며 무기를 거두었다. 두 명의 괴한은 그런 그를 향해 다가가더니, 그의 손에 있던 무기를 빼앗았다. 그러고는 진이 입은 코트의 주머니에서 스마트폰을 꺼내, 연기 속으로 던져버렸다. 진은 그런 그들을 죽일 듯이 노려보기만 할 뿐이었다. 마치, 무력감 때문에 치가 떨리는 것처럼. 당연히 이를 모르는 괴한들은 진의 양옆에 섰다. 그런 다음 자신들의 가운데에 갇힌 진을 이끌고 빠르게 발걸음을 옮기기 시작했다. 그렇게 시간이 흐르고, 진은 한 자동차 앞에서 멈춰 섰다. 괴한은 그를 위해 뒷좌석의 문을 열어주며, 방독면을 벗으라고 지시했다. 그리고 검은 끈과 암시장에서 구한 수갑을 사용해 방독면을 벗은 진의 시야와 자유를 빼앗은 다음, 진과 그가 벗은 방독면을 차 안으로 밀어 넣었다. 뒷수갑이 채워진 진은 마음에 들지 않는다는 듯한 표정을 지으며 입술을 짓씹었다. 물론, 연기였다. 그의 연기에는 빈틈이 없었기에, 감시를 위해 진의 옆에 자리 잡은 괴한과 운전대를 잡은 괴한은 자신들이 상황을 주도하고 있다는 착각에 빠졌다.

*

시간이 얼마나 흘렀을까. 모든 움직임이 멈춘 차 안에서, 진은 눈살을 찌푸렸다. 목적지에 다다른 게 분명했다. 한편, 괴한은 그런 그의 팔을 붙잡으며 차에서 내렸다. 그리고 눈앞의 건물을 향해 움직이기 시작했다. 진은 저를 끌어당기는 자들의 움직임을 따라 걸었다. 그렇게 그는 계속 움직였고, 마침내 멈춰 설 수 있었다.

“윽!”

그 순간, 진은 무릎관절 뒤쪽에 강한 타격이 가해지는 감각과 어깨에 가해지는 힘을 느끼며 옆으로 쓰러졌다. 바닥은 차가웠고 매끄러웠으며 물기가 느껴졌다. 또한 일정한 간격마다 푹 꺼진 부분이 있었다. 이에 진은 자신이 화장실에 있다고 판단했다.

"수고했어. 가서 일 봐."

젊은 여성의 명령에, 두 괴한은 군말 없이 자리를 떴다. 두 사람의 빈자리는, 목재 문이 닫히는 소리가 대신했다.

"만나고 싶었어요."

다시 입을 연 여성이, 진에게 다가왔다. 그리고 진의 두 눈을 가린 검은 천을 풀어주었다. 덕분에 진은 다시 앞을 볼 수 있었다. 역시나, 제가 있는 곳은 세면대와 욕조 그리고 주황색 전등이 있는 화장실이었다. 화장실의 모퉁이에는 카메라가 설치된 삼각대가 놓여있었다.

"……너, 누구야?"

진이 여성을 올려다보며 으르렁거렸다. 그러자 여성이 생글생글 웃으며 답했다.

"반가워요, 유 진 씨. 저는 황지혜라고 해요."

진은 표정을 한껏 구겼다. 그리고는 자기소개를 마친 여성을 향해 무언가를 말하려고 했다. 하지만 여성이 말을 이어가는 게, 그가 말하는 것보다 빨랐다.

“형사님의 증조할아버지인 유재형 선생님은 독립운동가셨고, 할아버지인 유인화 씨는 참전용사에 민주화 운동까지… 정말 엄청난 명문가네요. 게다가 어머님인 유인영 씨는 자선 사업도 많이 하시고. 뭐, 그래봤자 부를 꽉 쥐고 놓지 않는 재벌에 불과하지만.”

분명 앞의 몇 문장은 인화 그룹, 인화 그룹 사람들을 칭찬하는 내용이었다. 하지만 지혜가 진정으로 말하고자 하는 바는 맨 마지막 문장에 담겨있었다. 이에 진은 일그러진 웃음을 지으며 이죽거렸다.

“서론이 너무 길어. 빙빙 돌리지 말고 본론만 말하지?”

진의 도발에, 지혜는 제 얼굴에서 웃음기를 지워냈다. 그리고 온 힘을 실어, 발로 진의 배를 가격했다. 순식간에 벌어진 일이었다. 하지만 베테랑 형사인 진은 호락호락하지 않았다. 그는 재빠르게 몸을 굴려 지혜와 거리를 벌려, 발길질을 피했다. 지혜는 그런 진을 빤히 노려보다가, 발걸음을 옮기더니 기어코 진의 명치를 걷어찼다. 전신을 꿰뚫는 통증이, 진을 덮쳐왔다.

“그런데 당신은 왜 그 모양이에요? 돈도 많으면서, 기부는 한 푼도 안 하고.”
“……그건, 네가 상관할 바가 아닌 것 같은데?”

쿨럭거림을 멈춘 진이 어이가 없다는 듯 말했다. 사실, 진의 말은 틀리지 않았다. 기부는 자유의지로 하는 것이지, 등 떠밀려 하는 것이 아니었다. 하지만 지혜는 그리 생각하지 않는 게 분명했다. 진의 말은 지혜의 분노에 불을 지폈다. 그는 진의 멱살을 잡으며 포효했다.

"세상에 불행이 넘쳐나는 거, 잘 알잖아! 어제만 봐도 그래. 소송하지 말아 달라고 통사정을 하는데, 어떻게 그럴 수 있어?! 처음부터 소송할 생각이 없었다고 말해줬으면 좋았을 거 아냐!"

진은 자신을 비난하는 지혜를 차가운 눈빛으로 바라보았다. 그러자 흥분을 이기지 못한 지혜가 분노를 토해냈다.

"한쪽에서는 남아도는 음식을 쓰레기통에 던져넣지. 다른 한쪽에서는 먹을 음식이 없어서 굶어 죽는데도 말이야! 인간은 종교를 빌미로 서로를 죽이고, 가난하다는 이유로 병원 문턱에 가보지도 못하고 죽어! 그런데 너는……!"

하지만 지혜의 말은 이어지지 않았다. 지혜가 세상의 부조리를 알리기 위해 범죄를 저질렀다는 것을 알아차린 진이, 가차 없이 말을 잘랐기 때문이다.

"그래서. 그게 나를 납치한 것하고 무슨 연관이 있는데?"

그가 정곡을 찔렀다. 다만, 그는 지혜가 지적한 온갖 부조리한 일을 부정하지는 않았다. 그가 지적한 것은 부조리를 타파하는 방식이었다. 이 세상의 부조리와 싸우겠다는 기세와 신념은 칭찬받아 마땅하다. 그러나 타인의 불행을 통해 세상을 바꾸겠다니, 이는 언어도단이었다. 이런 방식이라면 부조리한 세상은 절대 바뀌지 않을 터였다. 하지만, 지혜는 자신만의 신념에 취해 앞을 보지 못했다. 그가 걷는 길은 연무가 짙게 끼어있었다.

"무슨 상관이냐고?! 아직도 굶어 죽는 사람이 있다는 사실에, 절망했어. 나는 그들의 절망과 고통을, 생생하게 느낄 수 있었으니까. 그래, 마치 내가 그 사람들이 된 것처럼!" 지혜가 눈을 번뜩이며 말을 이었다. "나는, 이 더러운 세상을 바꾸고 싶었어. 그래서 죽어라 공부했고, 이 나라 최고의 명문대학인 한국대 의과대학에 수석으로 합격했어. 그렇게 나는… 모든 질병을 몰아낼, 만능 백신 개발에 한 발자국 다가설 수 있었지."

진은 원대한 소원을 털어놓는 지혜를 향해 표정을 구겼다. 모든 질병을 몰아내겠다는 마음은 충분히 이해할 수 있었으나, 무언가 많이 뒤틀려 있었다. 지혜는 그런 그를 보며 말을 이어 나갔다.

"그러던 와중에, 김일남 씨를 만난 거야. 일남 씨는 내 큰 뜻을 알아줬어. 그래서 사이안화 포타슘 중독을 예방하는 백신 개발의 임상시험에 흔쾌히 참여하겠다고 말했지."

광수대 시신 유기 사건에 관한 이야기가 나오자, 드디어 청산가리

중독사의 비밀과 지혜의 욕망을 알게 된 진의 눈이 번뜩였다. 지혜는 영웅이 되고 싶었던 게 분명했다. 물론, 영웅이 되고 싶다는 생각은 문제가 되지 않았다. 원래 다들 태어나서 한 번은 영웅을 꿈꾸지 않는가? 그러나 이는 지혜를 서서히 망가뜨렸다. 모두를 구하고 말리라는 다짐은 그의 정신을 한계로 몰아갔다. 빛나던 선의는 지혜의 목을 옭아맸다. 그리고 결국, 선의는 빛을 잃고 광기로 변모했다.

광기는 지혜가 쌓아온 지식을 모조리 씹어 삼켰다. 그는 백신이 세균이나 바이러스 같은 병원체에 대한 '후천성 면역'을 부여하는 의약품이라는 사실을 알고 있었다. 그런데도, 지혜는 광기에 사로잡혀 과학과 동떨어진 일을 벌이고 말았다. 백신으로는 독극물 중독사를 예방할 수 없다는 지극히 당연한 사실도, 등불이 되어주지 못했다. 결국, "만능 백신"이라는 탈을 쓴 '비과학의 산물'은 김일남의 목숨을 집어삼켰다.

"광수대 앞에 유기된 사람의 이름도 김일남이었어. 사인은 사이안화 포타슘 중독이었고. 네가 말한 김일남과 내가 아는 김일남은… 같은 사람이야. 그렇지?"

진이 광수대 시신 유기 사건과 유인영 피습 사건의 연관성을 알아차리지 못한 척하기 위해 질문을 던졌다. 그러자 되지도 않는 말을 늘어놓던 지혜가 웃으며 고개를 끄덕였다.

"너, 백신이 어떻게 병을 예방하는지… 김일남 씨한테 설명하기는 했어?"

진은 그런 지혜를 향해 어이가 없다는 듯 물었다. 하지만 조금 전까지 날뛰던 지혜는 입을 굳게 다물어버렸다.

"김일남 씨를 광수대 앞에 던져두고 간 이유가 뭐지?"

진이 재차 질문을 던졌다. 그러자 지혜가 미소를 지으며 다물었던 입을 열었다.

"그야, 경찰의 각성을 위해서! 그 조직은, 맨날 사건 조작해서 진급했다는 뉴스뿐이잖아?"

가차 없는 진실이 진의 양심을 파고들었다. 구구절절 옳은 말이었다. 만일 지혜의 말이 틀렸다면, 특수사건전담팀은 만들어지지 않았을 것이다. 같은 이유로, 세화시 연쇄살인 사건이 미제로 분류될 일은 없었다. 이는 모두 경찰 탓이었다. 그러나, 앞서 나온 모든 말은 지혜의 입에서 나온 것이었다. 그렇기에 호소력이 있을 리 만무했다. 아무리 옳은 말이더라도, 말하는 사람에 따라 궤변이 될 수 있는 까닭이었다.

"유인영을 공격한 건, 너를 파티장에 끌어내는 것과 동시에…… 정신적인 성장을 유도하기 위해서였어. 죽음과 직면한 사람은 정신적으로 성장하니까! 죽다 살아난 유인영이, 자선 사업에 더 많은 돈을 쓰면 모두가 행복해질 거 아냐?"

히죽 웃으며 지껄이는 지혜의 모습에, 진이 눈살을 찌푸렸다. 그는 지혜가 세상 사람들을 계몽하려 든다는 느낌을 지울 수 없었다. 그렇지 않은 이상, 이런 오만한 태도를 설명할 길이 없었다. 황지혜는, 세상에 자기보다 똑똑하고 잘난 사람은 존재하지 않는다고 확신하는 모양이군. 진은 그리 생각했다.

"……경찰의 추태는, 경찰 조직이 해결해야 하는 게 맞지만. 가난과 기아는, 한낱 개인에 불과한 유인영이 해결할 수 있는 일이 아니지 않나? 사회 시스템 전체를 뜯어고치지 않는 이상은, 이 세상의 부조리는 절대 없어지지 않을 텐데."

잠시 상념에 잠겼던 진이 침묵을 깼다. 그는 일련의 대화를 통해, 제 눈앞에 서 있는 사람이 가난과 기아 같은 거대한 부조리의 책임을 '부유한 개인'에게만 물으려고 한다는 것을 깨달았다.

"그리고 말이야. 그런 고고한 신념이 있었으면, 경비원은 건드리지 말았어야지. 그분, 경찰이 아니라 국가의 하청을 받은 업체 소속이라고."
"그, 그건… 걸리적거려서 어쩔 수 없었어. 원래 안 죽이려고 했다고. 그런데 그날따라 자리를 안 비우잖아……."

오만하기 짝이 없던 지혜가 돌변했다. 그는 마치 바람이 빠진 풍선처럼 쪼그라들었다.

"걸리적거려? 웃기고 있어."

진이 차갑게 웃었다. 그러고는 입을 꾹 다문 지혜를 질타하기 시작했다.

"그래. 네 말대로, 세상에는 부조리가 넘쳐. 음식이 남아도는데도 굶어 죽는 사람이 있어. 가난하다는 이유만으로 병원에 가지 못해서 죽는 사람도 있지. 노동 문제는 또 어떻고? 매년 2000여 명이 넘는 사람이 일하다 목숨을 잃어. 이런 걸 뭐라고 하더라? 그래, 지옥! 지옥이라고 하지. 그런데… 이 지옥을 개인이 만들어 냈나? 아니잖아. 돈이 이 세상의 전부라는 생각이 만들어 낸 거잖아!"

진이 날카로운 논리로 맞서자, 지혜가 힘겹게 반론을 펼쳤다.

"아니야. 이게 다, 엘리트들이 부를 독점한 탓에……!"
"너도 그 엘리트 중 하나라는 거, 모르겠어?"

자신이 애써 외면해 온 사실을 진이 지적하자, 지혜는 할 말을 잃었다. 진은 그런 그를 올곧은 눈빛으로 바라보며, 제 입에서 나오는 모든 글자에 힘을 실었다.

"너, 그냥 자의식 과잉이야. 인류 구원? 너무 거창해."

진은 지혜를 보며 자연스레 윤수현을 떠올렸다. 지혜와 수현은 모든 면에서 정반대였다. 지혜는 인류를 구원하기 위해 대한민국 최고의 대학에 진학했다. 반대로, 수현은 감옥에 가기 싫다는 하잘것

없는 이유로 의사의 길을 택했다. 그러나 결과는 너무나 달랐다. 영웅을 꿈꾸던 사람은 범죄 조직의 수장이, 살인자가 되지 않기 위해 몸부림쳤던 경계선 사이코패스는 의료 봉사를 다니는 명의가 되어있었다. 아이러니도 이런 아이러니가 없었다.

한편, 지혜는 저를 평가절하한 진을 노려보았다. 그러고는 발로 진의 명치를 다시금 걷어찼다. 이에 진은 또다시 컥컥댔다. 지혜는 그런 진의 머리채를 우악스럽게 잡았다. 진은 숨을 쉬려고 애쓰면서, 지혜의 손아귀에서 벗어나기 위해 발버둥 쳤다. 얼마 지나지 않아 그는 호흡을 되찾을 수 있었다. 다만 명치를 가격당한 여파가 아직 가시지 않은 탓에, 제힘을 온전히 발휘하지는 못했다.

"윽!"

지혜는 진의 얼굴을 냅다 물속에 처박았다. 선득한 액체가 코와 입을 들쑤셨다. 진은 호흡을 이어가기 위해 몸부림쳤다. 그렇지 않아도 제힘을 낼 수 없는 상황인데, 숨을 쉬랴 지혜의 손아귀에서 벗어나랴 정신이 없었다.

"죽이기 전에, 말동무 좀 해주려고 했는데. 주제넘네."

지혜가 진의 머리를 물속에서 빼냈다. 그러고는 잡았던 머리채를 놓아주었다. 그러자 진이 쿵! 하는 소리와 함께 바닥에 쓰러졌다. 진은 집어삼켰던 물을 토해내느라 정신이 없었다. 지혜는 그런 진을 뒤로한 채, 구석에 설치되어 있던 삼각대를 향해 걸으며 말했다.

“너처럼 베풀 줄 모르는 재벌 4세는… 살아갈 가치가 없어. 차라리, 죽어서 백신의 원료로 쓰이는 게 낫지.”

지혜가 삼각대 위의 카메라를 조작하기 시작했다. 그러자 카메라에서 찰칵, 하는 촬영음이 흘러나왔다. 그렇게 촬영이 이어졌고, 진은 그런 그를 죽일 듯이 노려보며 무언가를 말하기 위해 입술을 달싹였다. 아니, 달싹이려고 했다.

“이유진…….”

그 순간, 익숙한 목소리가 들려왔다. 음성은 진의 옛 이름, 그러니까 유인영에게 입양되기 전의 이름을 읊조렸다.

진은 제 이름을 부른 목소리를 환청이라고 확신했다. 문제의 목소리는 제 친어머니의 것이었다. 화재 당시 저를 버리고 떠난 사람말이다. 그렇기에, 목소리의 주인이 여기에 있을 리 만무했다.

그는 환청을 쫓아내기 위해 눈을 질끈 감으며 숨을 거칠게 쉬었다. 그러나 그의 바람은 이루어지지 않았다. 오히려 어두운 무언가가 수면 위로 모습을 드러냈다. 무의식 속의 깊숙한 곳에 잠겨있던, 화재 이전의 기억이었다!

기억은 이전에 살던 단독주택의 화장실에서 시작됐다. 다만, 화장실이 정확히 어떻게 생겼는지는 알 수 없었다. 왜냐하면, 욕조에 담긴 물이 어린 진의 감각을 헤집어 놓았기 때문이다. 그는 살아남기 위해 필사적으로 몸부림쳤다. 그러나 벗어날 수 없었다. 30대로 보이는 남성이, 그의 뒤통수를 찍어 누른 탓이었다.

"사, 살려주세요!"

어린 진의 외침에도, 남성은 꿈쩍도 하지 않았다. 이는 어쩌면 당연한 반응이었다. 남성은 진의 친아버지였다. 애원하는 제 딸을 불쌍히 여겨 놓아줄 사람이었다면, 애초에 이런 극악무도한 짓을 벌이지 않았을 것이다.

"이유진! 제대로 안 할래?!"

제 자식을 물고문하는 친아버지도 모자라, 이번에는 친어머니까지 가세했다. 진의 친어머니는 한술 더 떠서, 물고문당하는 제 딸을 필름 카메라로 찍고 있었다. 찰칵, 찰칵. 무감정한 촬영음이 첨벙거리는 소리 사이에 섞여 들어갔다.

"하여튼, 세상에 변태 놈들이 참 많아."
"덕분에 돈을 실컷 만지잖아? 수요가 있으니까, 공급이 있는 거지."

갑작스레 모습을 드러낸 기억은, 두 성인의 대화를 끝으로 모습을 감추었다. 진실을 목격한 진은 입술을 짓씹으며 이성을 잠식하는 분노를 필사적으로 찍어 눌렀다. 그러고는 제가 물고문당하던 상황과 친부모가 나눈 짧은 대화를 토대로 "친부모가 자신을 학대한 것도 모자라, 그 장면을 촬영해 '고객'에게 판매했다."라는 결론을 내렸다.

도덕과 상식을 전혀 찾아볼 수 없는 친부모의 태도는, 진이 되찾은 기억의 파편을 부여잡은 채 소리도 눈물도 없이 우는 데 일조했다. 하지만 이를 알 리 없는 지혜가 그를 향해 다가오며 이죽거렸다.

"너를 하루아침에 재벌가 사람으로 만들어 준 '운'이, 과연 이번에도 너를 도와줄지 궁금하네."

지혜는 진의 머리채를 다시금 잡아 올렸다. 진의 몸은 물먹은 솜처럼 늘어졌다. 그는 진의 얼굴을 거칠게 물속으로 밀어 넣었다 빼내는 것을 반복했다. 그럴수록 진의 버둥거림이 잦아들었다. 그렇게 몇 분이 흐르고, 이내 진의 움직임이 완전히 멈췄다.

"드디어……!"

지혜가 환희에 찬 얼굴로 중얼거렸다. 그는 진을 이용해 불행을 예방할 백신을 만들 요량이었다. 유인영의 눈에 들어, 하루아침에 재벌가에 입양된 진은…… 행운의 사랑을 받는 존재라고 해도 부족함이 없으니 말이다.

그 순간. 진이 감고 있던 두 눈을 번쩍 뜨며 지혜를 향해 달려들었다. 그는 지금껏 죽어가는 과정을 연기했다. 이는 수많은 죽음을 마주했기에 가능한 것이었다. 게다가 되찾은 어린 시절의 기억 일부가, 그의 무의식 속에 깊이 잠들어 있던 잠수 실력을 깨웠다. 덕분에 그는 지혜의 물고문을 이겨낼 수 있었다. 아이러니하게도, 악몽과도 같았던 기억이 그의 목숨을 붙들어 놓은 격이었다.

진은 온 힘을 다해서 무방비 상태인 지혜를 들이받았다. 진이 죽었다고 믿어 의심치 않았던 지혜는 끊임없이 뒤로 밀려났고, 등이 벽에 닿은 순간에서야 멈출 수 있었다. 가공할 만한 충격이 상반신을 강타한 탓에, 지혜는 꺽꺽거리는 소리를 내며 바닥에 쓰러지고 말았다. 그의 코에서는 새빨간 피가 흘러내렸다.

"내가, 불은 무서워하지만. 물하고는 친하거든……."

진이 거친 호흡을 가다듬으며, 용암처럼 들끓는 분노를 필사적으로 억눌렀다. 그에게서 섬뜩한 분노와 살기를 느낀 지혜는, 저도 모르게 몸을 떨며 흐느꼈다. 그런 그를, 이성을 되찾은 진이 차가운 눈빛으로 내려다보았다. 그러고는 지혜와 같은 공간에 있다는 사실 자체가 싫다는 듯, 가장 멀리 있는 벽으로 향했다. 이윽고 그는 벽에 등을 대며 풀썩 주저앉았다.

"무의미한 저항은 그만두는 게 어때? 어차피 구하러 올 사람도 없을 텐데. 애초에 네가 어디에 있는지도 모르잖아?"

대자로 뻗은 지혜가 실실 웃었다. 그는 아직 승산이 있다고 판단했다. 여기는 제 아지트고, 비명을 지르며 자신을 인정사정없이 할퀴던 통증도 가라앉았다. 이대로라면 금방 일어설 수 있을 터였다. 반대로, 진은 많이 지쳐있는 상태였다. 초인적인 힘을 발휘해 숨을 참고, 마지막 힘을 쥐어짜 날뛰었으니 그럴 법도 했다. 게다가 그의 스마트폰은 성일 호텔에 버려진 지 오래였다. 정리하자면, 사면초가라고 할 만한 상황이었다.

그러나, 이런 상황에서도 진은 웃음 지었다. 손 하나 까딱할 힘조차 없는데도, 여전히 자신감이 넘치는 모습이었다. 그런 진을, 지혜가 멍하니 바라보았다. 지금 웃음이 나와? 조금 있으면 죽을 운명인데? 그는 목구멍까지 차오른 말을 억지로 삼켰다. 중요한 무언가를 놓친 것만 같았다.

"아… 사실 말이지."

진이 왼쪽 다리를 산 모양이 되도록 접었다. 그러고는 오른발로 왼쪽 발목을 덮은 바지를 걷었다. 그러자, 검은색의 전자기기가 모습을 드러냈다. 언뜻 보아서는 시계와 흡사했다. 하지만 발목에 시계를 찰 리 없잖은가.

"양복까지 차려입고 파티에 참석한 형사가, 실은 전자발찌를 찬 채로 작전 수행 중일 거라는 생각을 할 수 있는 사람이 몇이나 되겠어?"

그의 발목에 떡하니 자리 잡은 물건은, 다름 아닌 최신형 전자발찌였다! 오늘 오전, 본격적으로 작전을 개시하기 전. 그는 납치당할 가능성을 고려해 왼쪽 발목에 최신형 전자발찌를 착용했다. 그리고 전자발찌의 상세한 위치를 실시간으로 기록하는 단말기를 수현에게 넘겼다.
한편, 지혜는 성범죄자들의 발목에 있어야 할 물건을 멍하니 쳐다보았다. 믿을 수 없었다. 그는 자신이 진보다 한 수 위라고 자신했다. 그러나 이는 오만이었고, 오판이었다.

“지금 즈음이면, 내 파트너가 왔겠지.” 진이 잠시 말을 멈췄다. 그리고 가볍게 웃으며 중얼거리듯이 말을 이어 나갔다. “전부, 예상했던 대로.”

진이 가볍게 웃으며 중얼거리듯이 말했다. 그런 진을, 완전히 넋이 나간 지혜가 바라보았다. 소름이 끼치다 못해, 숨이 막혀왔다. 한 사람의 심리를 이렇게까지 꿰뚫어 볼 수 있는 사람이 세상에 있다니. 직접 겪고도 믿을 수 없었다.

“……죽여.”

침묵하던 지혜가 드디어 입을 열었다. 그는 죽어야지만 감옥행을 피할 수 있었다. 진은 그런 그를 말없이 바라보았다. 말이 되는 소리를 하라는 시선이었다. 이에 지혜가 으르렁거렸다.

“죽이라고. 감옥에는 가기 싫으니까.”

익숙한 말에, 진이 헛웃음을 흘렸다. 정말 어디서부터 잘못됐는지 짐작조차 할 수 없었다. 어찌 된 일인지, 영웅을 꿈꾸던 자의 말로가 감옥에 가기 싫어서 의사가 된 사이코패스보다 초라했다.

“뭘 망설여? 어머니의 복수를 할 기회를 주겠다잖아.”

지혜가 낄낄거리며 진을 도발했다. 하지만 진은 묵묵부답이었다.

그는 죽기 위해 발악하는 지혜를 물끄러미 바라보았다. 그러고는 쓰게 웃으며 운을 뗐다.

"감옥에 갇히는 것 정도야 각오한 줄 알았는데, 아니었나 봐?"
"…무슨 소리지?"
"너, 영웅이 되고 싶었던 거잖아. 아니야? 영웅이 되려면, 그 정도는 각오해야 하는 거 아니니?"

숨을 옥죄는 말이었다. 이는 지혜에게 사형선고와도 같았다. 지혜는 허탈한 웃음을 지었다. 진은 저를 죽일 생각이 없었다. 이대로라면 진의 동료가 들이닥치고, 꼼짝없이 붙잡혀 감옥에 가게 될 터였다.
그럴 수는 없지. 지혜가 마음속으로 중얼거렸다. 그는 힘겹게 손을 움직여, 입고 있던 코트의 주머니에 손을 집어넣었다. 그러자 만일에 대비해 습관적으로 들고 다니던, 작은 사제 폭탄 하나가 손에 잡혔다. 그는 제 목숨을 거두어 갈 '희망'을 망설임 없이 작동시켰다.

"경위님! 거기 있는 거죠?!"

그때, 밖에서 수현의 목소리가 들려왔다.

"나 여기 있어!" 긴장이 풀린 진이 한숨을 내쉬며 답했다.
"경위님! 괜찮아요?"

권총을 든 수현이 문을 열며 외쳤다. 다행히 지혜가 화장실의 문을 잠그지 않은 덕분에, 쉽게 들어올 수 있었다. 하지만 재회의 기쁨도 잠시. 갑자기 고막을 찢을 듯한 굉음이 지나가며, 폭발이 일어났다. 지혜가 작동시킨 폭탄 때문이었다!

진은 혀를 날름거리며 지혜의 목숨을 먹어 치운 금속 파편들을 멍하니 바라보았다. 이 짐승은 한 사람의 목숨으로도 배를 채우지 못했는지, 진을 향해 이빨을 드러냈다. 그는 저를 향해 달려드는 죽음을 멍하니 바라보았다. 24년 전 화재와 같은 상황이, 다시 모습을 드러냈다.

4. 덫

성일 호텔에서 최루탄이 터졌을 무렵. 진의 연락을 받은 수현은 호텔로 향했다. 그때, 단말기 화면 속 전자발찌의 위치를 알리는 점이 성일 호텔에서 멀어지기 시작했다. 이에 수현은 진이 적의 본거지를 알아내려고 일부러 납치당해 주었다고 확신하며, 진의 납치를 대비해 차 안에서 대기하고 있던 국정원 요원 몇 명에게 상황을 알렸다. 그리고 달아나는 검은색 점을 쫓기 시작했다. 혹여나 범인에게 들킬 것을 염려해 일부러 빙빙 도는 수고를 마다하지 않았기에, 그는 전자발찌의 움직임이 멈추고 시간이 어느 정도 흐른 뒤에야 멈춰 설 수 있었다. 이는 수현의 연락을 받고 달려온 몇몇 협력자들 역시 마찬가지였다.

눈 앞에 펼쳐진 장소는 도심에서 꽤 떨어져 있었으며 논밭이 많고 해가 저문 지 오래돼 인적이 뜸했다. 범죄를 계획하고 실행하기에는 딱 좋은 장소였다.

수현은 제 앞에 우두커니 서 있는 건물을 올려다보았다. 언뜻 보아서는 거대한 곡물창고 같았다. 하지만 이는 위장에 불과했다. 단말기에 따르면, 진은 이 건물 안에 있으니까 말이다.

범인들의 아지트에서 시선을 거둔 그는 경일에게 연락해, 현 상황을 알렸다. 그리고 협력자들과 함께 아지트 안으로 발을 들였다. 그런 그들을, 철창 안에 갇힌 몇 명의 사람과 철창 밖에서 무언가를 하는 사람들이 맞이했다.

수현은 협력자들을 향해 눈짓했다. 저는 진을 찾을 테니, 뒤를 부탁한다는 의미였다. 이를 알아챈 협력자들은 철창 밖의 사람들을 향해 달려들었다. 그런 그들을 뒤로한 채, 수현은 달려드는 사람들을 가볍게 쳐내며 달리고 또 달렸다. 그리고 마침내 두 목소리가 새어 나오는 방 앞에서 멈춰 섰다. 워낙 희미한 소리이기에 무슨 이야기를 나누는지는 알 길이 없었으나, 목소리의 주인 중 하나가 진이라는 사실만큼은 확실히 알 수 있었다. 이에 수현은 진을 부르며 문손잡이를 잡아 돌렸다. 손잡이는 생각보다 쉽게 돌아갔다. 아무래도, 범인이 문을 잠그지 않은 게 분명했다.

문이 열리자, 수현은 두 사람을 볼 수 있었다. 한 명은 벽에 기대어 앉아있는 진. 나머지 한 명은 전의를 잃고 쓰러져있는 여성. 이들을 본 수현은 안심했다. 그때, 갑작스러운 폭발음이 고문실을 휩쓴 것이었다.

그리고 지금, 수현은 24년 전과 똑같은 상황을 마주했다. 죽음은 그때처럼 진을 삼키려 들었다. 하지만 수현이 이를 가만히 보고만 있을 리 만무했다. 그는 능력을 이용해, 공간과 공간을 일시적으로 차단하는 '차원 벽'을 만들어 냈다. 이렇게 만들어진 투명한 차원 벽은, 진을 향해 달려드는 죽음을 가로막았다.

"경위님! 괜찮아요?!"

수현이 진을 향해 달려가며 외쳤다. 발걸음을 내딛는 곳마다, 지혜의 피와 살점이 흩어져 있었다. 하지만 지금은 살아있는 사람이 먼저였기에, 수현은 진을 붙잡아 일으켜 세웠다. 그리고 진의 손목을 속박하던 수갑을 맨손으로 뜯어냈다. 진은 그런 수현의 팔을 붙잡은 채, 겨우 서 있었다.

"저 새끼… 죽은 거야?"

진이 한때 황지혜였던 물체를 멍하니 바라보며 물었다. 그러자 수현이 입술을 살짝 깨물더니, 힘겹게 답했다.

“저 사람, 폭탄이 터지는 순간에 죽었어요.”
“그래. 죽은 사람은 못 살린다고 했지…….”

멍하니 중얼거리던 진의 몸에서 힘이 서서히 빠져나갔다. 이를 느낀 수현은, 진을 붙잡은 손에 힘을 더욱 주었다.

“꼭… 잡아서, 감옥에 처넣고 싶었는데…….”

수현은 완전히 정신을 잃은 진을 조심스레 둘러업은 다음, 화장실 밖으로 향했다. 그러자 국정원 출신 협력자들이 두 사람을 맞이했다. 수현은 아주 작은 목소리로 그들에게 조금 전 상황을 설명했다. 이에 국정원 요원들은 수현이 벌인 일을 철저히 은폐할 준비에 들어갔다.
그로부터 얼마 뒤, 구급차와 경찰들이 속속들이 현장에 도착했다. 수현은 정신을 잃은 진을 둘러업은 채로 구급차를 향해 다가갔다.

“선생님.”

수현이 가까이 있던 구급대원에게 말을 걸었다. 그러자 구급대원이 수현과 그의 등에 업힌 진을 바라보더니, 환자 이송용 침대를 가져와 권했다.

"감사합니다."

감사를 표한 수현이, 진을 침대 위에 눕혔다. 그리고 다시 건물 안으로 향했다.

*

진은 새벽이 돼서야 눈을 뜰 수 있었다. 정신을 되찾은 그는, 벌떡 일어나 주변을 둘러보았다. 그러자 팔의 혈관에 연결된 링거액과 제가 누워있는 침대 옆 의자에 앉아있는 수현이 눈에 들어왔다. 그런 수현의 곁에는, 수현을 담당하는 국정원 요원이 있었다.

"정신이 들어요?"

진의 시선을 느낀 수현이, 읽던 책을 덮으며 싱긋 웃었다. 그러고는 괴한에게 빼앗겼던 스마트폰을 주인에게 건넸다. 진은 손을 뻗어, 수현이 내민 스마트폰을 꽉 쥐었다. 국정원 요원은 그런 진과 수현을 바라보며, 진이 정신을 잃었던 동안 있었던 일을 말해주었다. 그에 따르면, 황지혜 사건의 후속 수사는 국정원이 담당할 예정이었다. 수현이 진을 구하고자 기이한 힘을 썼기 때문이다. 물론 이를 곧이곧대로 세상에 알릴 수는 없었기에, 국정원은 "황지혜가 이끈 범죄 조직은 일반적인 범죄 단체가 아닌, 테러 단체"라며 사건을 가져갔다. 하지만 이런 사정을 알 리 없는 경찰 조직은 사건을 빼앗겼다며 울분을 토했다.

요원이 말을 마치자, 수현이 기다렸다는 듯이 입을 열었다. 그는 진의 할아버지인 인화가 병원에 직접 찾아와, 진을 VIP 병실에 입원시켰다고 말했다. 그리고 인화가 진의 곁을 지키고 싶어 했지만, 제가 진의 곁에 있겠다며 그를 집으로 돌려보냈다는 말을 덧붙였다. 이에 진은 예상했던 대로 놈들이 할아버지를 해치지 않았다고 생각하며, 황지혜가 저지른 악행에 관한 이야기를 수현과 요원에게 전했다. 이에 요원은 감사를 표하며 자리를 떴고, 수현은 복잡한 표정을 지었다. 진은 그런 수현을 보며, 이해한다는 표정을 짓고는 의료진을 호출했다. 퇴원을 하기 위해서였다. 다행히도 그는 멀쩡한 편이었기에, 퇴원 허가가 떨어졌다. 하지만 그런 그가 걱정되었던 수현은, 진을 집까지 데려다주고 싶어 했다. 이에 진은 "그럼, 성일 호텔까지만 부탁할게."라고 말했다. 자신의 차가, 아직 성일 호텔 주차장에 있었기 때문이다.

얼마 뒤, 수현이 운전하는 차가 성일 호텔에 도착했다. 진은 호의를 베푼 수현에게 인사를 건넨 뒤, 자신의 차에 몸을 실었다. 그렇게 무사히 집으로 돌아온 그가 신발을 대충 벗어 던지고 향한 곳은 화장실이었다. 그는 손을 깨끗이 하기 위해 그리고 갈 곳 없는 분노를 씻어내기 위해 손을 씻었다.

거품과 분노를 물에 흘려보낸 진이 세면대의 테두리 부분을 짚으며 물이 빨려 들어가는 하수구를 하염없이 내려다보았다.

'나를 집에 가두고 불을 지른 건… 그래, 어떻게든 이해할 수 있어. 내가 그만큼 미웠던 거겠지. 죽여버리고 싶을 만큼. 하지만… 나를 돈벌이 수단으로 삼은 건, 용서 못 해.'

그러나, 분노가 쉬이 사그라들 리 없었다. 진은 거칠게 수도꼭지를 잠갔다. 그리고 고개를 천천히 들어 거울을 바라보며, 되찾은 기억을 반추하고 또 반추했다. 그러자 물고문당했을 때 느꼈던 공포와 분노가 되살아나, 그의 숨통을 조이려 들었다. 결국 그는 눈을 감은 채 한참 동안 숨을 골랐고, 얼마 지나지 않아 평정심을 되찾았다.

'어린아이가 학대당하는 장면을 보고자 하는, 비정상적이고 비도덕적인 욕망을 가진 자들이…… 사진으로 만족했을 리 없어. 분명, 영상을 내놓으라고 아우성쳤을 거다.'

진은 학대당하는 제 모습이 담긴 필름을 되찾고 싶다고 생각했다. 하지만 제가 겪은 일은, 24년도 더 된 일이었다. 그렇기에 사진과 영상이 담긴 필름이 남아있을 리 만무하다고 해도 과언이 아니었다. 아니, 애초에 남아있다고 하더라도 찾을 수 없을 터였다. 필름의 원주인들은 공식적으로는 실종자였고, 실질적으로는 망자였다. 방화를 저지른 직후에 행방불명되고 24년이라는 시간이 흐른 지금, 제 친부모의 행방을 알아낸다는 것은 기적에 가까웠다. 물론, 문제의 필름을 찾으려 든다면 얼마든지 그럴 수 있었다. 그러나 이는 백사장에서 바늘을 찾는 격이었다.

'그래… 내가 할 수 있는 건, 아무것도 없다는 건가? 그럼, 나는 무엇을 해야 하지? 내가 하고 싶은 게… 뭐지?'

진은 거울에 비친 자신을 똑바로 바라보았다. 그러자 거울 속 자신 역시 이쪽을 똑바로 바라보았다.
그는 복수를 위해 경찰이 됐다. 물론, 물리적인 폭력을 이용한 복수는 아니었다. 그가 생각하는 복수란, 자신의 친부모와 같은 사람을 잡아넣는 것이었다. 나약하기만 했던 어린아이가, 극악무도한 범죄자를 잡아넣는 것만큼 통쾌한 복수가 어디 있겠는가?

'…성실함. 내 유일한 재능은, 성실함이야. 있어야 할 자리에서, 해야 할 일을 하는 거.'

그는 올곧은 눈빛으로 다짐하고 또 다짐했다.

*

지금은 기자회견을 열기에는 이른 시각이었다. 하지만 사안이 사안이었기에, 국정원은 긴급기자회견을 열었다. 회견장에 모습을 드러낸 국정원의 언론 담당자는 이번 사건의 주동자인 황지혜에 관해 보고했으며 지혜의 범행 동기와 방법 그리고 지혜가 이끌던 테러 단체에 관해 알아낸 모든 사실을, 하나도 빼놓지 않고 밝혔다. 또한, 성일 호텔에 사제 최루탄을 들여온 사람은 호텔의 직원이라는 말을 덧붙이고는 이내 자리에서 물러났다.
이로부터 몇 시간 뒤, 앞선 브리핑을 시청한 성욱은 간단한 기자회견을 열기 위해 회견장으로 향했다. 이번 기자회견의 목적은, 어제 있었던 테러 사건에 대해 유감을 표하기 위해서였다. 그러나 이는 어디까지나 '표면적인 목적'에 불과했다. 성욱이 기자회견을 여는 진짜 목적은, 시민들의 호감을 얻기 위해서였다. 그가 원하는 것에 다가서기 위해서는, 많은 사람의 호감이 필요했다.

그는 회견장으로 향하며, 장기 말 중 하나였던 황지혜를 떠올렸다. 그가 지혜를 처음 만난 것은, 지혜가 한국대 의대에 수석 입학하고 얼마 지나지 않은 시점이었다.

성욱은 성일 재단을 통해 저소득층 학생에게 장학금을 수여해 왔다. 그리고 황지혜는, 이런 학생 중 하나였다. 그렇기에 지혜 역시 매년 열리는 성일 그룹의 자선 파티에 초청됐었다. 이렇게 성욱과 지혜의 만남이 시작되었고, 성욱은 대화를 통해 지혜의 뒤틀린 욕망과 지혜가 감옥에 갇히는 것을 두려워한다는 사실을 알아냈다. 그러고는 절망과 분노에 사로잡힌 지혜를 서서히 세뇌하기 시작했다. 이를 알아차리지 못한 지혜는, 성욱이 자신을 이해해 준다고 굳게 믿고 말았다. 하지만, 성욱은 지혜를 진심으로 믿은 적이 단 한 번도 없었다. 물론, 자신과 동등한 인간이라고 여긴 적도 없었다. 그렇기에 자신의 원대한 계획에 관한 이야기를 일절 하지 않았다. 그저, 공감을 빌미로 지혜의 범죄를 '설계'해 준 것뿐이었다. 이렇게 성욱의 장기 말이 된 지혜는, 성욱의 전화를 받고 움직였다. 그는 성욱이 시키는 대로 김일남의 죽음을 이용했고, 유인영 피습 사건을 계획했으며 유 진을 납치했다. 그리고 자살했다. 깔끔하고 뒤탈 없는 마무리였다. 성욱의 수족은 사방에 있으니, 아무리 국정원이라고 해도 성욱과 지혜의 커넥션을 밝혀낼 수 있을 리 만무했다.

머릿속에서 지혜를 완전히 지워버린 성욱은, 자신의 욕망을 이루어 줄 '첫 단추'에 해당하는 인화 제약 연구원 살해 사건을 떠올렸다. 그는 인화 제약 연구원 살해 사건을 이용해, 진과 수현의 정체를 만천하에 폭로할 요량이었다. 그러나 이는 하연희라는 기자에 의해 틀어졌다. 정확히 말하자면, 절반만 성공한 셈이었다.
성욱이 보기에, 하연희는 윤수현이라는 구미가 당기는 먹잇감을 포기한 멍청한 기자였다. 그의 계획대로라면, 수현의 정체는 진즉에 폭로됐어야 했다. 이런저런 이유로 별장 방화 살인 사건을 보도할 수 없을 테니, 때마침 굴러들어 온 '사이코패스 외계인'이라는 특종을 보도하는 게 순리에 맞는 일이었다. 게다가 수현의 정체를 폭로하는 행위는, '국가 안보'와 '국민의 알 권리'라는 명분에 부합하는 것이니 보도할 가치가 있었다. 그러나 연희는 성욱의 생각보다 어리석은 사람이었다. 제 앞으로 굴러온 기회를 집어 던진, 멍청한 인간. 그게 바로, 성욱이 정의한 하연희였다.
하지만 연희의 선택, 그러니까 수현에 대하여 함구한다는 선택은 성욱의 계획에 제동을 걸지 못했다. 애초에 성욱은 연희를 통해 수현의 정체를 폭로한 뒤, 지혜를 이용해 테러를 일으킬 계획이었다. 즉, 연희는 그가 그린 '큰 그림'에 어떠한 타격도 주지 못한 데다가…… 오히려 성욱에게 유리한 상황을 의도치 않게 만들어 버리고 말았다. 이런 까닭에, 성욱은 어리석은 선택을 한 연희에게 속으로 감사를 표하며 제가 수정한 계획을 반추했다.
그렇게 지혜와 연희에 대한 평가를 마쳤을 때쯤, 성욱이 회견장에 도착했다. 그러자 그를 기다리고 있던 기자들이 달려들어 질문을 던지기 시작했다. 경호원들은 프레스 구역을 넘어서려는 기자들을 제지하느라 정신이 없었다.
한편, 성욱은 말없이 연단을 향해 걸어갔다. 대외적으로 그는, 인영의 쾌유를 비는 연설을 위해 연단에 오르던 중 최루탄 테러에 휘말렸다고 알려진 상태였다. 그래서인지 대중의 눈에 비추어진 그는 창백하고 지쳐 보였다. 물론, 이 역시 성욱의 연출에 불과했다.

연단 위에 오른 성욱은 표정을 한껏 관리하며 설치된 마이크 앞에 섰다. 그런 다음 검지로 마이크를 톡톡 두드렸다. 그러자 스피커에서 흘러나온 소리를 들은 사람들의 목소리가 잦아들었다.

"안녕하십니까. 최성욱입니다. 먼저, 어제 있었던 자선 파티에 참석하신 모든 분께 사과의 말씀을 올립니다."

말을 마친 성욱이 고개를 90도로 숙였다. 그렇게 몇 초가 지난 후, 그는 고개를 들며 가라앉은 어조로 말을 이어갔다.

"성일 호텔의 직원이 테러 단체의 조직원일 것이라고는, 상상조차 하지 못했습니다."

일차적으로 제 할 말을 다 했다고 판단한 성욱은, 본래의 목적을 이루기 위한 말을 끄집어냈다.

"……이번 테러 사건 말입니다." 잠시 말을 멈춘 그가 다시금 입을 열었다. "테러는 명백한 범죄입니다. 현대사의 비극 대부분이 테러로 인한 것이기 때문입니다. 하지만."

그는 테러 당시의 기억을 떨쳐내려는 것처럼 보이기 위해, 눈을 질끈 감았다 떴다.

"자살한 용의자는, 엘리트 기득권층이 모든 것을 지배하는 세상을 바꾸고 싶다는 말을 남겼다고 하더군요. 물론, 테러라는 방법을 택한 것은 명백한 잘못입니다. 이 사실에는 반박의 여지가 없습니다. 하지만, 범인이 주장한 '대한민국의 극단적인 양극화 현상'만큼은 사실입니다. 그러니… 앞으로 다시는 이런 핑계로 인한 테러가 일어나지 않도록, 저희 성일 그룹은 더욱 열심히 자선 사업에 매진하겠습니다. 감사합니다."

성욱의 말을 받아적던 기자들의 반응은 꽤 다채로웠다. 처음에는 의아함이 퍼지더니, 성욱이 말을 마칠 즈음에는 감동의 물결이 퍼졌다. 테러에 휘말린 사람이, 사회 정의의 실현을 논하니 그럴 수밖에 없었다.

기자들은 열렬히 고개를 끄덕이며 성욱의 말을 세상에 알렸다. 라디오, 인터넷 기사, 신문 등에서 성욱의 기자회견과 관련된 소식이 쏟아졌다. 그중, 한 방송사는 성욱과 진을 비교하는 내용의 뉴스를 송출했다. 진행자와 초청 패널은 노골적으로 진을 깎아내렸다. 그들은 성욱의 발언이 참으로 시의적절했다며, 요즈음 구설에 오르내리는 '재벌 4세'가 성욱을 본받아야 한다고 떠들어댔다. 물론, 이들이 말하는 재벌 4세는 당연히 유 진이었다.

언론의 악의적인 보도는 여기서 끝이 아니었다. 한 방송사는 진이 경찰대 시절 이수했던 과목인 "킬롤로지(Killology)"를 문제 삼았다. 살해학(殺害學)이라고 번역되는 킬롤로지는, 말 그대로 사람을 죽이는 행위를 연구하는 학문이다. 좀 더 정확히 설명하자면, 사람이 사람을 죽일 때의 심리를 연구하는 학문이었다. 다만 신생 학문인 터라, 대한민국에서는 오로지 경찰대학교에서만 배울 수 있었다. 일종의 시범운영이었다. 진은 이러한 신생 학문을 수료한, 유일한 경찰대생이었다. 범죄자들을 교화하고 싶다는 간절한 마음이,

그를 섬뜩한 이름의 신생 학문으로 이끌었다. 그러나 언론은 진이 살인에 흥미가 있는, 극도로 이기적인 사이코패스일지도 모른다며 진의 진심을 왜곡했다. 그리고 '아니면 말고' 식의 무책임한 말을 던지며 자극적인 방송을 마무리 지었다.

한편, 진은 전기차의 라디오를 통해 성욱의 기자회견을 접했다. 그렇기에 성욱의 입에서 나온 "세상을 바꾼다는 핑계로 테러를 선택한 것은 큰 잘못이지만, 황지혜가 말한 양극화 현상만큼은 해결해야 할 문제"라는 말을 똑똑히 들었다. 그런 그의 말을, 진은 양날의 검이라고 생각했다. 성욱은 객관적이며 옳은 말을 했다. 하지만 그 말이, 제2의 황지혜를 만들어 낼 수 있었다. 그러나 진은 이러한 생각을 입 밖에 내지 않고 삼켜버렸다. 만일 황지혜의 배후에 성욱이 있었다는 사실을 알았더라면, 그는 망설임 없이 제 속마음을 전부 끄집어내 말했으리라. 하지만 진은 성욱을 무고한 피해자로 알고 있었다. 그렇기에 성욱을 향해 "당신이 했던 말이 또 다른 테러를 부를 수 있습니다"라고 말하는 것은, 2차 가해에 지나지 않는다고 판단했다.

생각을 마친 진은 조용히 차를 몰았다. 그는 출근하기 전에 인영을 만나고, 광수대 경비의 장례식에 참석할 요량으로 평소보다 이른 시각에 집을 나섰다. 우연히도 인영이 입원한 병원과 경비원의 빈소가 마련된 병원이 같았기에, 이동하는 데 쓰는 시간은 변함이 없을 터였다.

그렇게 시간이 흐르고, 성욱이 간단한 기자회견을 마무리 지을 무렵. 진과 인영은 피습 사건 이후 다시금 이야기를 나누었다. 진은 인영이 앉아 있는 침대 옆 의자에 앉은 채로, 눈두덩을 손으로 꾹꾹 눌렀다. 그런 다음, 손을 무릎 위로 가져가며 운을 뗐다.

"엄마가 만약에 잘못되기라도 했다면, 나는……."
"진아."

인영이 다정한 목소리로, 울적한 표정의 진을 불렀다. 진은 천천히 고개를 들어, 제 어머니를 바라보았다.

"테러 조직의 수장을 잡기 위해, 일부러 납치당했다면서. 어디 다친 데는 없고?"

진은 말문이 막혔다. 걱정해야 할 사람은 자신이었지, 인영이 아니었다. 그는 옅은 웃음을 지으며 제 어머니를 향해 답했다.

"응. 괜찮아. 멀쩡해."
"정말?"

그러나, 진은 되묻는 인영에게 그 어떠한 답도 할 수 없었다. 당연히, 진은 괜찮지 않았다. 자신의 어두운 기억 중 하나와 마주했는데, 어떻게 아무렇지 않을 수 있겠는가. 진은 그저 시선을 피하는 것으로 답을 대신할 뿐이었다.

"아프면 아프다고 해. 진아, 넌 사람이야. 초인이 아니라고. 그리고…… 악의적인 루머는 신경도 쓰지 말렴. 그런 건 인화 그룹 법무팀의 몫이야."

인영의 목소리에서 안타까움이 묻어났다. 이에 진은 쓴웃음을 지으며 말했다.

"그런 무의미한 걸 신경 쓰기에는, 해야 할 일이 너무 많아."

진의 말에, 인영은 별다른 말을 하지 않았다. 그저 제 딸에게 따스한 미소를 지을 뿐이었다. 진은 그런 그를 보며 복잡한 감정을 느꼈다. 지금은 자신이 어머니를 걱정해야 하는 상황이었으므로.
진은 오늘 새벽의 일을 떠올렸다. 그는 친부모에 대한 증오를 흘려보내기로 마음먹었었다. 그러나 말이 쉽지, 뼈에 사무친 감정들이 쉬이 사라질 리 없었다. 감정을 가위로 잘라내듯이 할 수 있는 사람은 극히 드물었다.
그러나, 그는 인영을 보며 다시금 답을 찾아낼 수 있었다. 언제나 그랬듯, 과거에 집착하지 말고 현재를 살아가는 게 정론이었다. 그러니, 지금의 진에게 친부모라는 존재는 증오할 가치조차 없었다. 자신을 파멸로 몰아넣으면서까지, 증오라는 감정에 사로잡힐 이유는 없지 않겠는가? 이렇게 생각을 마친 진은 제 앞의 어머니를 향해 웃음 지었다. 그리고 속삭이듯이 말했다.

"……엄마처럼 좋은 사람을 만나서 다행이야."

그는 기억 속에 강렬하게 남은, 자신을 향해 손을 내민 인영과의 첫 만남을 다시 떠올렸다. 그때는 수현이 저를 응급실에 데려다 놓은 때로부터 대략 12시간이 지난 시점이었으며, 요원이 저를 국정원 안에 있는 병원으로 옮긴 때로부터 몇 시간이 흐른 뒤이기도

했다. 당시 진의 기억 속 인영은 30대 중반이었으며, 수현 덕분에 목숨을 건진 진이 응급실에서 눈을 뜨자마자 만난 국정원 요원과 함께였다. 진이 기억하는 요원은, "너를 아무런 조건 없이 사랑해 줄 수 있는, 이 나라에서 가장 믿을만한 사람을 데려왔어. 당연히, 윗분들도 허락했지. 이제 너만 좋다고 하면 돼."라며 인영의 양자가 될 것을 권했었다. 새로운 양육자의 등장은 어린 진이 소중한 추억을 쌓아가는 계기가 되었다.

"엄마도, 너를 만나서 다행이라고 생각해."

인영 역시, 진을 향해 나직이 말했다. 진은 그런 인영에게 작별을 고하며 물러났다. 그리고 옆 건물의 장례식장으로 발걸음을 옮겼다. 그렇게 광수대 경비원의 빈소에 도착한 진은 고인과 유족에게 예를 갖추었고, 울적한 상태로 빈소에서 나왔다. 이런 탓에, 앞을 제대로 살피지 않은 진은 안쪽 빈소로 향하는 누군가와 부딪칠 뻔했다.

"죄송합니다."

급히 멈춰 선 진이 남성을 향해 가볍게 고개를 숙였다. 그러자 흔히 야구모자라고 불리는, 검은색 캡(cap)을 쓴 젊은 남성이 점잖은 어조로 괜찮다고 답하며 안쪽의 빈소로 향했다. 남성의 얼굴을 제대로 보지 못하고 목소리만 들은 진은, 빠르게 멀어지는 그의 뒷모습을 무심코 바라보았다. 남성의 독특한 걸음걸이에 사로잡힌 까닭이었다. 하지만 남성의 걸음걸이가 어째서 독특한지는 알 수 없었다. 그는 의사가 아니라 형사였다. 그렇기에 기초적인 수준을 넘어서는 의학 지식을 알지 못했다.

진은 시야에서 완전히 사라진 남성을 잊기로 마음먹고는, 장례식장을 떠나기 위해 발걸음을 옮겼다. 그렇게 밖을 향해 걷던 그는 장례식장에서 떠났다. 아니, 떠나려고 했다. 갑작스레 날아든, 수현의 목소리만 아니었다면 말이다.

"유 진 경위님?"

저를 부르는 목소리에, 진이 뒤를 돌아보았다. 그러자 빠른 걸음으로 다가온 수현이 그의 앞에서 멈춰 서며 인사를 건넸다.

"너도… 경비원 아저씨를 보러왔어?"

진의 물음에, 수현이 가라앉은 목소리로 답했다.

"경비원 아저씨도 아저씨지만…… 보육원 아이들을 보러 온 거기도 해요. 이 병원에, 합동 빈소가 있어서."
"보육원 아이들……?"

진이 의문과 혼란 그리고 충격이 뒤섞인 눈빛으로 질문을 던졌다. 이에 수현은 주변을 슬쩍 둘러보더니, 진을 사람이 없는 장소로 이끌었다. 그런 다음 오로지 진만 제 목소리를 들을 수 있도록 최대한 목소리를 낮추며 입을 열었다.

"예전에도 말했지만, 나는 잠을 잘 필요가 없잖아요? 그래서 지루함을 달래려고 밤새 빵이나 디저트 같은 걸 만들어왔어요. 이렇게 만든 음식은 보육원에 전달했고요."

지루한 걸 끔찍이 싫어하는 인간, 윤수현. 진은 그런 그의 취미가 참으로 건전하다고 생각했다.

"그런데 이런 식으로 기부받은 음식 중, 익명의 기부자가 보낸 음식에 독이 들어있었대요. 그걸 먹은 아이들은…… 전부 죽었고요."

수현의 말에, 저와 죽은 아이들이 비슷하다고 느낀 진이 주먹을 꽉 쥐었다. 그러고는 숨을 크게 들이쉬었다 내쉬었다. 이렇게 겨우 진정한 그가 입을 열었다.

"……수사는?"
"하고 있대요. 근데, 좀 복잡한 모양이에요. 나와 인연이 있는 '희망 보육원' 말고도, 독이 든 음식을 받은 보육원이 몇 군데 있나봐요. 분명… 동일범의 소행이겠죠. 어쩌면, 국가가 운영하는 보육원과 양로원에 '혈세 낭비 시설'이라고 써 붙인 사람들이 벌인 짓일 수도 있겠네요. 세금으로 운영되는 복지시설의 폐쇄를 요구하는 사람들이 최근에 부쩍 늘었다더라고요."

수현이 나직이 답하자, 진이 경악을 금치 못했다.

“혈세 낭비 시설이라니? 어떻게 그딴 식으로 말할 수 있지?”
“그러게요.”

수현이 쓴웃음을 지으며 답했다. 이에 진이 한숨을 내쉬었다. 그는 시설 폐쇄를 요구하는 사람들이 어떠한 논리를 펼치는지 짐작했다. 「아이들과 노인은 생산성이 떨어지는 인력이므로, 굳이 세금을 들여 그들을 돌볼 시설을 운영할 필요가 없다.」 이것이, 그들의 논리였다.

진은 오만상을 찌푸리며 생각에 잠겼다. 일하지 못하는 인간은… 생산성이 0인 인간은 정말로 존재 가치가 없는가? 세상에 죽어 마땅한 인간이 있는가? 이에 대한 진의 답은 당연히 ‘아니다’였다. 인간은 존재 자체만으로도 존엄하며, 본성이 어떻든 교육과 선택을 통해 변화를 꾀할 수 있는 존재였다. 그렇기에 죽어 마땅한 인간은 세상에 없었다. 애초에, 타인의 존재를 평가할 자격이 있는 사람이 어디에 있겠는가. 감히 누가 “너는 무가치한 인간이다”라고 말할 수 있겠는가.

생각을 갈무리한 진과 수현은 무거운 발걸음을 옮겨 장례식장을 벗어났다. 그때, 경일에게서 전화 한 통이 걸려 왔다. 분노를 최대한 억누른 경일은 당장 제 앞으로 달려오라는 말을 남기고 전화를 끊었다. 처음부터 끝까지 일방적인 태도였다. 하지만 경일의 날 선 채근이 아니더라도, 두 사람은 광수대로 갈 생각이었다.

그러나, 광수대로 향하는 길은 순탄치 않았다. 건물 밖에서 대기하고 있던 기자들이 마이크를 들이민 탓이었다. 그들은 진에게 킬롤로지에 대한 자극적이고 악의적인 질문을 던져댔다. 진이 범죄 조직을 뿌리뽑기 위해 납치를 당해주기까지 했다는 사실은, 그가 위험을 진정으로 즐기는 성향을 지녔기에 가능한 일이었다는 식으로 해석되었다.
진은 무미건조한 눈빛으로 기자들을 쳐다봤다. 그러자 약삭빠른 인상의 기자 하나가 선을 넘는 말을 아무렇지 않게 꺼냈다.

"계속 피하시면, 유 진 씨만 손해일 텐데요. 기사가 어떻게 나갈지 모르는데."
"…지금 협박하시는 겁니까?"

진이 날을 세우자, 그제야 기자가 한 발 뒤로 물러섰다. 하지만 보는 사람을 불편하게 만드는 웃음만큼은 여전했다.

"설마요. 감히 저 같은 기자 나부랭이가, 어찌 인화 그룹 후계자한테……."

명백히 비꼬는 어투에 불쾌감을 느낀 진이, 기자의 말을 가차 없이 잘랐다.

"지금 저는 인화 그룹의 후계자가 아니라, 형사로서 이 자리에서 있는 겁니다. 그런 식으로 말하지 말아 주시겠습니까?"

언뜻 들어서는 무감정하기 짝이 없는 어조였다. 그러나 어절과 어절 사이에 서늘한 분노가 서려 있었고, 이 사실을 모르는 기자는 단 한 명도 없었다. 하지만 기자들은 물러서지 않고, 입을 굳게 다물어 버린 진과 그런 그의 곁에서 걷는 수현을 집요하게 따라갔다.

*

경일은 자신의 자리에서, 진과 수현을 기다리며 신문을 읽고 있었다. 그는 여느 경찰들처럼, 황지혜 사건을 국정원이 슬쩍해 갔다고 생각했다. 하지만 차마 항의할 수는 없었다. 이 나라의 안보를 위해 국정원이 직접 나선다는데, 대체 무어라 항의한다는 말인가?
그때, 진과 수현이 경일의 시야 안으로 들어왔다. 경일을 비롯한 경찰들의 시선이 두 사람에게 쏟아졌다. 경일은 그런 두 사람을 있는 힘껏 노려보았다.

"부르셨습니까, 계장님."

경일의 책상 앞에 멈춰 선 진이 사무적인 어조로 말했다. 경일은 제 앞에 멈춰 선 두 사람을 쏘아보았다. 곧이어 그는 앉아 있던 의자에서 일어서더니, 읽고 있던 신문을 돌돌 말아 긴 막대기를 만들었다. 그리고 진과 수현을 향해 각각 한 번씩 막대기를 휘둘렀다. 그러자 퍽! 퍽! 하는 소리와 함께 그들의 뺨에 일(一)자 모양의, 아주 희미하고 붉은 자국이 남았다.
진은 이를 악물며 분노를 억눌렀다. 그러나 제가 지닌 반골 기질까지는 억누르지 않았다. 반면, 수현은 아무런 반응이 없었다. 그는 무표정한 얼굴로 경일을 흘끗 바라만 볼 뿐이었다.

"네놈들이 진즉에 연락만 했어도, 황지혜 사건을 뺏길 일은 없었을 거 아냐!!!"

"저와 계장님 사이에, 신뢰라는 게 있기는 했습니까?"

진은 저와 수현에게 분풀이하는 경일을 똑바로 바라보며 대꾸했다. 이에 경일은 한마디도 할 수 없었다. 애초에 저와 제 수하들은 진을 동료로 생각해 본 적이 단 한 번도 없었다. 그리고 진은 이를 뼈저리게 느꼈다. 그렇기에 진은 제 상사인 경일을, 자신이 사건을 맡을 때마다 지원은 기대하지 말라고 한 박경일 계장을 완전히 신뢰하지 않았다.
경일은 붉게 충혈된 눈으로 진을 한껏 노려보았다. 그러다 수현에게 시선을 주었다. 경찰 조직이 보기에, 외부인 출신인 수현은 이번 사건에 국정원을 끌어들인 장본인이었다. 하지만 경일은 그런 그에게 어떠한 말도 할 수 없었다. 왠지 모를 서늘한 분위기가, 수현에게서 뿜어져 나왔기 때문이다.

"계장님은 매번 남 탓만 하시네요?"

그때, 침묵을 고수하던 수현이 화사한 웃음을 지으며 운을 뗐다. 갑작스러운 촌철살인에 경일의 눈에서 일순간 분꽃이 타올랐다. 그는 오른팔에 온 힘을 실어, 수현의 얼굴을 향해 가차 없이 휘둘렀다.
수현은 경일이 저를 손찌검하리라는 것을 알아챘다. 그러나 피하지 않았다. 그는 얼굴에서 웃음을 거두지 않은 채, 주먹이 날아들기만을 기다렸다. 하지만, 경일의 주먹은 허공에서 멈춰 섰다. 수현은 제 얼굴 앞에서 부들거리는 주먹을 물끄러미 바라보았다.

"말로 하십시오."

진이 이를 악물며 말을 꺼냈다. 그의 두 손은, 수현의 얼굴을 무자비하게 가격하려던 경일의 팔을 붙잡고 있었다. 경일은 진과 수현을 번갈아 노려보더니, 진에게 잡힌 오른팔을 거칠게 털어냈다. 그러자 진의 두 손이 떨어져 나갔다.

"둘 다, 가서 일이나 해!!!"

경일이 고성을 질렀다. 제 잘못을 남에게 떠넘기려던 속마음을 들킨 탓에, 그의 눈빛이 흔들렸고 목소리가 갈라졌다. 수현은 그런 경일을 잠시 바라보았다. 그리고 옅은 웃음을 지으며 어깨를 으쓱, 하고는 인사도 없이 계장실을 떠났다. 진 역시, 인사 없이 몸을 돌렸다. 그렇게 그들은 전담팀 회의실로 돌아와, 미제 사건 서류가 가득 쌓인 책상 앞의 의자에 털썩 주저앉았다.
진은 미세하게 떨리는 제 두 손을 내려다보았다. 경일의 폭력을 제지하겠답시고, 일순간 많은 힘을 쓴 탓이었다. 그는 천천히 주먹을 쥐었다 펴면서 수현을 바라보았다. 수현은 멍하니 쌓여있는 서류들을 바라보고 있었다. 눈빛은 평소와는 다르게 가라앉아 있었다. 아무래도, 희망 보육원의 아이들을 생각하고 있는 듯했다.
그제야 진은 까마득하게 잊고 있었던 사실을 떠올렸다. 수현의 과거 이야기를 듣기 전에 먼저 물었어야 할, 아주 중요한 사실을.

"…뭐 하나 물어봐도 돼? 사실, 진작에 물어봤어야 했는데."

진이 질문을 던지자, 서류에서 시선을 거둔 수현이 그를 바라보았다. 그리고 장난스럽게 웃으며 농담을 던졌다.

"아하… 이제야 내 고향이 어디인지 궁금해졌어요?"

진은 당황했는지 표정을 구기더니, 고개를 절레절레 흔들었다. 그리고 수현을 살짝 올려다보며 입을 열었다.

"일단, 내 말을 먼저 들어줘."

수현은 알겠다는 듯이 고개를 끄덕였다. 그러자 진이 잠시 숨을 고르더니, 굳은 결심이 담긴 표정을 지었다. 그리고 망설임 없이 입을 열었다.

"나는, 친부모한테 학대당했어. 물고문은, 일상이었지."

조금 전까지만 해도 장난스레 웃던 수현의 얼굴에, 순식간에 어둠이 드리워졌다. 그는 주먹을 꽉 쥐더니, 침통한 목소리로 중얼거리듯이 말했다.

"어떻게 그럴 수가 있어요? 어떻게 사람이……!"

진은 수현이 괴로워하는 모습을 눈에 똑똑히 담았다. 하지만 아직 부족했다. 그는 수현의 반응을 조금 더 관찰할 생각이었다. 그렇기에 엄습해 오는 트라우마를 막아내며 말을 이어갔다.

“내 친부모는, 괴로워하는 나를 필름 카메라로 찍었어. 그리고 그 사진을, 필름을… 돈을 받고 팔았던 것 같아. 기가 막히는 이야기지?”

극악무도한 학대 행위를 들은 수현이 시선을 내리깔며, 주먹을 꽉 쥐었다. 미약하게 떨리는 두 손은, 그가 분노를 필사적으로 억누르고 있다는 것을 증명하려는 듯했다. 진은 그런 그를 빤히 바라보았다. 제 앞의 수현은 공감 능력이 있는 사람처럼 행동하고 있었다! 이것이 바로, 진이 까마득히 잊고 있었던 사실이었다. 그는 수현과 같이 다니면서도, 답답하다는 느낌을 받은 적이 없었다. 그만큼 수현은 타인의 감정을 잘 읽어냈으며, 공감 능력이 있는 보통 사람들보다 타인의 감정 변화에 민감했다!

“너무 자연스러워서 잊고 있었어. 네가… 다른 사람의 표정과 감정에 민감하다는 사실을 말이야. 대체 어떻게 된 일이야?”

진의 물음에, 수현은 짧게 앓는 소리를 냈다. 그리고 순순히 답했다.

“별거 없어요. 그냥, 다 외운 거예요. 처음에는 이 세상에 존재하는 모든 감정과 각각의 감정에 대응하는 표정을 외웠어요. 이렇게 외운 것을 활용해 다른 사람의 감정을 유추하는 것을 연습했고요. 그다음에는… 상대의 감정에 따라서 자연스럽게 반응하는 걸 배웠네요. 이걸 활용해서, 내 감정을 표현하는 법을 연구했어요.”

수현의 설명이 이어지면 이어질수록, 진의 눈에 깃든 경악의 농도가 점점 짙어졌다. 이윽고 그는 설명을 마친 수현을 향해 순수한 감탄을 표했다.

"대단하네…… 힘들었을 텐데."

그러자 수현이 자조 섞인 웃음을 지으며 대꾸했다.

"대단하기는 뭐가 대단해요? 애초에 공감 능력은, 태어날 때부터 당연히 가지고 있어야 하는 거잖아요. 나는 그 당연한 게 없어서, 50년이 넘는 시간을 허비했다고요."
"글쎄. 나는 그렇게 생각 안 하는데. 예를 들어볼까? 황지혜 그 자식, 타인의 고통에 진심으로 공감했어. 그런데 결과는 어떻지?"

진의 촌철살인에, 수현은 침묵할 수밖에 없었다. 진은 그런 수현을 바라보며 말을 이어 나갔다.

"공감 능력을 타고났는데도 살인을 저질렀잖아. 그런 주제에 '감옥에 갇히고 싶지 않다'라면서 자살해 버렸어. 비겁하고 무책임하기 짝이 없는 사람이었다고."

수현은 "감옥에 갇히고 싶지 않다"라는 구절에서 흠칫했다. 과거의 자신이 했던 다짐을 떠올린 것이 분명했다. 감옥에 가는 것은 죽어도 싫으니, 의사가 되리라는 다짐을 한 그때를 말이다.

“있잖아. 나는 네가 자신을 폄하하지 않았으면 좋겠어. 본성이 어떻든 지금의 너는 대단한 사람이고, 존경받아 마땅한 사람이야. 그런데도 네가 그 사실을 인정하지 않고 자신을 깎아내린다면, 내가 찾으려는 선의 기원과 선이 작동하는 원리 역시 아무짝에도 쓸모없는 게 돼버려. 너는 그걸 원해?”

진은 그런 수현을 향해, 자신이 지금껏 해 왔던 생각을 또박또박 말했다. 수현은 숨이 턱 막혔는지 아무 말도 하지 않았다. 진 역시 하고 싶었던 말을 모두 쏟아낸 터라, 침묵했다.

그때, 계속되던 고요함이 깨졌다. 소리의 근원은 탁자 위에 있던 유선 전화기였다. 진은 수화기를 집어 들더니, “서울청 광역수사대 특수사건전담팀입니다.”라고 말했다. 그러자 낯선 목소리가 스피커에서 흘러나왔다.

“안녕하십니까. 저는 민주평등당 권태호 대표입니다. 다름이 아니라, 저희 당의 유일한 국회의원인 남정웅 의원이… 지역 사무소에서 살해당했습니다! 믿을만한 경찰은 특수사건전담팀의 형사님들뿐이십니다. 그러니 부디……!”

권태호. 이 나라의 현대사를 안다면 모를 수 없으며 몰라서도 안 되는, 이름이 알려진 민주화 운동가 중 하나. 그는 당시 경찰의 모진 고문으로 인해 외상 후 스트레스 장애(PTSD)에 시달려 왔다. 그렇기에 그때로부터 시간이 꽤 흘렀는데도, 경찰을 신뢰하지 않았다. 그리고 이러한 사실은, 웬만한 사람들이라면 다 아는 내용이었다.

태호가 저와 수현을 지목한 이유를 어림짐작한 진은, 굳은 얼굴로 수현에게 눈짓했다. 그러고는 태호의 휴대 전화번호를 물었고, 전화번호를 모두 받아적은 다음 "가면서 다시 연락드리겠습니다."라고 말하며 자리에서 일어섰다. 이에 수현 역시 자리에서 일어서더니, 밖을 향해 뛰어가는 진의 뒤를 쫓았다. 그렇게 두 사람은 진의 차에 몸을 실었고, 감식반에 연락하며 남 의원의 지역 사무소로 향했다.

운전대를 잡은 진 대신, 수현이 태호에게 전화를 걸었다. 물론 운전 중인 진이 태호의 목소리를 들을 수 있도록 하는 것도 잊지 않았다. 그러자 두 사람을 위해 자초지종을 설명하는 태호의 목소리가 차 안을 가득 채웠다. 그는 경찰을 믿지 못하는 자신이 신뢰할 수 있는 경찰은, 서울경찰청장과 경찰청장의 파면에 지대한 영향을 끼친 유 진과 윤수현밖에 없다고 했다. 자신이 몸담은 조직의 윗선과 투쟁하는 일은, 아무나 할 수 있는 게 아니었으므로. 그리 생각한 태호는 특수사건전담팀이 속한 서울청 광수대의 홈페이지에서, 전담팀의 전화번호를 찾아 곧바로 전화를 건 것이었다.

'……나는 그저, 직무에 충실했던 것뿐인데.'

태호의 말을 들은 진이 복잡한 감정이 담긴 한숨을 내쉬었다. 저는 좋은 평가를 받기 위해 썩어빠진 윗선을 공격했던 게 아니었다. 그렇기에 태호의 반응이 매우 부담스러웠다. 이는 수현 역시 마찬가지였다. 하지만 이를 알 리 만무한 태호는, 수사에 도움이 될지도 모른다며 정웅에 관한 정보를 이야기하기 시작했다.

태호의 말에 따르면, 고등법원의 판사였던 정웅은 생각이 많은 사람이었다. 그는 온갖 비리를 저지른 기업인이 집행유예를 받고 풀려나는 장면을 똑똑히 보았으며, 기초생활수급자가 일주일을 내리 굶다가 라면 한 봉지를 훔친 혐의로 5년의 징역형을 받은 사실을 접했다. 동시에, 이별을 통보한 연인을 살해한 20대 남성이 "초범이고 앞날이 창창한 20대"라는 이유로 집행유예 판결을 받은 사실도 뉴스를 통해 자주 접했다.

이러한 상황에, 정웅은 죄책감을 느꼈다. 이 나라의 법은 액체와도 같아서, 담긴 그릇에 따라 모양을 달리했다. 그렇기에 법 앞에 만인은 평등하다는 말은 기만에 불과했다. 하지만 판사였던 그는 그 무엇도 개선할 수 없었다. 판사는 법에 따라 재판을 하는 사람이지, 부조리한 법을 바꾸는 사람은 아니었다. 그래서 그는 지금으로부터 약 6년 전에 사표를 던지고 시민단체에서 1년간 일하다, 민주평등당에 입당했다. 그리고 저번 총선에서 서울시 동한구의 지역구 국회의원으로 당선된 것이었다.

국회의원 남정웅은 올곧고 성실한 사람이었으며 원한을 살만한 성격이 아니었다. 국회 본회의 출석률이 100%인 극소수의 의원 중 하나였던 그는 국회, 집, 지역 사무소를 오가며 열심히 법을 만들어 왔다. 정웅의 관심사는 오로지 의정 활동뿐이었다. 여기까지가, 태호의 입에서 나온 증언이었다. 하지만 끝난 줄 알았던 태호의 증언은 아직 끝난 게 아니었다. 증언을 쉬지 않고 쏟아낸 태호는 잠시 숨을 고르더니, 정웅의 가족에 관한 이야기를 덧붙였다. 가족 문제로 온갖 비판과 비난을 받는 다른 의원들과는 달리, 정웅은 양친을 여읜 데다가 형제도 부양해야 할 자식도 없었고 지금까지 공부와 일에 묻혀 사느라 결혼은커녕 연애 한 번 해 본 적이 없는 독신남이었기에 비판과 비난을 받을 일이 전무했다. 태호의 증언은, 이를 끝으로 완전히 막을 내렸다.

얼마 후, 진과 수현이 탄 자동차가 남 의원의 지역 사무소가 있는 건물 앞에서 멈춰 섰다. 그 뒤를 이어, 감식반 수사관들의 차량이 속속들이 도착했다.

차에서 내린 두 형사와 수사관들은 건물 안으로 향했고, 6층에 있는 남 의원 사무소의 문 앞에 도달했다. 그러자 태호와 남 의원의 보좌관으로 보이는 사람들이 경찰들을 맞이했다.

창백한 낯빛의 태호는 맨 앞에 서 있는 두 경찰을 말없이 바라보았다. 그러다가 고개를 숙여 깍듯이 인사했다. 존경과 감사를 표하는, 그 나름의 방식이었다. 그런 태호의 곁에 서 있던 보좌관도 진과 수현을 향해 고개 숙여 인사했다. 이에 당황한 진과 수현 역시, 깍듯이 예를 표했다.

"어쩌면, 정치인을 노린 테러일지도 모르겠습니다. 남 의원은 업무 공문이나 민원보다 협박 편지를 많이 받은 의원 중 하나였거든요."

인사를 마친 태호가 고개를 들며 입을 열었다. 그리고 보좌관을 바라보며, 상황 설명을 부탁했다. 그러자 보좌관이 덜덜 떨리는 손을 꽉 쥐며, 자신이 목격한 장면을 이야기하기 시작했다. 때는 오늘 오전. 보좌관은 여느 때처럼 사무소로 출근했고, 이내 비린내를 감지했다. 그는 코를 찌르는 비린내를 따라 사무소 안을 이리저리 살폈고, 얼마 지나지 않아 남 의원의 방문 앞에서 멈춰 섰다. 문제의 냄새는, 남 의원의 방 안에서 흘러나오고 있었다. 그는 엄습해

오는 불길함을 억지로 떨쳐내며 손을 뻗어 문을 열었다. 그러자 더욱 짙은 피비린내와 참혹한 광경이 그를 향해 달려들었다. 어제 자신이 퇴근할 때까지만 해도 살아있던 남 의원은, 피투성이가 된 채로 바닥에 쓰러져있었다. 고인의 시선은 천장에 고정되어, 움직일 줄을 몰랐다.

도저히 믿을 수도 믿고 싶지도 않은 상황에, 보좌관이 바닥에 주저앉았다. 그러다 겨우 정신을 차리고 덜덜 떨리는 손으로 스마트폰을 꺼내 경찰에 신고하려 했다. 하지만 경찰을 싫어하는 태호를 떠올린 그는, 당 대표이자 남 의원의 막역한 친우인 태호에게 가장 먼저 남 의원의 소식을 전한 것이었다.

보좌관의 이야기를 경청한 진과 수현 일행은 라텍스 장갑을 끼고 신발 위에 족흔 방지 커버를 씌웠다. 이렇게 모든 준비를 마친 진은 사무소 출입문 위의 CCTV를 올려다보았다. 그러자 태호가 "형사님께서 지금 보고 계신 CCTV와 보좌관 자리 겸 민원인 상담 공간의 CCTV, 남 의원 방의 CCTV는 이 사무소에서 직접 관리합니다. 건물 출입구와 엘리베이터, 복도에 설치된 CCTV들은 이 건물의 관리소장 몫이고요."라고 말했다. 이를 가만히 듣고 있던 보좌관은, "'살아서도, 죽어서도 민중과 함께'가 좌우명이었던 의원님께서는, 지역 사무소를 쉼터처럼 사용해 왔습니다. 그래서 노숙인들도 자주 드나들고는 했습니다."라고 말했다. 그리고 "저는 사무소 출입문 손잡이와 의원님 방문 손잡이만 만졌습니다, 그 외의 것은, 저와 대표님 모두 손대지 않았습니다."라는 말을 덧붙였다.

두 사람의 설명을 들으며, 진이 시선을 내려 도어락이 설치된 문을 바라보았다. 훼손된 흔적이 없는 것을 보아서는, 남 의원이 문을 직접 열어줬거나 비밀번호를 아는 사람의 소행으로 보였다. 짧은 추리를 마친 그는 문에서 시선을 거두고, 사무소 안으로 들어갔다. 그런 그의 뒤를 수현과 수사관들이 따랐다. 살인 사건이 벌어진 장소치고는 흐트러진 것 하나 없는 공간이, 그들을 맞이했다. 아무래도 범인은 남 의원에게만 관심이 있었던 모양이었다.

진과 수현은 보좌관 자리 겸 민원인 상담 공간을 감식반의 수사관들에게 맡긴 뒤, 남 의원의 방 안에 발을 들였다. 피투성이가 된 채로 바닥에 등을 대고 누워있는 중년 남성의 모습이 두 사람의 시선을 붙잡았다. 사치스러움을 찾아볼 수 없는, 평범한 집무실. 그 한가운데서, 남 의원이 살해당했다.

"CCTV 기록이 담긴 하드디스크가 통째로 없어졌습니다. 살인범이 가져간 것 같습니다."

그때, CCTV 제어용 컴퓨터를 살핀 수사관이 진과 수현에게 다가와 보고했다. 그가 살핀 컴퓨터의 본체와 모니터에는 "CCTV 제어용"이라는 글씨가 인쇄된 종이가 붙어 있었다.

수사관의 말을 들은 진은 "알겠습니다. 나머지도, 모쪼록 잘 부탁드리겠습니다."라고 말하며, 남 의원을 향해 다가갔다. 그러자 바닥에 말라붙은 핏자국과 붉은 발자국들이 보였다. 피로 인해 생긴 붉은색 발자국에는, 신발 밑창에서 찾아볼 수 있는 문양이 없었다. 마치, 직육면체의 지우개에 잉크를 꼼꼼히 바른 다음 그대로 종이에 찍은 것처럼 밋밋한 형태였다. 이는 남 의원이 신고 있는 구두 때문에 생긴 게 아니었다. 남 의원이 신은 구두의 밑창에는 요철이 있는 문양이 새겨져 있었기 때문이다.

"범인의 발자국이야. 밑창에 새겨진 문양을 없애려고 밑창을 도려낸 모양이네. 이러면 제조사도, 모델도 알아낼 수 없는데."

쭈그리고 앉은 진이 입을 열었다. 그런 다음 날카로운 눈빛으로 발자국을 좇았다. 바닥의 붉은 발자국은 남 의원의 방 안에서만 발견되었으며, 보좌관들이 머무는 공간이나 출입구 그리고 창문 주변에서는 발견되지 않았다. 즉, 범인은 현장을 떠나기 전에 이 방에서 신발을 갈아신었다는 의미였다.

"발자국을 보아하니, 범인은 팔(八)자걸음에 O다리이고 원 회전 보행을…?"

핏빛 발자국을 유심히 관찰하던 수현이 굳은 표정으로 중얼거렸다. 그러자 진이 무슨 일이냐는 얼굴로 그를 바라보았다.

"오늘. 보육원 아이들의 빈소에서 나왔을 때, 독특한 걸음걸이로 걷는 사람을 봤어요. 젊은 편이었고…… 다부진 체격에, 마스크와 검은 야구모자를 쓰고 있었던 걸로 기억해요. 그 사람, 분명히 팔자걸음에 O다리였어요. 게다가 좌측 원 회전 보행을……!"
"독특한 걸음걸이라면, 나도 언뜻 봤어. 장례식장에서 너와 만나기 전에, 독특한 걸음걸이로 걷는 사람과 부딪쳤거든. 얼굴은 보지 못했지만, 검은색 야구모자를 쓰고 있었고… 목소리로 보아서는 젊은 남자 같더라."

두 사람은 일순간 침묵하며 서로 시선을 주고받았다. 그러고는 남 의원의 시신을 확인하고 사건 현장을 마저 살펴본 다음 장례식장의 CCTV와 사무소가 있는 건물의 CCTV를 확인해 보기로 하였다.

곧이어 수현은 진과 함께 남 의원의 몸을 살폈다. 피해자의 가슴과 배, 아래팔에서는 자창(刺創. 바늘, 송곳, 칼, 창 따위의 날카로운 것에 찔려서 생긴 상처)들을 찾아볼 수 있었다. 이중 가슴과 배에 남은 상처는 별다른 작업 없이 관찰할 수 있었다. 피해자가 입은 와이셔츠가 풀어 헤쳐진 상태였던 데다가, 셔츠 안의 민소매 속옷이 세로 방향으로 찢긴 상태였기에 가능한 일이었다.

"범인은…… 날카로운 흉기로 남정웅 의원의 배를 여러 번 찔렀어요. 팔에 남은 상처는 방어흔인 것 같고요. 상처의 형태로 보건대, 흉기는 칼 종류예요. 칼등과 칼날이 있는, 식칼이나 과도 같은 칼이요. 다만 범인이 사용한 흉기의 날은 과도의 날보다는 폭이 좁아요."

수현이 진의 눈을 바라보며 운을 뗐다. 그러고는 검지로 남 의원의 가슴 한가운데에 있는 자창을 가리키며 말을 이어 나갔다. 그가 가리킨 상처는, 남 의원의 가슴에 난 유일한 상처였다.

"남 의원의 몸에 올라탄 범인은, 고문을 끝내고 마지막에 심장을 찌를 생각이었던 게 분명해요. 그래서 가슴 한가운데, 심장이 있는 부분을 찌르기 전에 와이셔츠의 앞섶을 힘껏 잡아당겨서 단추들을 뜯어내고 속옷을 찢은 것 같은데……."

수현의 의견은, 단추가 뜯겨 나간 와이셔츠와 민소매 속옷에 남은 칼자국이 남 의원의 배에 있는 상처와 일치한다는 사실에 근거했다.

"'같은데'라니?" 진이 수현을 채근했다.

"가슴 한가운데에는, 흉골(胸骨) 혹은 복장뼈(sternum)라고 불리는… 매우 단단한 뼈가 있거든요. 일반적인 칼로는 절대 뚫리지 않아요. 뚫리기는커녕, 칼끝이 휘어버리죠. 오죽 단단하면, 심장 수술을 할 때 톱으로 흉골을 자르겠어요. 뭐, 맥가이버칼은 흉골을 뚫을 수 있을 정도로 단단하기는 하지만… 심장을 찌르기에는 너무 짧다는 게 문제죠."

"……범인이 사용한 흉기가 남 의원의 흉골을 뚫고 들어가서 심장을 찔렀다면, 범인이 흉기를 자체 제작했을 수도 있다는 거네? 아니면 기성품을 개조했거나."

진의 말에, 수현이 고개를 끄덕였다. 그러고는 조곤조곤 말을 이어 나갔다.

"흉기가 남 의원의 흉골을 뚫고 들어가서 심장을 찔렀다면…… 실험을 통해서 흉기의 정체를 알아내야 할 거예요. 신발 밑창을 없앤 범인이, 흉기를 버리고 갔을 리는 없으니까요."

실험이라는 단어에, 진이 일순간 움찔했다. 어째서인지 묘한 불길함이 스며든 탓이었다. 하지만 그는 애써 불안감을 쫓아내며 시신을 살피는 수현을 물끄러미 바라보았다. 수현은 남 의원의 입 안에서 찾아낸 섬유 조각을 보며, 범인이 남 의원의 비명을 원천 차단하기 위해 입 안에 수건을 욱여넣었다고 판단했다. 그런 다음, 이런저런 사실을 고려하여 정웅이 살해당한 시각을 유추해 냈다.

"사망 추정 시각은…… 어젯밤 10시에서 자정 사이로 보이네요."
"민원인이 범인일 가능성은 희박하겠군."

진이 흐음, 하는 소리를 내며 자리에서 일어섰다. 그러고는 정웅의 책상을 향해 발걸음을 옮겼다. 책상 위에는 깨끗한 모니터와 필기구 그리고 비밀번호가 설정된 스마트폰 한 대와 검은색 반지갑이 얌전히 놓여있었다. 스마트폰에 비밀번호가 설정되어 있다는 사실을 확인한 진은, 반지갑 안에서 오만 원권 1장과 만 원권 1장 그리고 체크카드 2장과 정웅의 주민등록증을 찾아냈다. 주민등록증에 인쇄된 사진은, 예리한 흉기에 찔려 목숨을 잃은 사람이 남 의원이라는 사실을 다시 한 번 증명해 주었다.
시선을 옮겨, 진은 책상의 다리를 겸하는 서랍들을 살피기 시작했다. 그는 다섯 개의 서랍 중, 맨 위의 서랍을 열었다. 그러자 반듯하게 놓인 서류뭉치 하나가 그를 맞이했다. 표지에 적혀있는 날짜를 보니, 약 3년 전에 작성된 것이었다. 그는 손을 뻗어 서류를 집어 들었다. 그리고 소리 내어 제목을 읽었다. 정치에 조금이라도 관심이 있거나 각종 언론사의 뉴스를 접한 사람이라면 모를 수 없는 법안의 이름을.

"포괄적 차별금지법 발의안."

포괄적 차별금지법. 국회에서 아주 오래전부터 논의되어 왔으나, 매번 법제사법위원회(법사위)를 넘지 못한 법안. 그래서 매번 발의와 계류를 반복하다 결국 국회의원들의 임기가 끝날 때 폐기되는 법안. 그것이 바로 포괄적 차별금지법이었다.
진은 남 의원이 법안을 발의했다는 소식을 접한 때를 떠올리며 표지를 넘겼다. 그리고 국회 홈페이지에서 보았던 차별금지법 발의안의 첫 문장을 소리 내 읽었다.

"인간의 존엄성은 침해되지 아니한다. 모든 국가 권력은 이 존엄성을 존중하고 보호할 의무를 진다. (Die Würde des Menschen ist unantastbar. Sie zu achten und zu schützen ist Verpflichtung aller staatlichen Gewalt.)"

진의 입에서 한국어로 번역된 문장이 흘러나왔다. 수현은 이를 가만히 듣고만 있었다.

"독일 기본법 제1조 제1항. 기본권에 관해 이야기할 때, 빠지지 않고 나왔던 문장이었어."

진이 복잡한 표정을 지으며 덧붙였다. 그러자 수현이 고개를 끄덕이며 중얼거리듯이 감탄했다.

"역시, 언제 들어도 예술적인 문장이에요."

진은 서류의 표지를 조심스레 덮었다. 그리고 서류를 원래 있던 자리에 그대로 두었다. 그는 나머지 서랍들을 하나씩 확인하기 시작했다. 네 개의 서랍에는 오름차순으로 정리된 서류들로 가득 채워져 있었다.

진은 포괄적 차별금지법에 대한 남 의원의 열정을 어렴풋이 느꼈다. 남 의원은 3년 전에 작성한 서류를 아직도 첫 번째 서랍에 고이 넣어두었다. 다른 서류들처럼 오름차순으로 정리할 수 있었는데도 말이다.

"없어진 서류는 없는 것 같아. 모두 빈틈없이 가득 채워져 있어. 물론, 흉기로 추정되는 물건도 없어. 돈과 카드도 지갑 속에 남아있고."

모든 서랍을 확인한 진이 수현을 향해 말했다. 그러자 책장을 모두 살핀 수현이 진에게 다가오며 말했다.

"이쪽도 마찬가지예요. 없어진 것도, 범인이 버리고 간 흉기도 없어요."

수현의 말에, 진이 눈을 찌푸렸다. 확실히 강도 살인은 아니었다. 금품이 목적이었다면, 사무소 안의 모든 물건에 손을 댔으리라. 하지만 범인은 아무것도 건드리지 않은 것처럼 보였다.

"권태호 대표의 말대로… 정치적 반대파가 벌인 짓일 수도. 아니면 쾌락이 목적이거나, 판사였던 남 의원에게 개인적인 원한이 있었거나."

"범인이 쾌락 살인범이라면, 이번이 첫 범행이 아닐지도 몰라요."

"……만일 이번 일이 처음이 아니라면, 이전에 저지른 살인을 경찰이 인지하지 못했던 거겠지. 아니면 아직 범인이 잡히지 않은, 미제 사건이라는 이야기고."

생각을 정리한 두 사람은 현장을 마저 살폈다. 그러던 중에, 수사관들에게서 보좌관 자리의 금품이 그대로라는 사실과 범행에 사용된 흉기로 추정되는 물건을 발견하지 못했다는 사실 그리고 특수한 방법을 통해 육안으로 관찰할 수 없었던, 밑창이 제거된 신발의 흔적을 찾아냈다는 사실을 전달받았다. 이렇게 현장의 증거들을 수집한 두 사람은, 관리소장이 담당하는 CCTV를 열람하기 위해 담당자인 건물의 관리소장을 찾았다. 하지만 남정웅 의원을 싫어하는 관리소장과 건물주가 매우 적대적이고 비협조적이었다. 진과 수현이 출근하기 전에 방문한 장례식장의 담당자 역시, CCTV를 보고 싶다면 영장을 가져오라는 반응을 보였다. 이에 진과 수현은 부검 영장과 함께 CCTV를 열람하기 위한 압수수색영장 등 수사에 필요한 각종 영장을 신청하기 위해 사무소를 나섰다. 그렇게 완전히 건물 밖으로 빠져나온 그들을 향해, 어느새 몰려든 기자들이 기다렸다는 듯이 달려들었다. 이들은 밖에 주차된 감식반 차량을 보고 달려왔거나 남 의원 사무소가 속한 건물에서 일하는 사람들의 제보를 받고 급히 현장을 찾은 터였다.

기자들은 남정웅 의원의 사인을 집요하게 캐물었다. 자살인가, 타살인가? 자살이라면 목을 매 죽었나, 독을 마시고 죽었나? 타살이라면 얼마나 괴로워하다 목숨이 끊어졌나? 모두 고인에게 던져서는 안 될, 무례한 질문이었다. 그러나 그들은 망자의 존엄에는 관심이 없었다. 죽은 사람은 죽은 사람일 뿐이다. 산 사람은 살아야 하지 않겠는가. 기자들은 그리 생각하며 마이크를 들이밀고, 플래시를 터트리며 사진을 찍었다. 그렇게 오늘도 누군가의 죽음은 상품이 되어 팔릴 예정이었다.

하지만 진과 수현은 이러한 '법칙'에 동조하지 않았다. 두 사람은 그저 침묵을 유지한 채, 당당히 발걸음을 옮겼다. 침묵만이 남 의원의 존엄을 지킬 수 있는 유일한 방법이었다.

*

때는 남 의원의 죽음이 전파를 타고 퍼진 직후. 고급 찻집의 VIP룸에서 '기업인과의 대화'가 이루어지고 있었다. 자리를 채운 사람들은, 중년의 다선 국회의원 두 명과 최성욱이었다. 원래 이 자리에는 유인영까지 총 네 명이 모였어야 했다. 그러나 인영은 입원 중이라, 부득이하게 셋만 모인 상황이었다.

"그나저나, 남정웅 의원 지역구가 공석이 됐구먼. 다가올 총선 기다리느라 목이 빠지겠어?"

여당의 대표인 김창근이 장난스레 말했다. 그러자 야당 중 가장 많은 의석을 차지한 정당, 즉 제1야당의 대표인 임규혁이 킬킬거리며 대꾸했다.

"뭘 그렇게 애태우십니까, 형님? 반년만 기다리면 총선인데."

대중의 눈에 비추어진 여당 국회의원들과 제1야당 국회의원들은, 매번 날카로운 설전을 주고받는 사이였다. 하지만 앞서 언급한 모습은 국회에서만 보이는, 그러니까 공적인 자리에서만 보이는 모습이었다. 사적인 자리에서 그들은 언제 그랬냐는 듯이 친근함을 과시했다. 이는 지역구 국회의원 대부분이, 대학생 혹은 고등학생 시절 선후배 관계이거나 동급생이었기에 가능한 것이었다. 한마디로, '적대적 공생'인 셈이었다.

거대 양당의 대표인 그들은 남 의원의 자리를 노리고 있었다. 원래라면 내년 4월의 재보궐 선거를 통해 남 의원의 남은 임기를 대신할 국회의원을 뽑아야 할 터였다. 그러나 이번만큼은 달랐다. 약 4년 전의 개헌을 통해 그들은 대통령 선거와 국회의원 선거를 같은 날에 치르기로 합의했다. 그리고 편의를 위해, 개헌 이후 첫 국회의원 선거와 재보궐 선거를 통합했다. 그렇기에 거대 양당은 재보궐 선거가 아닌 국회의원 선거, 즉 총선에서 남 의원의 자리를 차지하고자 했다.

"……아무리 그래도, 동료 의원께서 돌아가셨는데. 선거 이야기는 조금 그렇지 않습니까?"

창근과 규혁의 대화를 듣던 성욱이 헛기침하며 운을 뗐다. 그러자 창근과 규혁이 어색한 웃음을 지으며 사과했다.

"어이쿠, 죄송합니다."

"원래 국회가 의석 하나로 승패가 갈리지 않습니까? 회장님께서 넓은 아량으로 이해해 주십시오."

그들은 복잡한 표정을 짓는 성욱의 눈치를 보더니, 재빠르게 화제를 전환했다.

"그건 그렇고… 요즘 회사는 어떻습니까?" 창근이 조심스레 물었다.

"그럭저럭 버티는 중입니다. 최저임금이 매해 오르는 데다가, 노동법 때문에 사직을 권고하거나 정리해고를 쉽게 할 수도 없는 상황이니까요." 성욱이 한숨을 쉬며 대답했다. 그러고는 재빠르게 "물론 최저임금은 오르는 게 당연한 이치입니다만."이라는 말을 덧붙였다.

"성일 그룹이 그럭저럭이라면, 인화 그룹도 마찬가지겠군요. 중소기업과 소상공인은 더 어려울 테고."

성욱의 말을 들은 규혁이 제 일처럼 걱정했다. 그럴 수밖에 없었다. 경제가 어렵다는 말은 어떤 정권에서든 빠지지 않았다. 그만큼 전 세계적으로 어려운 상황이었다. 그렇기에 창근과 규혁은 필사적이었다. 어떻게든 경제를 살려놓아야 유권자의 선택을 받을 수 있었다.

"희망퇴직을 받는 것도 한계가 있으니… 자진 퇴사를 유도할 수 있는 다른 방법이 있으면 좋을 텐데요. 쉽지는 않겠지만……."

성욱이 중얼거리듯 말했다. 그러자 창근과 규혁이 눈을 빛내며 좋은 생각이라고 입을 모았다. 그리고 성욱에게 조만간 화끈한 해결

책을 들고 찾아뵙겠다고 호언장담했다. 성욱이 어떤 생각을 하고 있는지 꿈에도 모른 채로.

*

신청한 영장이 발부되기를 기다리는 동안, 진과 수현은 가장 먼저 정웅의 가족관계를 확인해 보았다. 태호의 말대로, 양친을 여읜 정웅은 형제도 부양해야 할 자식도 없는 독신남이었다. 이렇게 확인을 마친 두 형사는 각 지역의 경찰청에 연락해, 남 의원의 죽음과 유사한 사례가 있는지 확인해 달라고 요청했다. 물론 이랑에게 자초지종을 설명한 뒤, 디지털 포렌식을 요청하며 남 의원의 책상 위에 있던 스마트폰을 넘기는 것도 잊지 않았다. 그런 다음에는 권 대표와 보좌관들의 알리바이를 확인했고, 그들 모두에게 확실한 알리바이가 있다고 결론지으며 보고된 살인 사건들을 확인했다. 하지만 유사 사건은 찾을 수 없었다.

그때, 두 형사에게 두 가지 소식이 전달되었다. 첫 번째는 포렌식을 마친 이랑의 연락이었다. 이랑은 스마트폰 속의 데이터가 최근에 삭제된 기록은 없으며 수상한 흔적이나 의심되는 통화 기록 등이 없다는 사실을 알려왔다. 이렇게 수현이 이랑과의 통화를 마치고 얼마 지나지 않아, 두 번째 소식… 즉, 부검에 필요한 영장이 발부되었다는 소식이 진에게 전달되었다. 이에 진과 수현은 부검을 위해 국과수를 찾았다. 싸늘한 공기가 감도는 부검실에 도착한 진과 수현은, 남 의원의 시신이 놓인 부검대 앞에 섰다. 흰색의 커다란 천이 남 의원의 전신을 덮은 채였다.

본격적으로 부검에 들어간 수현은 남 의원의 흉골과 심장을 살폈다. 가슴 한복판에 있는 길쭉하고 납작한 뼈인 흉골은, 갈비연골을 통해 갈비뼈와 연결되어 있다. 그렇기에 심장과 주요 혈관을 보호하는 아주 중요한 역할을 한다. 하지만 남 의원의 복장뼈는 심장을 보호하지 못했다. 범인의 흉기가 복장뼈를 완전히 뚫고 들어가 심장을 찌른 탓이었다.

“남 의원은, 고문당한 끝에 예리한 흉기에 심장이 찔려서 사망한 게 확실해요. 과도의 날보다 폭이 좁은 날이, 여기. 흉골을 그대로 뚫고 들어가 단번에 심장을 찔렀어요.”

수현이 남 의원의 복장뼈를 가리키며 입을 열었다. 그러고는 부검을 이어 나갔다. 그가 예측했던 대로, 부검을 통해 밝혀진 남 의원의 사망 추정 시각은 어젯밤 10시에서 자정 사이였다. 이렇게 부검을 끝낸 수현은 시신을 수습하기 시작했다.
그때, 진에게 전화 한 통과 여러 개의 메시지가 동시에 날아들었다. 전화를 건 사람은 국과수의 정밀 감식 담당자였으며, 메시지를 보낸 사람들은 각 지역 경찰청에 설치된 미제 사건 전담팀의 팀장들과 강력계에 몸담은 형사들이었다. 이들을 통해, 진은 남 의원의 지역 사무소에서 수많은 사람의 흔적이 발견되었으며 남 의원의 몸과 옷에서는 그 누구의 흔적도 발견되지 않았다는 사실 그리고 남 의원 살해 사건과 유사한 사건이 없다는 사실을 전달받았다. 이러한 정보들은 수현에게도 전해졌다.
얼마 뒤, 부검실 밖으로 나온 진과 수현은 추가로 영장이 발부되었다는 소식을 접했다. 이에 두 사람은 장례식장의 CCTV와 관리소장이 담당하는 CCTV에 녹화된 영상 데이터를 확보했다. 인내

끝에 찾아낸, 단 한 명뿐인 용의자는 어젯밤 11시 31분에 건물 안에 발을 들였으며 야구모자와 장갑 그리고 마스크 등으로 전신을 가리고 등산용 배낭을 등에 멘 상태였다. 그런 그가 착용한 물건은 모두 검은색이었다.

"장례식장에서 본 걸음걸이하고 똑같은데?"

용의자의 움직임을 눈으로 좇던 진이 저도 모르게 음성을 입 밖에 냈다. 그런 그의 곁에 있던 수현은 소리를 내는 대신, 고개를 끄덕여 진의 의견에 동의를 표했다.

"아쉽네. 마스크만 아니었어도, 장례식장 CCTV 기록을 활용하거나… 네 기억을 토대로 몽타주를 그릴 수 있었을 텐데."
"그래도, 우리에게는 유력한 용의자의 걸음걸이가 담긴 영상이 있으니까요."

얼굴을 몰라도, 지문이 없어도 상관없다. 그들에게는 범인의 걸음걸이라는, 지문이나 DNA와 같은 '결정적인 물증'이 있었고 세상에는 이러한 '범인의 걸음걸이'를 분석하는 "법보행 분석(Forensic Gait Analysis)"이라는 수사기법이 존재했다.
실마리를 손에 넣은 진과 수현은 이어서 장례식장의 CCTV에 녹화된 영상을 확인했다. 영상을 유심히 보던 수현은, 몇 번을 봐도 남 의원 지역 사무소가 있는 건물에 발을 들였던 그 사람과 방금 본 영상 속 사람의 독특한 걸음걸이가 완벽히 일치한다는 분석을 다시금 내놓았다. 이에 진은 수현의 분석 결과와 범인의 걸음걸이가 담긴 영상을 권 대표와 남 의원의 보좌관들에게 전달했다. 영상을 본 권 대표와 보좌관들은 입을 모아, 범인의 걸음걸이와 똑같은 걸음걸이를 지닌 사람을 본 적이 있다고 말해왔다. 젊은 남성으로 보이는 '그 사람'은 당시 국회의원 후보였던 정웅의 길거리 유세에 매일같이 나타나 열렬한 지지를 보냈던 모양이었다. 하지만 그는 야구모자와 검은색 선글라스를 쓴 상태였기에, 권 대표와 보좌관들은 그의 맨얼굴을 알 수 없었다. 또한 얼굴을 가린 그가 딱히 수상한 행동을 했던 적도 없었던지라, 그들은 그에게 이름을 묻지 않았다. 정웅 일행에게, '그 사람'은 '정웅의 열렬한 지지자 중 하나'로 기억되었다. 이러한 진술을 들은 진과 수현은, 남 의원 살해 사건을 '원한에 의한 살인'이 아닌 '쾌락 살인'이라고 판단했다. 하지만 범인의 속내까지는 꿰뚫을 수 없었다.

'자신이 열렬히 지지하던 정치인을, 쾌락을 얻기 위해 살해했다…….'

진과 수현은 범인에게 심경의 변화가 있었으리라고 짐작했다. 혹은 남 의원을 향한 지지가 순수한 마음에서 우러나온 것이 아닌, 비뚤어진 감정이었거나. 그렇지 않은 이상, 자신이 열렬히 지지하던 사람을 잔인하게 고문한 끝에 살해할 이유가 없었다.

흐릿했던 범인의 형체가 점점 뚜렷해지는 것을 느끼며, 진과 수현은 태호와 보좌관들의 도움을 받아 남 의원의 행적을 뒤쫓았다. 그리고 독이 든 음식을 받았다는 보육원들이, 모두 남 의원이 후원하던 보육원이라는 사실을 알아냈다. 단순한 우연이라고 넘기기에는 힘들었기에, 두 형사는 보육원 독살 사건을 담당하는 형사들에게 연락을 취했다. 그리고 독특한 걸음걸이가 담긴 CCTV 영상을 보여주며, 이런 걸음걸이를 보육원 사건을 수사하면서 접한 적이 있느냐고 물었다. 그러자 형사들이 난색을 표하더니, 실은 보육원 사건을 상세히 파헤쳐 보지는 못했다고 털어놓았다. 국민이 혐오하는 시설에서 발생한 범죄보다, 더 중요하고 가치 있는 사건을 해결하라는…… 윗선의 터무니없는 압력이 그들을 '더 중요한 다른 사건'을 해결하도록 만든 탓이었다.

이에 진은 입술을 짓씹으며 범인과의 술래잡기를 이어 나갈 수밖에 없었다. 그는 교통계 경찰들과 함께, 보육원과 보육원 인근 도로 그리고 용의자가 찾았던 장례식장 인근 도로와 남 의원 지역 사무소 인근 도로 등에 설치된 CCTV를 확인하는 작업에 착수했다. 범인의 이동 경로를 알아내기 위해서는, 사건 현장에 있었던 자동차의 블랙박스에 저장된 영상도 반드시 확인해야만 하는 상황이었다. 한편 수현은 범인이 사용한 흉기를 유추해 내기 위한 '실험'이 필요하다며 자리를 떴다. 진은 그런 수현의 뒷모습을 불안한 눈빛으로 바라보았다. 수현에게서 순수한 광기가 느껴졌기 때문이다. 별에서 빛과 열이 뿜어져 나오듯이, 그에게서는 강렬하면서도 티끌 하나 없는 분위기가 흘러나왔다.

진과 잠시 헤어진 수현은 한 가게 앞에서 멈춰 서더니, 간판을 확인한 후 안으로 들어갔다. 그러자 중년의 남성이 그를 반겼다. 수현은 벽면에 전시된 수많은 종류의 나이프들을 천천히 살폈다. 역시, 수도권 최대의 나이프 상가라는 말은 거짓이 아니었다. 그는 고개를 돌려 남성을 향해 물었다.

"사장님. 여기 있는 나이프, 전부 살 수 있을까요?"

수현을 알아본 사장은 흔쾌히 가게의 모든 나이프를, 원래 가격보다 싼값에 내주었다. 수현이 나이프들을 사건 해결을 위해 쓸 생각이라고 직감한 까닭이었다. 그런 그를 향해, 수현은 감사 인사를 건넸다. 그리고 나이프가 가득 들어있는 부직포 쇼핑백을 양손에 든 채 집으로 향했다.

얼마 뒤, 집에 도착한 수현은 화장실에서 손을 깨끗이 씻은 후 곧장 거실로 향했다. 그리고 식탁 위에서 쇼핑백을 뒤집었다. 그러자 나이프들이 식탁 위로 한가득 쏟아져 내렸다. 하지만 그는 아직 부족하다고 느꼈는지, 코트를 벗으며 주방으로 향했다. 그리고 요리할 때 쓰기 위해 마련해 두었던 칼들을 모두 집어 들었다. 이렇게 두 손에 칼을 한가득 들은 수현이 거실 식탁 앞으로 되돌아왔다.

수현은 주방에서 가져온 칼과 가게에서 사 온 나이프를 가지런히 식탁 위에 늘어놓았다. 그리고 제 앞에 놓인 온갖 흉기들을 바라보더니, 손을 뻗어 나이프 하나를 집어 들었다. 그런 다음, 나이프의 날 부분에 씌워진 뚜껑을 빼냈다. 그러자 은색의 날이 모습을 드러냈다.

은빛으로 빛나는 칼에 흐리게 비친 제 얼굴을 바라보며, 수현은 잠시 과거를 떠올렸다. 고향에서 지금과 비슷한 상황을 겪은 적이 있었다. 그러나 그때는 지금과는 달랐다. 장소도, 옆에 있는 사람도.

때는 수현이 고향을 떠나기 전, 외상센터의 센터장이던 시절이었다. 그는 수술복 차림인 채, 오른손에 메스를 들고 서 있었다. 그런 그의 곁에는 도정민이 있었다. 정민은 수현과 상의할 일이 있어 센터장실로 찾아온 터였다. 하지만 그는 자신이 무얼 말하려 했는지 잊어버렸다. 왜냐하면, 새로운 수술법을 연구한답시고 메스로 본인의 가슴팍을 난도질하고 있는 수현을 봐 버렸으니까.

"그만둬요!"

정민은 메스를 든 수현의 손목을 꽉 잡은 채 놓아주지 않았다. 그는 수현의 자해를 어떻게 해서든 저지할 요량이었다.

"도정민 씨. 이거 놔요." 수현이 차분히 말했다.
"싫어요!"

정민이 이를 악물며 완강히 버텼다. 그러자 수현이 언성을 높였다.

"이러다 다쳐요!"
"그만두겠다고 약속하면, 놓을게요."

포기를 모르는 정민의 태도에, 결국 수현이 한숨을 내쉬며 항복을 선언했다.

"알았어요. 안 할게요."

정민은 그제야 그의 손목을 놓아주었다. 수현은 정민에게 잡혔던 부분을, 반대쪽 손으로 문지르기만 할 뿐이었다. 정민은 그런 그를 보며 벌컥 화를 냈다.

“아무리 안 죽는다고 해도… 아무리 사랑받고 싶다고 해도, 이건 너무 심하잖아요!!!”

그러나 수현은 정민의 분노를 도무지 이해하지 못하겠다는 듯, 고개를 갸웃하며 물었다.

“대체 뭐가 심하다는 거예요?”

정민은 일순간 할 말을 잃었다. 수현은 그런 그를 향해 싱긋 웃으며 말을 계속했다.

“심장이 터지고 목이 날아가도 순식간에 원상 복구되는데. 이 정도는 아무것도 아니에요. 고작 상처 몇 개 나는 것 가지고.”

정민은 천진난만하게 웃는 수현을 복잡한 심경으로 바라보았다. 애석하게도, 수현이 한 말 중에 틀린 것은 하나도 없었다. 초월적인 재생능력을 지닌 영원불멸한 존재에게, 신체의 손상으로 인한 고통이란 무의미했다.
그는 수현의 가슴팍을 노려보았다. 조금 전까지만 해도 흘러내리던 피는 어느새 멎은 상태였다. 곧이어 그는 고개를 살짝 들어 수현의 눈을 똑바로 바라보았다.

“자기 몸을 소중히 여기지 않는 사람이…… 어떻게 다른 사람을 소중하게 여길 수 있겠어요?"

정민이 나직이 속삭이듯 말했다. 곱씹을 가치가 있는 말이었다. 당시에도, 그리고 지금도.
회상을 마친 수현은 들고 있던 나이프의 손잡이를 만지작거리며 독백했다.

"도정민 씨 말이 맞아요. 자기 몸 귀한 줄 모르는 사람은, 다른 사람을 소중히 여길 수 없어요. 그런데… 나는 아니에요. 지금의 나는, 당신이 말한 것과는 정반대야."

수현이 광기와 선의가 뒤섞인 웃음을 지었다. 그리고 나이프의 날이 자신을 향하도록 고쳐 쥐었다.

"사랑하니까…… 이러는 거지."

그는 자신의 복장뼈를 향해 나이프를 겨눴고, 이내 망설임 없이 칼을 박아 넣었다. 하지만 결과는 시원치 않았다. 그가 고른 나이프는 복장뼈를 완전히 뚫지 못했다. 이에 수현은 찌푸리며 나이프를 던지듯이 식탁 위에 내려놓았다. 그러자 나이프의 날에 묻은 핏방울이 식탁 위에 튀었다.
그는 남 의원의 목숨을 앗아간 치명적인 상처의 형태를 떠올리며 다음 타자를 골랐고, 선택한 칼로 심장을 찔렀다. 하지만 또 실패였다. 이번에 고른 칼은, 칼끝이 복장뼈에 닿자마자 휘어지고 말았다.

수현은 칼을 고르고 제 심장에 찔러넣는 '실험'을 기계적으로 반복했다. 그러나 그 어떤 흉기도 흉골 뒤에 있는 심장을 찌르지 못했다.

"안 들어가잖아……."

수현이 중얼거리며 들고 있던 칼을 놓았다. 칼은 선혈이 낭자한 바닥에 떨어지며 텅! 하는 소리를 냈다.

'흉기가 칼인 건 확실하지만… 역시, 기성품은 아니라는 건가?'

수현은 표정을 구긴 채로 생각에 잠겼다. 그렇게 몇 분이 흘러갔다. 그는 무언가에 홀린 듯이 쭈그리고 앉더니, 바닥에서 뒹굴던 과도를 집어 들었다. 칼날의 길이를 봤을 때, 범인이 사용했을 것으로 추정되는 흉기와 가장 비슷한 것이 바로 과도였다.

'복장뼈 너머에 있는 심장을 단번에 찌르려면, 같은 힘을 더 효율적으로 사용해야 해. 그렇다면…….'

수현은 자리에서 일어서 주방으로 향했다. 그리고 싱크대 앞 찬장에서 칼날을 가는 데 쓰는 숫돌을 꺼냈다. 그는 망설임 없이 과도의 날을 갈기 시작했고, 얼마 뒤 더는 과도라고 부를 수 없는 흉기를 손에 넣었다. 곧이어 그는 이렇게 개조한 과도의 날카로운 칼끝을 제 복장뼈를 향하도록 했다. 그리고 힘을 실어 그대로 찔렀다. 예상했던 대로, 실험은 성공적이었다. 뾰족하고 단단한 칼날은 단번에 흉골 너머에 있는 심장을 찔렀다!
수현은 환희에 찬 표정을 지으며 심장을 물어뜯은 칼을 뽑아냈다. 그러자 피가 분수처럼 뿜어져 나왔다. 하지만 상처가 순식간에 아문 덕분에, 붉은 폭포는 더 이상 흐르지 않았다.
만족스러운 결과를 얻어낸 그는 스마트폰을 사용해 진에게 연락했다. 진은 수현과의 통화를 위해서 주차된 전기차 안으로 몸을 피했다. 수현은 그가 전기차에 탄 사실을 확인하고는 곧바로 '실험 결과'를 전달했다. 이에 진은 아연실색했다. 수현이 언급했던 '실험'의 정체를 어렴풋이 예상했었는데도 말이다. 그만큼 수현의 광기는 소름 끼쳤으며, 이해하기 힘들었다.

"……너는 지구인이 아니잖아. 네 몸에 실험해 봤자, 소용없지 않아?"

전기차의 운전대를 잡은 두 손에 힘을 잔뜩 실은 진이 의문을 제기했다. 그러자 수현이 싱긋 웃으며 답했다.

"내가 그런 기본적인 것도 고려하지 않았을까 봐요? 걱정하지 말아요. 내 기본적인 신체 구조는 지구인과 거의 같으니까."
"거의?"
"네. 거의요."
깔끔한 결론이었다. 너무나 깔끔해서, 반박할 여지가 없을 정도였다. 물론 '거의'라는 단어가 조금 신경 쓰였지만 말이다.
진은 한숨을 내쉬었다. 그러고는 '거의'라는 말이 불러일으킨 호기심을 애써 억누르며, 저와 교통계 경찰들이 알아낸 사실을 수현에게 말해주었다. 현재 그와 교통계 경찰들은 CCTV와 블랙박스를 계속 살피고 있었으며 지금까지는 유의미한 단서를 찾지 못한 상태였다. 이에 수현은 기록 확인 작업에 합류하겠다고 말한 뒤 전화를 끊고는, 제가 어지른 공간을 재빠르게 정리한 다음 영상 확인 작업에 손을 보탰다.

얼마 뒤, 수현은 보육원 주변에 주차됐던 적이 있는 자동차의 블랙박스에서 독특한 걸음걸이를 찾아냈다. 남 의원을 살해한 자와 똑같은 걸음걸이에, 검은색 마스크와 의복 등으로 머리부터 발끝 그리고 손끝까지 가린 사람. 익숙한 걸음걸이의 '그 사람'이, 또다시 모습을 드러냈다. 하지만 그뿐이었다. 두 형사와 교통계 경찰들은 더 이상 새로운 단서를 찾아내지 못했다. 아무리 과학 기술이 발전했다지만, 기술의 사각지대는 여전히 존재했다. 상황이 이러니, 남은 방도는 단 하나. 공개수배뿐이었다.

"왜인지는 모르겠지만, 범인은 남 의원을 향한 마음을 끊으려고 한 거야. 그래서…… 세상에서 남 의원의 흔적을 완전히 없앨 생각으로, 남 의원이 후원하던 보육원에 독을 든 음식을 보낸 거라고."

진이 확신에 찬 눈빛으로 읊조렸다. 그러자 수현이 가라앉은 표정을 지으며 천천히 고개를 끄덕였다. 이렇게 짧은 이야기를 마친 두 사람은 공개수배가 필요하다는 의견을 윗선에 보고했고, 윗선은 두 사람의 의견을 받아들였다. 무려 현직 국회의원이 살해당한 사건이었기에, 공개수배 결정은 그 어떠한 때보다 빠르게 내려졌다. 보육원 독살 사건을 대할 때와는 완전히 다른 태도였다.

공개 수배지에는 범인의 모습이 찍힌 CCTV 영상 화면과 수현이 작성한 범인의 걸음걸이에 대한 정보가 실렸다. 수현은 범인의 걸음걸이를 내반슬 보행, 외족지 보행 그리고 좌측 원 회전 보행이라고 정의했다. 내반슬 보행은 흔히 "O다리"라고도 불리며, 외족지 보행은 팔(八)자걸음이라고 불리는 걸음걸이이다. 그리고 원 회전 보행은 앞으로 걸어갈 때, 발이 바깥쪽으로 갔다가 원을 그리듯이 안으로 들어오는 형태의 걸음걸이를 말한다. 이 중 "내반슬 보행"은 젊은 사람에게서는 찾아보기 힘든 걸음걸이였으며 "원 회전 보행"은 뇌성마비 환자나 중풍을 앓았던 사람에게 나타나는 걸음걸이였다. 즉 범인의 걸음걸이는, 젊고 건강한 청년에게서는 흔히 볼 수 없는 걸음걸이라는 의미였다. 게다가 앞서 언급한 세 가지의 걸음걸이가 한꺼번에 나타나는 경우는 극히 드물었기에…… 범인의 걸음걸이가 담긴 CCTV 영상은 귀중한 단서이자 간접증거였다.

*

진과 수현이 남 의원의 지역 사무소가 있는 건물의 출입구 CCTV 기록을 열람하는 동안, 규혁은 사무실 책상 앞에 앉아 골똘히 생각에 잠겼다. 그는 어떻게든 성욱을 포함한 기업가들의 편의를 봐줄 생각이었다. 이 나라는 대기업이 없으면 망할 수밖에 없다. 그는 그리 생각했다.

그러나 쉽지 않았다. 최저임금을 삭감하거나 동결했다가는, 노동자들이 들고일어날 게 뻔했다. 쉬운 해고를 가능케 하겠답시고 근로기준법을 뜯어고치는 것 역시 마찬가지였다. 이에 그는 한숨을 내쉬며 쥐고 있던 볼펜으로 빈 종이를 톡톡 두드렸다. 텅 빈 A4용지에 답이 있을 리 만무했지만, 이렇게라도 해야 불안감을 쫓을 수 있었다.
그렇게 얼마나 시간이 흘렀을까. 톡, 톡, 톡. 규칙적으로 울리던 소리가 멎었다. 규혁은 무언가에 홀린 듯 볼펜을 내려놓으며 자리에서 일어나더니, 약 3년 전에 받았던 서류를 찾기 위해 책장을 뒤적이기 시작했다.
이윽고, 그런 그가 찾아낸 서류는 남정웅 의원의 포괄적 차별금지법 발의안이었다. 그는 표지를 넘겨, 눈길을 사로잡은 문장 하나를 중얼거렸다.

"모든 차별에 반대한다……."

그 순간, 규혁의 눈에 환희의 빛이 서렸다. 그는 성욱이 중얼거리듯 말했던 "자진 퇴사를 유도할 수 있으면 좋을 텐데 말입니다. 쉽지는 않겠지만……."이라는 말을 마음에 담아두고 있었다. 성욱의 입에서 나온 문장과 남 의원의 죽음이, 규혁을 약 3년 전에 발의되었던 법안 앞으로 이끈 셈이었다.

'이거다…! 이 법안을 이용하면…!'

서류를 쥔 규혁의 손이, 기쁨을 주체하지 못하고 덜덜 떨렸다. 포괄적 차별금지법은 상임위원회 중 하나인 법사위를 끝끝내 통과하지 못한 법안이었다. 즉, 국회의원들이 보기에 쓸모없는 법안이었다. 하지만 쓸모가 없다는 것도 어느새 옛말이 되었다.
그는 스마트폰을 꺼내, 창근에게 전화를 걸었다. 어서 이 기쁜 소식을 알려야 했다.

"김창근 형님! 아니, 아니지. 김창근 대표님."
"무슨 일이야? 갑자기 왜 대표님이라고 해? 불안하게."
"제게 좋은 생각이 있습니다. 계류 중인 차별금지법 발의안을, 폐기하면 됩니다!"

창근이 규혁의 말을 완전히 이해하는 데에는 시간이 걸렸다. 이는 규혁이 모든 설명을 생략하고 다짜고짜 차별금지법을 언급한 탓이었다.
규혁은 당황한 창근을 위해 자신이 생각해 낸 계획을 하나도 빠짐없이 알려주었다. 그러자 창근이 만족스러움이 담긴 너털웃음을 터트리며 말했다.

"좋네, 약육강식."

그들은 내일 당장 기자회견을 열기로 합의했다. 모든 것이 일사천리였다. 창근과 규혁은 정치적인 이념도 성향도 달랐지만, 같은 목적 앞에서는 얼마든지 손잡을 수 있었다. 그렇기에 미개한 유권자들의 표를 위해서라면, 죽은 동료 의원을 이용하는 것 정도는 일도 아니었다.

*

전국에 공개수배가 내려진 시점은, 진과 수현이 남 의원의 죽음에 숨겨진 비밀을 파헤치기 시작한 다음 날 오전 1시~2시쯤이었다. 진과 수현 그리고 윗선의 명령으로 두 형사를 보조하게 된 형사들은 유선 전화기 앞에서 제보가 들어오기만을 손꼽아 기다렸다. 하지만 밤중인지라, 특수사건전담팀과 형사들의 책상 위에 놓인 유선 전화기는 조용하기만 했다. 간혹 전화벨이 울리기는 하였으나, 사건과는 관련이 없는 장난 전화가 대다수였다.

그렇게 시간이 흐르고, 하늘을 가득 채웠던 어둠이 완전히 물러났다. 진과 수현을 비롯한 형사들은 여전히 유선 전화기 앞을 지키고 있었다. 하지만 유선 전화기를 뚫어지게 응시하던 진을 움직이게 만든 건, 제보자의 전화가 아니라 살인 사건 현장에 출동한 경찰의 전화였다. 스마트폰 너머의 형사는 피해자의 가슴 한가운데에 자창이 있다며, 남 의원 살해 사건의 범인이 저지른 짓 같다고 말해왔다. 이에 진과 수현은 형사가 알려준 주소지로 달려갔다.

얼마 뒤, 두 사람은 한 주택 단지 인근의 야산에 도착했다. 그들은 현장에 있던 형사의 안내를 받아, 야산 안에 있는 공원으로 향했다. 문제의 야산은 해가 지면 인적이 뜸해졌고, 진입로에만 CCTV가 설치되어 있었다. 게다가 공원 안에 설치된 가로등은 턱없이 적어, 어둠을 밝히기에는 역부족이었다. 이렇듯 야산은 살인 사건이 벌어지기에 최상의 조건을 갖춘 장소였다.

이윽고 폴리스라인 안으로 들어간 진과 수현은 흰색 천이 덮인 시신 한 구를 마주했다. 그들이 천을 걷어내자, 산책로 위에 쓰러진 채로 하늘을 바라보고 있는 시신이 모습을 드러냈다. 피해자의 교복에 부착된 명찰과 학생증에 적힌 이름에 따르면, 피해자의 이름은 강하나였다. 그런 그의 곁에는, 밑창이 제거된 신발 때문에 생긴 것으로 추정되는 붉은 발자국 일부가 남아 있었다.

신고 전화를 받고 현장에 도착한 경찰들은, 어젯밤 지름길을 통해 귀가하던 중 습격당한 것 같다고 말했다. 수현은 그들의 설명을 들으며 고인을 살폈다. 피해자의 가슴 한가운데와 복부에 난 자창의 모양새. 여기에, 방어흔과 입 속에 남아 있는 섬유 조각까지. 모든 요소가 남 의원의 죽음을 연상케 했다. 필시, 남 의원을 죽인 살인자가 벌인 짓이리라. 남 의원이 고문당한 끝에 심장을 공격당했다는 사실은 공개 수배지에 실리지도, 언론에 알려지지도 않았으므로.

계속 하나를 살피던 수현은 하나가 어제 오후 11시에서 오늘 오전 1시 사이에, 즉 공개수배가 내려지기 전에 목숨을 잃은 것 같다고 말했다. 그의 말을 반추하던 진은 표정을 구기며 입을 열었다.

"범인은 남 의원을 쫓아다녔듯이, 강하나 주변을 맴돌았을 테고…." 진이 흐음, 하는 소리를 냈다. 그러고는 다시 말을 이었다.
"그런데…… 대체 무슨 기준으로 희생자를 고른 거지? 남 의원과 강하나는, 공통점이 없잖아."
"그렇죠. 직업, 나이 등등… 공통점이라고는 하나도 없네요."
"……강하나 학생의 부모님을 만나서, 자세한 이야기를 들어야겠어."

이야기를 마친 두 사람은 감식반 수사관들과 함께 현장을 살폈다. 이러한 과정에서, 하나의 목숨을 앗아간 것으로 추정되는 흉기는 끝내 발견되지 않았다. 이에 두 형사는 이번에도 범인이 흉기를 가져갔으리라고 생각하며, 진입로의 CCTV에 녹화된 영상을 확인하기 위해 발걸음을 옮겼다. 그리고 녹화된 영상 속에서, 사건이 일어났을 것으로 추정되는 시간대에 야산 안팎을 드나든 유일한 용의자를 찾아냈다. 검은색 옷과 마스크 등으로 전신을 가린 용의자의 걸음걸이를 본 수현은, 이번에 촬영된 걸음걸이 역시 장례식장과 남 의원 지역 사무소가 있는 건물에서 촬영된 걸음걸이와 동일하다는 결론을 내렸다. 그런 다음, 자리를 옮겨 시신을 좀 더 자세히 조사했다. 이번에도 1차 검안 결과와 2차 검안 결과는 별 차이가 없었다.

얼마 뒤, 진과 수현은 하나의 부모를 찾아갔다. 경찰의 연락을 받고 진과 수현보다 먼저 사건 현장에 도착했던 그들은 병원에 있었다. 싸늘한 주검으로 돌아온 딸을 마주하자마자 실신한 탓이었다.

두 형사는 침대 위에 앉아 흐느끼는 두 사람을 위로했다. 그러고는 CCTV에 녹화된 특이한 걸음걸이를 보여주며, 이런 걸음걸이를 따님 주변에서 본 적이 있느냐고 물었다. 이에 하나의 부모는 고개를 가로저으며 울음을 터트렸다. 그렇게 흐느낌은 한참 동안 계속되었다.

"하나는…… 아이돌 그룹을 좋아했어요."

얼마 뒤, 슬픔이 깃든 목소리가 갈라지며 터져 나왔다. 그의 말에 따르면, 하나의 방은 아이돌 가수의 모습을 담은 화보, 앨범, 콘서트 실황 영상이 담긴 블루레이와 같은 물건들로 가득하다고 한다.

"하지만… 아무런 의미도 없잖아요."

하나의 어머니가 얼굴을 일그러뜨렸다. 그러자 진이 나직이 물었다.

“아무런 의미가 없다는 게…… 무슨 의미인지 여쭤봐도 되겠습니까?”
“우리 딸은 좋아하는 아이돌 그룹에 대해 속속들이 알고 있었어요. 하지만… 저 연예인들은, 우리 딸이 세상에 존재하는지조차 알지 못하잖아요? 우리 딸이, 하나가 아무리 저 애들을 사랑한다고 해도… 되돌아오는 건 아무것도 없어요. 아무것도! 그런데 우리 하나는, 그래도 좋대요. 좋아하는 사람이 성공하는 것만 봐도 행복하다고…….”

북받치는 슬픔에, 하나의 어머니는 끝내 말을 마치지 못했다. 그런 그의 곁에 있던 하나의 아버지는 배우자의 어깨를 말없이 감쌌다. 이를 보며 진은 생각에 잠겼다.
“살아서도, 죽어서도 민중과 함께”가 좌우명이었으며 고등법원 판사라는 탄탄대로를 거부한 남 의원. 아이돌 가수를 좋아한 강하나. 언뜻 보아서는 공통점이 없는 두 사람이었다. 그러나 자세히 들여다보면, 찾아낼 수 있었다.

‘살아서도, 죽어서도 민중과 함께…….’

남 의원의 좌우명을 마음속으로 생각한 그가 찾아낸 공통점은, 대가를 바라지 않는 사랑이었다. 남 의원은 부조리한 법 때문에 고통

받는 민중들을 사랑했고, 강하나는 아름다운 노래를 부르는 아이돌 가수를 사랑했다. 하지만 그들은 대가를 바라지 않았다. 그저 사랑하는 것만으로도 충분했다. 수현의 말을 빌려 설명하자면, 누군가를 사랑하는 데 이유 따위는 필요치 않았다.

마침내 범인의 마음을 꿰뚫어 본 진은, 부검에 관한 이야기를 조심스레 꺼냈다. 이에 부부는 훌쩍거리며 부검에 동의를 표했다. 그런 그들을 향해, 진이 반드시 범인을 잡겠다고 말하며 수현의 옆구리를 가볍게 툭툭 쳤다. 하고픈 말이 있다는 의미가 담긴 행동이었다. 이에 수현은 알겠다는 문장을 눈짓으로 표현하며, 인사를 마친 진과 함께 병원 밖으로 나왔다. 그리고 진의 전기자동차에 몸을 실었다. 그러자 운전석에 앉은 진이 입을 열어, 조금 전에 생각해 낸 남 의원과 강하나의 공통점을 입 밖에 냈다. 이를 들은 수현은 진의 추리에 찬동했다.

'무언가가…… 범인의 생각을 바꿔놓은 거다. 사람이든, 환경이든.'

진은 계속해서 퍼즐을 맞춰나갔고, 마침내 하나의 가설 앞에 도달했다. 제가 떠올린 가설을 검증하고자, 그는 스마트폰을 꺼내 들었다. 그러고는 유명 포털사이트들의 메인을 살폈다. 대한민국을 대표하는 포털사이트들의 메인에는, 남정웅 의원과 강하나의 죽음을 자극적으로 다룬 기사들로 도배된 상태였다. 인터넷 기사들의 제목과 내용은 언론인들이 지켜야 하는 보도 윤리 '따위'는, 저 멀리 던져버린 듯했다. 하지만 사람들은 이를 문제 삼지 않는 모양이었다.

남 의원의 죽음을 다룬 기사는 두 부류였다. 첫 번째는 남 의원의 일생을 되돌아보는 내용, 두 번째는 남 의원을 죽인 범인에 대한 가십거리를 다룬 내용이었다. 그리고 이 두 부류의 기사 중, 후자가 압도적인 인기를 얻었다. 이를 본 진은 눈을 찌푸리며 가십거리를 위주로 사람들이 어떻게 반응하는지를 살폈다. 그러자 다양한 반응이 시야에 들어왔다. 범인의 심리를 어설프게 파헤치려는 사람들, 세금을 축내는 국회의원을 죽인 범인이야말로 진정한 영웅이라는 사람들. 그리고 알지도 못하는 범인의 팬을 자처하는 사람들.

한낱 자극적인 상품으로 전락한 인간의 존엄성을 똑똑히 목격해버린 진은, 그제야 범인의 심리를 완전히 이해할 수 있었다. 남 의원을 열렬히 쫓아다닌 범인. 대가 없는 사랑을 베푼 두 명의 피해자를 향한 자극적인 언론 보도. 그리고 살인범에게 쏟아지는 스포트라이트. 빛이 점점 강해질수록, 짙어지는 그림자.

진은 숨을 크게 들이쉬었다가 내쉬었다. 그러고는 가라앉은 목소리를 입 밖으로 끄집어냈다.

"범인은, 살인을 통해 쾌락을 얻은 게 아니야. 피해자들을 죽인 뒤에 벌어질 일을 생각하며 쾌락을 느낀 거지."

"……대중의 관심을 받고 싶어서 벌인 일이라는 거예요?"

"그래. 사랑받고 싶어서 사람을 살린 너와는 정반대로 말이야. 걔는, 관심하고 사랑을 구별할 줄 몰라."

주먹을 쥔 손에 힘을 잔뜩 실으며 분노를 찍어 누르는 진의 말에, 수현이 혼란스러운 표정을 지으며 물었다.

"그럼, 왜 남 의원을 바로 죽이지 않은 걸까요?"

수현이 이번 사건의 핵심을 짚었다. 이에 진은 눈을 천천히 한 번 깜빡였다. 그리고 제가 추리해 낸 답을 입에 담았다.

"간단해. 죽이고 싶지 않았으니까. 남 의원은 민중을 사랑했잖아? 범인은 그런 남 의원의 열렬한 지지자가 되면, 사랑받을 수 있다고 생각했겠지. 어쩌면… 자신과 남정웅 의원을 동일시했을 수도 있고."

진의 답을 들은 수현은 생각에 잠겼는지, 한참 동안 말이 없었다. 그렇게 얼마간의 시간이 흐른 뒤, 침묵하던 그가 운을 뗐다.

"……범인은, 남 의원한테 질린 게 아닐까요? 그래서 남 의원을 '폐기 처분'하고, 흔적이 남은 보육원까지 공격한 거죠. 마치, 가지고 놀던 장난감에 질린 아이처럼."

폐기 처분이라는 단어에, 진의 몸이 일순간 희미하게 떨렸다. 그는 떨림을 억누르며 운전대를 잡았다. 그러고는 수사에 필요한 영장을 신청하러 가기 위해 가속 페달을 밟았다.
얼마 뒤, 목적지에 도착한 두 형사는 곧바로 영장을 신청하였다. 그때, 진과 수현의 스마트폰에서 동시에 진동음이 흘러나왔다. 이에 두 사람은 전화를 받았고, 기다리고 기다렸던 유의미한 제보 전화가 조금 전에 걸려 왔다는 사실을 알게 되었다. 경찰이 공개한 '독특한 걸음걸이의 사람'을 알아본 제보자는 한참을 고민했다고 한다. 문제의 걸음걸이가, 친아들을 연상케 한 탓이었다. 하지만, 그럼에도 불구하고 그는 장고 끝에 “예도윤”이라는 이름을 경찰에 제보했다. 그에 따르면, 도윤은 얼굴을 공개하지 않은 1인 방송인이었으며 거의 모든 시간을 집 안에서만 보내는 모양이었다. 이는 모든 것이 문 앞까지 배달되는 세상이었기에 가능한 일이었다.

범인의 정체가 뚜렷해지자, 진과 수현을 비롯한 경찰들이 움직이기 시작했다. 하지만 도윤은 종적을 감춘 상태였다. 이에 진과 수현 그리고 경찰들은 “생활 반응”이라고 불리는 카드 사용 기록, 스마트폰 사용 기록과 GPS 위치 추적 등을 통해서 소재 파악에 나섰지만…… 유의미한 결과를 얻지는 못했다. 그들이 새롭게 알아낸 사실 중, 그나마 유의미한 정보는 “예도윤과 두 번째 피해자인 강하나 사이에 공식적인 접점이 없다”라는 사실뿐이었다. 진과 수현은 이러한 정보를 기반으로, 강하나에 대한 정보를 제공한 사람이 따로 있을지도 모른다는 가설을 세웠다. 그러는 동안에도, 도윤의 행방은 오리무중이었다.

결국, 두 형사는 타인에게 조건 없는 사랑을 베푸는 사람을 살해한 도윤의 특성을 역이용하기로 했다. 남 의원에게 질린 도윤이 노릴만한 사람을 찾으면, 자연스레 그를 찾을 수 있으리라고 판단한 까닭이었다. 그들은 고액 기부자, 봉사 단체 설립자, 종교 지도자, 인권 운동가와 사회 운동가들의 신변 확인에 나섰다. 그러나 어떠한 수확도 얻지 못했다. 그래도 새로운 피해자가 생기지 않았다는 사실만큼은 위로가 되었다.

‘예도윤…… 대체 어디에 있는 거야?’

운전을 잠시 멈춘 상태에서 수현과 통화하며 정보를 주고받는 도중, 진이 입술을 짓씹었다. 그러고는 생각에 잠겼다. 도윤이 노릴 법한 사람 중에, 습격당한 사람은 없었다. 그렇다면 도윤의 관심은 대체 누구를 가리키고 있는가?

그때, 진이 눈을 질끈 감으며 앓는 소리를 냈다. 24년 전의 화재를 그대로 재현한 환각이 다시금 들이친 탓이었다. 엎친 데 덮친 격으로, 두통이 그의 사고회로를 한바탕 헤집고 지나갔다. 아무래도, 기억을 되찾으며 받은 스트레스와 누적된 피로가 원인인 듯했다.

"경위님, 괜찮아요? 요즘 너무 무리한 거 아니에요?"

그 순간, 스마트폰의 스피커에서 수현의 한없이 따스하고 상냥한 목소리가 흘러나왔다. 스피커 너머로 흘러나온, 희미한 앓는 소리를 포착한 그는 진을 진심으로 걱정했다.

"이번 사건 해결하면, 며칠 쉬어요. 일 걱정은 안 해도 돼요. 내가 조금 더 하면 되니까."

진은 눈보라가 휘몰아치는 어둠 속에서 헤매다, 불빛과 열기가 흘러나오는 피난처를 마주한 느낌을 받았다. 그만큼 수현의 목소리는, 사람을 안심시키는 막강한 힘을 품고 있었다.

'타인을 사랑하면서, 아무런 대가를 바라지 않는 사람……?'

진의 눈빛이 빛난 순간은, 바로 그때였다. 세상과 사람을 사랑하는 사람이, 사랑에 대한 대가를 바라지 않는 사람이…… 바로 곁에 있지 않은가?

"너야! 윤수현, 너라고! 예도윤은, 네 집에 있을 거야! 네가 그랬잖아. 다들 너를 오해하고, 쓰레기 취급한다고 해도… 세상을, 사람들을 사랑한다고!"

진이 스마트폰을 쥔 손에 힘을 잔뜩 주며 외쳤다. 그런 그의 말에, 스피커 너머의 수현은 잠시 당황한 듯했다. 하지만 진의 추리를 금세 따라잡았는지, 복잡한 표정을 지었다.

"그러니까…… 내 정체를 알게 된 예도윤이, 나를 '다음 장난감'으로 점찍었다는 이야기예요? 나를 보기 위해 보육원 아이들이 있는 장례식장을 찾아온 거고요?"
"맞아."

진이 나직이 말했다. 이에 수현은 침묵하며 상념에 잠기더니, 이내 입을 열었다.

"알겠어요. 그럼, 내 집에서 봐요."
"그래."

말이 끝나기가 무섭게 전화를 끊은 진은, 수현의 집을 향해 차를 몰기 시작했다.

*

진과 수현이 도윤을 찾아다니던 때, 연희는 잠시 숨을 돌리면서 수현에 관한 단독 보도의 초안을 구상하고 있었다. 그가 수현에게서 단독 인터뷰 허락을 받아낸 사실을 아는 사람은, 하나도 없었다. 이는 HBS의 보도국장도 마찬가지였다!

그는 제 상사를 믿지 못했다. 당연한 이치였다. 이 나라의 언론은 기사가 불러일으킬 파장 따위는 전혀 신경 쓰지 않았다. 중요한 것은 오로지 '특종' 혹은 '단독 보도' 타이틀뿐이었다. 저널리즘의 가치니, 보도 윤리니, 진실의 폭로니 같은 그럴싸한 원칙이나 신념 따위는 사장된 지 오래였다.

그로부터 시간이 얼마나 흘렀을까, 연희의 노트북 화면에 새로운 메시지가 표시됐다. 발신인은 국회 대변인, 수신자는 연희를 비롯한 각종 매체의 기자들이었다. 연희는 눈을 가늘게 뜨며 텍스트를 읽었다. 그리고 노트북과 가방을 챙겨 들고는 의자에서 일어섰다. 그는 긴급 기자회견에 참석하기 위해, 바삐 움직였다. 이렇게 시간이 흐르고, 드디어 국회에 입성한 연희는 프레스 구역의 앞줄에 자리 잡았다. 그는 노트북을 열며 주변을 흘끗 둘러보았다.

'대통령 기자회견도 이 정도까지는 아닐 텐데.'

이상한 일이었다. 그가 줄곧 국회에 출입하는 동안, 이렇게나 많은 기자가 모인 일은 단 한 번도 없었다. 그는 고개를 갸우뚱하며 두 손을 노트북의 키보드 위에 올려놓았다. 아직 회견이 시작되지 않은 터라, 잠깐 숨을 돌릴 여유 정도는 있었다.
그때, 남 의원에 대한 애도의 뜻을 표하기 위해서 검은 정장을 차려입은 대변인이 때마침 모습을 드러냈다. 엄숙한 분위기의 대변인을 본 기자들은 입을 다물었다. 그러자 웅성거림이 서서히 흩어지며 모습을 감추었다.
대변인은 단상에 올라 자세를 바로잡았다. 그리고 기자들을 향해 인사한 뒤, 무거운 음성으로 운을 뗐다.

"안녕하십니까. 먼저, 남정웅 의원님을 기리며 1분간 묵념하겠습니다."

말을 끝맺기 무섭게, 대변인이 고개를 숙였다. 기자들 역시 침묵 속에 고개를 숙여 묵념했다. 그렇게 1분 정도의 시간이 흐르자, 대변인이 고개를 들며 말을 이어갔다.

"남정웅 의원은…… 시민을 위해 봉사한, 이 시대 최고의 국회의원이었습니다."
'무슨 말을 하려고 시작부터 칭찬 세례야?'

연희가 마음속으로 의문을 표했다. 보통 저런 식으로 칭찬부터 할 경우, 다음에 '하지만'이나 '그러나'가 나올 확률이 높았다. 그리고 이런 연희의 직감은, 보기 좋게 적중했다.

"하지만, 가장 중요한 가치를 저버렸습니다."
'그럼 그렇지.'

연희가 가볍게 혀를 차며 키보드를 두드렸다. 다른 기자들 역시 분주히 대변인의 말을 받아썼다.
대변인은 잠시 말을 멈추고 좌중을 한 번 훑어보았다. 잠시 침묵이 내려앉자, 기자들은 호기심 어린 눈빛으로 단상 위의 사람을 올려다보았다. 빨리 다음 말을 하라는 재촉의 의미였다. 이에 대변인이 심각한 표정을 지으며 서류 하나를 들어 올렸다.

"여기, 이 서류를 봐주십시오."

그가 보란 듯이 집어 든 서류는, 남 의원이 발의했던 차별금지법이었다. 그는 법안이 적힌 서류가 징그럽고 끔찍한 무언가라도 되는 것처럼, A4용지의 모서리를 엄지와 검지로만 잡은 채 말을 이어갔다.

"'모든 차별에 반대한다'가 이 법안의 요지입니다."

그는 서류를 단상 위에 다시 올려놓았다. 그리고 회견을 이어나갔다.

"저희는 남 의원을 뜻을 기리기 위해, 법사위에서 계류 중이던 차별금지법을 다시 살펴보았습니다. 그리고 결론을 내렸습니다."

대변인은 의도적으로 뜸을 들였다. 그러자 기자들이 애단 표정을 지으며 이어질 말을 기다렸다. 이렇게 극적인 분위기가 조성되자, 드디어 대변인이 입을 열어 근엄한 어조로 선언했다.

"남정웅 의원이 발의한 '포괄적 차별금지법'은, 명백한 악법입니다!"

대변인의 말을 받아적던 연희의 표정이 일순간 굳었다. 3년 전에 발의되었던 법을 나 몰라라 할 때는 언제고, 인제 와서 이런 식으로 말하다니? 그는 국회의원들이 무언가를 꾸미고 있다는 인상을 지울 수 없었다. 그래서 자리에서 벌떡 일어나 단상 위를 향해 질문을 던졌다.

"잠시만요. 그렇다면… 고등법원의 판사였던 남정웅 의원이, 위헌 요소가 있는 법안을 발의했다는 겁니까?"

핵심을 찌르는 질문에, 회견장에 있는 모든 사람의 시선이 연희를 향해 쏟아졌다. 대변인은 그런 연희를 향해 한심하다는 눈길을 주며 대꾸했다.

"법을 잘 모르시는군요, HBS의 하연희 기자님."

불쾌감을 느낀 연희는 표정을 잔뜩 구겼다. 그는 대변인이 일부러 저를 비웃었다는 사실을 깨달았다. 하지만 회견장에서 고성을 주고받을 수는 없었기에, 이를 악물며 자리에 앉았다.
연희가 잠시 물러나자, 대변인은 희미한 웃음을 지었다. 아무도 알아차리지 못할 정도로 엷은 웃음이었다. 그는 애단 얼굴로 이어질 말을 기다리는 기자들을 향해 거침없이 말하기 시작했다.

"포괄적 차별금지법은, 대한민국 헌법 제21조가 보장하는 '표현의 자유'를 억압하는 법입니다!"

예상치도 못했던 이야기에, 프레스 구역에 전운이 감돌았다. 기자들은 대변인을 향해 아우성쳤다. 대체 무슨 말이냐, 제대로 설명해 달라고 말이다.

"차별금지법은, 국민의 입을 막으려는 아주 불순한 의도가 담겨있습니다! 우리에게는 '싫어할 자유'와 이를 표현할 자유가 있음에도 말입니다!"

대변인이 의기양양한 어조로, 마치 개선장군처럼 말을 이어갔다. 이에 대한 기자들의 반응은 두 부류였다. 불에 홀린 불나방처럼 고개를 끄덕이며 키보드를 두드리는 사람들과 왠지 모를 불길함에 표정을 구긴 사람들. 물론, 연희는 명백히 후자였다.
연희는 피가 날 정도로 입술을 짓씹더니, 다시금 자리에서 벌떡 일어났다. 그러고는 주먹을 쥔 채, 대변인을 올려다보며 입을 열었다.

"그렇다면… 취업 현장에서의 차별은 어떻게 되는 겁니까?"
"무슨 말씀인지?"
"말 그대로요. 조금 전에 하신 말씀대로라면… 학벌, 지원자 부모의 직업, 출신 지역, 결혼 여부, 나이, 재산, 장애 여부, 성별, 성적

지향 등등을 빌미로… 채용을 거부해도 된다는 이야기잖습니까!"

연희가 가까스로 분노를 억누르며 말을 마쳤다. 하지만 대변인은 그의 말을 이해하지 못한 듯, 대체 무슨 소리냐는 표정을 지으며 입을 열었다.

"저는 차별을 해도 된다고 말하지 않았습니다, 하연희 기자님. 당연한 거 아닙니까? 차별은 절대 해서는 안 됩니다. 그러나 표현의 자유 역시 침해할 수 없는 중요한 가치입니다. '나는 네가 싫다'라는 말을 못 하는 나라를, 자유로운 민주주의 국가라고 할 수는 없으니 말입니다."
"그걸 지금 말이라고 하는 겁니까?! 그럴듯하게 포장해봤자, 결국 차별을 해도 된다는 이야기일 뿐이잖아요!"

연희는 침묵하지 않고 맞섰다. 그러나 그의 말은 프레스 구역의 소음에 묻혀 잘 들리지 않았다. 이러한 장면은 전파를 타고 전국 각지에 퍼졌고, TV 앞에 있던 성욱과 유리의 귀에도 들어갔다.

"회장님… 회장님께서 말씀하셨던 '방법'이라는 게…?"

상상조차 하지 못했던 일이 눈앞에서 벌어지자, 유리가 말을 더듬었다.

"왜? 예상 못 했나?"

성욱이 검지로 책상을 톡톡 두드리며 되물었다. 그러나 유리는 답을 내놓는 대신, 다시금 질문을 던졌다.

“이번 남 의원 사건도, 회장님께서 손 쓰신 건가요?”
“그래. 설마, 인제 와서 손 뗄 생각은 아니겠지?”

냉기가 잔뜩 서린 목소리에, 유리는 조용히 입을 다물었다. 그리고 고개를 절레절레 흔들었다. 한낱 비서인 자신이, 성일 그룹의 총수를 막을 수 있을 리 없었다. 만일 여기서 도망쳤다가는, 쥐도 새도 모르게 사라질 게 뻔했다.

‘어쩔 수 없는 일이야. 나는 평범한 서민이고, 최성욱은 대기업 총수라고. 나는 아무런 힘이 없어!’

유리는 어쩔 수 없다는 말을 마음속으로 되뇌었다. 한편, 성욱은 애써 담담한 체하는 유리를 흘끗 바라보았다. 그리고 사람 좋은 웃음을 지으며 입을 열었다.

“조금 전에 난동 부렸던 하연희 기자 말이야. 왜 저렇게 기를 쓰는지 아나? 차별당할까 봐 두려워서 그래. 아무리 대한민국 국민이라면 모두가 아는 탐사 프로그램 소속의 기자라고 해도, 학벌이라는 족쇄에서는 벗어날 수 없거든.”
“예? 하연희 기자, 한국대 언론정보학과 출신 아닌가요?”
“다들 그렇게 생각하는데… 아니야. 저 아래 어딘가에 있는 지방 사립대 출신이지.”

옆에서 성욱의 말을 들은 유리는 머리가 핑핑 도는 것만 같았다. 하지만 성욱은 그런 유리의 속마음에는 관심이 없었다. 그는 대포폰을 집어 들더니, 누군가에게 전화를 걸었다.

“어, 그래. 나일세. 지금부터 작업 들어가게.”

성욱은 제 할 말만 하고 전화를 끊더니, 냉소하며 중얼거리듯 말했다.

“남은 가족이 평생 먹고살 돈을 주겠다고 하면, 흔쾌히 자살을 택할 사람들이 널리고 널린 세상이야. 생명? 존엄? 그런 거, 다 돈으로 살 수 있어. 이 세상에 공포라는 짐승을 풀어놓는 건… 일도 아니지.”

성욱의 얼굴에 사악함과 광기가 뒤섞인 웃음이 서렸다. 그의 곁에서, 유리는 말없이 덜덜 떨었다.

한편, 이러한 진실을 알 리 없는 연희는 패배감과 수치심에 사로잡힌 채 회견장을 나왔다. 그는 그대로 자신의 자동차를 타고 집으로 향했다. 그렇게 지하 주차장에 도착할 무렵, 어느새 해가 저물었다. 연희는 주차 구역에 차를 댄 채로, 멍하니 운전석에 앉아있었다.

그는 공영방송사에 입사하기 위해 갖은 노력을 기울였었다. 명문대 출신의 언론정보학과 졸업생들을 제치려면, 몇 배는 더 노력해야 했다. 이런 까닭에, 연희는 HBS에 최종 합격했을 때 많이 울었다. 그리고 입사 직후부터 지독히 일했다. 이 덕분에 그는 대한민국 최고의 탐사 보도 프로그램인 스포트라이트의 팀원이 될 수 있었다.

하지만, 이 모든 게 부질없어질지도 몰랐다. 여태껏 연희의 학력을 문제 삼던 입사 동기나 선배들은, 적어도 그의 앞에서만큼은 입을 다물었다. 그러나 오늘 국회에서 있었던 기자회견을 빌미로 모든 것이 바뀔 것이다. 그의 뒤에서 떠들어대던 사람들은, 이제 앞에서 대놓고 비웃을 테니까.

'……답은, 정면 돌파뿐이야.'

그는 멍하니 앞을 바라보며 생각했다. 좋은 일이든 안 좋은 일이든, 이미 주사위는 던져졌다. 그러니 언제까지고 패배감과 수치심에 잠겨있을 수는 없었다.

연희는 결심한 듯 운전석의 문을 열고 나와, 굳건히 바닥을 딛고 섰다. 그는 그대로 운전석 문을 닫은 뒤, 엘리베이터로 향했다.

그때, 출처를 알 수 없는 시선이 날아들었다. 연희는 굳은 얼굴로 주변을 둘러보았다. 그러나 아무도 없었다. 그는 눈을 찌푸리며 계속 걸었다. 그의 발걸음은 갈수록 빨라졌다.

주차장의 기둥 뒤에 숨어있던 괴한들이 모습을 드러낸 것은, 그 순간이었다. 그들은 멀어지는 연희를 향해 달려들었다. 이에 연희는 새하얗게 질린 낯빛을 한 채, 필사적으로 달렸다. 그러나 얼마 가지 못해 붙잡히고 말았다.

괴한들은 구둣발로 사정없이 연희를 짓밟았다. 연희는 두 손을 들어 올리고, 몸을 새우처럼 말았다. 그는 이런 상황에 익숙한 듯했다. 하지만 익숙하고 말고를 떠나서, 그의 정신과 시야는 서서히 흐려졌다.

*

진을 태운 자동차는 도로 위를 질주했다. 그리고 얼마 뒤, 수현이 사는 아파트 앞에서 멈춰 섰다. 거의 동시에, 수현이 탄 차 역시 진이 탄 차 앞에서 멈춰 섰다. 차에서 내린 수현은 빠른 걸음으로 앞장섰고, 진은 그 뒤를 따랐다. 그렇게 두 사람은 도어락이 설치된 한 철제문 앞에서 멈춰 섰다.

곧이어 수현이 도어락의 숫자를 터치했다. 그러자 전자음이 몇 번 나더니, 잠금이 해제되었다. 이에 수현은 문손잡이를 잡아당겨 문을 연 다음, 평소와는 다르게 신발을 대충 벗어 던졌다. 그리고 진과 함께 집 안을 살폈다. 진의 추리대로, 도윤은 배낭을 멘 채로 수현의 서재에 있는 책들을 살피고 있었다. 수현이 모은 책들은, 의학과 물리학 그리고 철학을 다룬 책들과 인간에 대한 희망을 논하는 책이 대부분이었다.

"정말…… 내 집에 있었을 줄이야."

수현이 도윤을 보며 중얼거리듯 말했다. 그러자 도윤이 뒤를 돌아보며 웃었다. 진은 그런 도윤을 향해 총을 겨누며 단호히 외쳤다.

"예도윤 씨. 무릎 꿇고, 두 손 올리십시오!"

"진정하세요, 형사님."

화사한 웃음을 지은 도윤이 장난스레 두 손을 들어 올리며 말했다. 이에 진의 눈썹이 꿈틀했다.

"다시 한번 말하겠습니다. 무릎 꿇고, 두 손 제대로 올리세요."
진이 날카로운 목소리로 말했다.
"아, 아니! 잠시만요. 정말 쏠 생각이에요? 안 되는데. 아픈 건 싫다고요!" 도윤이 호들갑을 떨었다.
"……말이 많네요. 구질구질하게."

진과 도윤의 대화를 듣고만 있던 수현이, 까칠한 반응을 보였다. 그러자 도윤이 싱글싱글 웃으며 수현에게 친한 척을 했다.

"왜 그러세요, 선생님. 저 지금 자수하러 온 건데. 봐요, 개조한 칼하고 밑창을 제거한 신발이에요. 사무소에서 직접 관리하는 CCTV의 영상이 담긴 하드디스크도 있고, 남정웅하고 강하나 입에 쑤셔 넣었던 행주도 가져왔다고요!"

도윤이 등산용 배낭 속에서 투명한 지퍼백 여섯 개를 꺼내 들며 말했다. 지퍼백 안에는 흰색 행주 두 개, 피 묻은 칼 하나, 하드디스크 하나와 밑창이 제거된, 피로 물든 신발 두 켤레가 들어 있었다. 한편 예상치 못한 '선생님'이라는 존칭에, 수현이 표정을 구겼다. 그는 도윤에게서만큼은 선생님이라는 말을 듣고 싶지 않은 듯했다.

“아. 그리고! 이건, 현장을 떠날 때 갈아 신은 신발이에요. 바닥에 피 묻은 발자국을 남기고 다닐 수는 없는 노릇 아니겠어요?”

도윤이 배낭 속에서 또 다른 투명한 지퍼백 한 개를 꺼내 들었다. 지퍼백 안에는 피가 묻지 않은, 밑창이 제거된 신발 한 켤레가 들어 있었다.

“인제 와서 자수라니. 무슨 생각이야?” 진이 날을 세웠다.
“왜요? 추하게 잡혀가는 것보다…… 멋있게 자수하고 당당히 수갑 차는 게 낫죠.” 도윤이 히죽이며 말했다.
“헛소리. 범죄자와 멋은 양립할 수 없어.” 진이 단호하게 대꾸했다.

이에 도윤은 어깨를 으쓱했다. 그리고 보란 듯이, 천천히 무릎을 꿇고 두 손을 제대로 들어 올렸다.

“경위님. 일단, 체포부터 하는 게 어때요?”

수현의 말에, 진이 고개를 끄덕이며 동의를 표했다. 이에 수현은 수갑을 꺼내며 도윤을 향해 다가갔다. 그리고 미란다 원칙을 읊은 후, 도윤의 손목에 수갑을 채웠다. 그런 다음 지퍼백을 집어 들었다.

“나머지는 여기 말고, 좀 더 제대로 된 장소에서 듣도록 하죠.”

수현이 도윤의 뒷덜미를 잡아 올리며 말했다. 그러자 도윤이 기다렸다는 듯이 나불거렸다.

"무슨 소리예요? 선생님 댁이 아니면, 분위기가 안 산다고요."

도윤을 끌고 가던 수현이 우뚝 멈춰 섰다. 수현은 무표정인 채였지만, 지금껏 보였던 모습 중 가장 섬뜩했다. 진은 그런 수현을 물끄러미 바라보다가, 시선을 도윤에게 주며 입술을 달싹였다.

"……좋아. 그럼, 여기서 진술해."

진의 말에, 수현이 일순간 멈칫했다. 하지만 진이 어떤 생각으로 이야기를 꺼냈는지 눈치챘기에, 도윤을 군말 없이 거실의 소파로 데려가 앉혔다. 그런 다음, 그와 진은 도윤의 맞은편에 앉았다. 그리고 스마트폰을 꺼내, 녹음 기능을 작동시켰다. 그들은 날짜와 시각을 말한 다음, 도윤에게 진술거부권을 행사할 수 있다는 사실 등을 고지하였다. 이 모든 과정이 끝나자, 도윤이 기다렸다는 듯이 히죽 웃으며 입을 열었다. 하지만, 진이 도윤의 진술을 저지했다. 그의 눈은 도윤에게 단 한 마디도 허하지 않겠다는 듯이 번뜩였다.

"너, 남정웅 의원한테 질린 거지?"

진의 말에, 의기양양하던 도윤의 눈빛이 처음으로 흔들렸다. 진은 그런 도윤을 무감정한 눈빛으로 바라보며 추궁을 이어갔다.

“예도윤. 너는 사랑과 관심을 구별하지 못해. 그렇기에 수단과 방법을 가리지 않고 관심을 받으려 했을 거야. 너에게 그 ‘수단’이란, 살인이었을 테고. 너는 남 의원을 죽이기 전에도, 사람을…… 노숙인과 같은 ‘사회복지 시스템 밖에 있는 사람들’을 죽인 적이 있었어. 내 말이 틀려?”

도윤은 진을 노려보았다. 그는 자신을 속속들이 읽어내는 진이 증오스러웠다. 그에게 진은, 잘난 체할 기회를 빼앗는 사람에 불과했다.

“……맞아요. 내가 처음으로 죽인 사람은 남정웅이 아니라, 노숙자들이에요. 그런데, 수사를 제대로 안 하더라고요. 담당 형사라는 인간은… 노숙자들끼리 패싸움을 벌인 거라면서 사건을 덮었어요.”
“역시, 예상대로네.”

진이 팔짱을 낀 채, 고개를 주억거리며 말했다. 이를 본 도윤의 얼굴은 잔뜩 일그러졌다. 그는 자신감이 넘치는 진의 모습이 거슬렸다. 하지만, 진은 아랑곳하지 않았다. 그는 뒤틀린 표정의 도윤을 똑바로 바라보며, 자신이 알아낸 진실을 인정사정없이 쏟아부었다.

“노숙자들을 죽이는 거로는, 성에 안 찼을 거야. 왜냐고? 당연하잖아. 아무도 관심을 안 가졌을 테니까! 그런 와중에, 고등법원 판사였던 남정웅을 알게 된 거야. 타인을 위해, 탄탄대로를 걷어찬 사람을 말이야. 너는 그런 피해자를 동경했어. 저 사람 곁에 있으면, 사랑받을 수 있을지도 모른다고 생각했겠지. 그래서 너는 남 의원의 열렬한 지지자를 자처한 거야."

여기까지 말한 진이 도윤의 표정을 살피며 다리를 꼬았다. 도윤은 진의 말이 계속될수록, 상처 입은 짐승처럼 낮게 으르렁거렸다. 진은 그런 도윤의 반응이 긍정을 뜻한다고 판단하고, 말을 이어 나갔다.

"최근까지, 그러니까 남 의원과 강하나를 죽이기 전까지는…… 살인에서 손을 뗐을 테고. 안 그래?"
"그, 그걸 어떻게…?!"

내내 으르렁거리던 도윤이 눈을 크게 뜨며 우물거렸다. 그러자 진이 쯧, 하고 혀를 차며 대꾸했다.

"너에게 살인은 관심과 사랑을 받기 위한 수단에 불과하잖아? 욕망이 충족됐는데, 뭐 하러 살인을 저질러?"

도윤은 모골이 송연하다 못해 소름이 돋았다. 제 앞의 형사는, 자신의 과거를 지켜보고 있었던 것처럼 굴었다. 이런 재능을 지닌 형사가 세상에 있었다니. 믿을 수가 없었다.

"그런데 문제가 생겼어. 너는 '남 의원보다 더 훌륭한 사람'이 존재한다는 걸 알게 된 거야. 세상이 무너지는 것 같았겠지. 그래서 남 의원을 세상에서 완전히 지워버리겠다고 결심했어. 그래서 남 의원이 후원하던 보육원에 독이 든 음식을 보낸 거야."

진이 보육원에 관한 이야기를 꺼내자, 설명을 잠자코 듣던 수현이 주먹을 쥐었다. 진은 그런 수현을 잠시 바라보았다. 그리고 다시 도윤을 쳐다보며 단어 하나하나에 힘을 실어 말했다.

"예도윤. 너는, 남 의원보다 윤수현을 훨씬 훌륭하다고 느꼈어. 그래서 희망 보육원 아이들의 빈소를 찾은 거야. 하루라도 빨리 윤수현을 보기 위해서!"

진이 추리를 마치자, 수현의 집에 기나긴 침묵만이 감돌았다. 진은 여전히 도윤을 응시하고 있었고, 수현은 스마트폰을 쥔 손에 힘을 잔뜩 주었다. 그는 스마트폰을 산산이 조각내지 않기 위해 애썼다. 한편, 도윤은 멍하니 진을 바라보더니 이내 헛웃음을 흘렸다. 그는 진의 추리가 완벽에 가깝다고 생각했다.

"하… 정말 대단하시네요. 형사님, 혹시 사람 죽여보셨어요? 아니, 어떻게 이렇게까지 정확하게 추리할 수 있는 거예요? 맞아요. 형사님께서 말한 그대로예요. 저는… 남정웅 의원한테 질렸어요. 의료 봉사를 하기 위해서 고향 행성을 떠난 사람에 비하면…… 남정웅은, 너무 유치하잖아요? 세상에, 온몸을 검은색 물건으로 꽁꽁 싸맨 사람을, 아무런 의심 없이 들여보내 주다니!"

타인의 선의를 짓밟아 놓고도, 도윤은 반성하지 않았다. 그런 그는 이해할 가치가 없는 인간이었다.

"남정웅, 그 자식이 뭐가 좋다고 여태껏 따라다녔는지 모르겠다니까요. 자기 몸도 지키지 못하는 멍청이가, 다른 사람을 구하겠다고 설치는 꼴이라니!"

스마트폰을 만지작거리는 수현을 보며, 도윤이 즐겁다는 듯 히죽거렸다. 수현은 그런 그를 차갑게 바라보더니, 마침내 입을 열었다.

"……일단, 확실히 해야겠네요. 예도윤 씨. 내 말투 따라 하는 건 그만두세요. 불쾌하거든요."

수현의 날카로운 지적에, 도윤의 얼굴에서 웃음이 달아났다. 수현은 그런 그의 눈을 똑바로 바라보며 말을 계속했다.

"당신은 남 의원한테 멍청하다고 할 자격이 없어요. 진짜 멍청이는 예도윤 씨, 당신이니까. 당신이 정말 똑똑한 사람이었다면, 애초에 사람을 죽이는 짓 따위는 하지 않았겠죠?"

정말 똑똑한 사람은 누구인가. 완전범죄를 저지르는 사람인가? 아니다. 범죄를 저지르는 대신, 그 사악한 욕망을 건전한 행위로 승화하는 인간이다. 완전범죄를 저지르는 데 쓸 에너지를, 다른 곳에 쓰는 게 훨씬 현명하고 도덕적이며 생산적이지 않은가.

"그리고. 강하나 학생을 죽인 거…… 정말 처음부터 끝까지 당신 손으로 직접 한 게 맞아요? 나에 대한 정보를 제공한 사람의 의견을 그대로 따른 게 아니라?"

그 순간, 멍하니 수현의 일갈을 듣던 도윤의 눈빛이 사정없이 요동쳤다. 강하나를 살해한 게 실은 다른 사람의 아이디어였다는 것을 자백하는 꼴이었다. 진은 차가운 눈빛으로 당황한 도윤을 바라보았다. 그리고 기다렸다는 듯이 수현의 말을 이어받았다.

"윤수현에 대한 정보를 제공한 사람과 강하나에 대한 정보를 제공한 사람. 동일 인물이지?"

진의 날카로운 음성은, 어느새 서늘한 칼날이 되어 도윤의 목을 겨누었다. 무형의 칼날은, 언제든지 날아들어 목을 지나는 혈관을 베어버릴 기세였다. 이에 도윤은 뒤틀린 표정으로 진을 쳐다보았다. 그런 그의 눈썹은 꿈틀댔고, 입가에는 경련이 일었다. 그는 애써 표정을 숨기기 위해서 온 힘을 다하며, 제게 수현과 하나에 대한 정보를 건넸으며 하나를 죽일 것을 권한 성욱을 떠올렸다. 제가 어떤 욕망을 품었으며 어째서 노숙자들을 살해했는지를 알고 있다던 성욱은, 남 의원과 비교할 수 없을 정도로 훌륭한 사람이 있다며 수현에 대한 정보를 제공해 왔다. 그리고 고등학교 3학년 수험생인 강하나에 대한 정보를 귀띔해 주며, 남 의원을 죽인 다음에 하나를 죽일 것을 권했다. 고등학교 3학년 수험생, 그것도 여학생이 죽으면 언론 보도량이 많아지리라는 게 그 이유였다. 그리고 똑같은 수법으로 살해당한 국회의원과 고3 수험생의 조합은, 연쇄살인이라는 키워드를 모두에게 각인시킬 수 있다는 말도 덧붙였다. 이에 도윤은 기뻐하며 성욱의 말을 따랐다. 성욱의 말대로, 사람들은 강하나의 죽음에 폭발적으로 반응했다. “몇 개월 후면 자유로운 삶을 누릴 수 있었을 텐데.”라며 안타까워하는 사람, 친자식이 죽은 것처럼 슬퍼하는 사람, 자극적이고 선정적인 헤드라인을 거리낌 없이 쓰는 기자 등등. 이렇듯, 비극은 인간의 밑바닥을 여실히 비추었다.

“다시 한번 묻는다. 너한테 윤수현에 대한 정보를 제공해, 잠들어 있던 살인 욕구를 깨운 사람. 강하나에 대한 정보를 제공하며 살인을 권한 사람. 대체 누구지?”

진이 재차 질문을 던졌다. 그는 드디어 모습을 드러낸 진실의 조각을 꽉 잡고 놓지 않을 심산이었다. 그러나 도윤은 답을 내어줄 생각이 없었다. 그는 성욱을 은사로 여겼다. 자신의 욕망을 알아보고 다가와 용기를 준 스승. 그에게 성욱이란, 그런 존재였다. 그렇기에 무슨 일이 있어도 지켜야만 했다. 제가 다 뒤집어쓰는 한이 있더라도.

“……없어요, 그런 사람. 모두 나 혼자 계획했다고요.”

도윤이 애써 웃으며 말했다. 하지만 입가의 경련은 여전했다. 그런 그를, 수현이 냉기가 스며든 눈빛으로 바라보았다. 그렇게 어느 정도인지 정확히 알 수 없는 시간이 흐른 시점에, 수현이 말없이 소파에서 일어섰다. 그러고는 발걸음을 옮겨, 도윤의 앞에서 멈춰섰다.

"사랑받고 싶었으면요. 적어도, 타인을 사랑하는 척이라도 했었어야죠. 안 그래요?"

수현의 목소리에서 차가운 분노가 소용돌이쳤다. 말을 마친 그는 도윤을 소파에서 일으켜 세웠다. 그리고 스마트폰을 사용해, 저를 담당하는 국정원 요원에게 전화를 걸었다.

"요원님. 내 정체를 아는 사람이 나타났으니, 빨리 데려가세요. 참고로, 남 의원과 강하나 학생을 죽인 범인입니다."
"자, 잠시만요. 선생님, 저는 선생님께 직접 조사받고 싶다고요!"

당황한 도윤이 소리를 빽 질렀다. 그러자 수현이 조곤조곤한 어조로 말했다.

"당신은 이 나라의 1급 비밀을 알고 있잖아요? 그러니 국정원에서 조사받아야죠."

수현의 말을 들은 도윤의 얼굴에, 절망의 빛이 퍼져나갔다. 진은 그런 도윤을 향해 일갈했다.

"그런 표정 짓지 마. 새삼스럽게 뭘 그래? 다 네가 자초한 일이야."

진이 수현의 집에서 자수하겠다는 도윤의 말을 들어준 이유는 단 하나였다. 수현을 만나서 이야기를 나눌 수 있다는 희망을 품은 그가 잔뜩 흥분해, 자신이 처할 미래조차 예상하지 못하게 된 그 순간에…… 그가 느낀 인생 최고의 희열을 깨끗이 부수기 위해서. 실제로 도윤은 일생일대의 소원을 이룬 줄 착각하고 행복해했지만, 국정원에 보내진다는 말에 절망했다.

혹시 모를 상황을 대비해, 진과 수현은 도윤의 양팔을 하나씩 붙잡았다. 그리고 수현의 집 앞에 도착했다는 요원의 연락을 받자마자, 밖으로 향했다. 그러자 검은색 차 한 대와 정장 차림의 젊은 요원이 그들을 맞이했다. 진과 수현은 그런 그에게 도윤과 증거가 든 배낭을 넘긴 뒤, 도윤을 태운 차가 점점 멀어지는 모습을 지켜보았다. 예도윤 사건을 국정원에 넘겼으니, 하나를 부검하고 도윤의 집을 압수 수색하는 등의 후속 절차는 국정원 요원들의 몫이다. 그들은 그리 생각하며 한숨 돌렸다. 광활한 하늘에 걸린 별과 달이 반짝거리는 아름다운 광경에 시선이 절로 갔다.

하지만, 상황은 일말의 휴식도 허하지 않았다. 진과 수현은 진동하는 스마트폰을 꺼내 들었고, 자신들을 찾는 다급한 목소리를 똑똑히 들었다. 스피커 너머의 사람은, 오늘 저녁부터 갑작스레 늘어난 '무차별 범죄 -흔히 무동기 범죄, 묻지마 범죄라고 불린다-' 때문에 버겁다는 말을 꺼냈다. 그리고 지구대와 119 구급대의 인력으로는 도저히 감당할 수 없으니, 광수대 형사들의 도움이 필요하다고 덧붙였다. 이를 들은 진과 수현은 심각한 표정을 지었다. 급증한 자살자, 온몸에 불이 붙은 채 울부짖는 사람들, 습격당해 엉망이 된 사회복지시설 등. 그들이 도윤을 상대하는 동안, 수도권 일대가 지옥도로 변모한 모양이었다.

좌시할 수 없는 상황이었기에, 두 형사는 서로를 향해 눈인사를 건네며 지원에 나섰다. 그렇게 두 대의 전기자동차가, 각기 다른 방향으로 향했다.

얼마 뒤, 진의 자동차가 멈춰 섰다. 그가 마주한 것은, 근육질의 가해자가 벽돌로 피해자의 머리를 사정없이 내려치는 광경이었다.

"이 역겨운 벌레 놈! 너희 나라로 돌아가!"

가해자는 바닥에 쓰러진 채 미동조차 하지 않는 피해자를 끊임없이 내려치고, 또 내려쳤다.

"그만두십시오!"

운전석에서 튀어나온 진이 총을 겨누며 외쳤다. 그러자 가해자가 눈을 희번덕거리며 진을 노려보았다.

"이 버러지가 내 일자리를 빼앗았습니다! 그런데도 가만히 있어야 합니까?!"

진은 오만상을 찌푸렸다. 일자리를 빼앗기다니, 당최 무슨 소리인가 싶었다. 하지만 의문점은 금세 사그라들었다. 피해자는, 한국인이라고 하면 떠오르는 '전형적인 외형'과는 거리가 멀었다. 가해자는 이를 근거로 삼아, 눈앞의 사람을 외국인이라고 주장한 것이었다. 외모가 국적을 결정하거나, 국적이 외모를 결정하지 않는데도.

"마지막 경고입니다. 돌 내려놓고, 두 손 올리십시오. 그렇지 않으면 격발하겠습니다."

진이 단호히 말했다. 그러자 가해자의 눈에 불꽃이 일었다. 그는 새된 소리를 지르며 진을 향해 돌진했다.

"당신 한국 경찰이잖아! 왜 내 편을 들어주지 않는 거야?! 대체 왜!!!"

진은 저를 향해 날아든 벽돌을 가볍게 피했다. 신체적인 조건만 따진다면, 가해자에게 유리한 싸움이었다. 그러나 싸움의 승패를 결정지은 것은 노련함과 기술이었다. 가해자를 순식간에 제압한 진은 재빠르게 피해자의 상태를 살폈다. 다행히도 피해자의 맥박은, 아주 희미하게 살아있었다. 이렇게 한 사건이 막을 내렸다. 그러나 진에게 주어진 일은 이제 시작이었다. 그는 다시금 날아든 지원 요청에 응하기 위해 바삐 자리를 떴다.
한편, 119 구조대의 부탁을 받은 수현이 향한 곳은 어느 아파트의 지하 주차장이었다. 그는 주변을 살피며 신고자를 찾았다. 그는 괴로움으로 점철된 희미한 신음을 향해 한 걸음씩 나아갔다. 그렇게 수현은, 주차 구역 옆 기둥에 등을 대고 앉아있는 사람을 찾아냈다.

"하연희 기자님!"

엉망으로 구겨지고 시커먼 때가 묻은 옷을 입은 채, 눈을 감고 숨을 몰아쉬며 스마트폰을 꽉 쥐고 있는 사람은 하연희였다! 수현은 연희를 향해 다가갔다. 그리고 자세를 낮춘 뒤, 손을 내밀었다.

연희를 부축하기 위해서였다. 연희의 몸 군데군데에는, 피가 말라 붙은 자잘한 상처가 나 있었다.

그때, 연희가 눈을 번쩍 떴다. 그는 저를 향해 다가오는 성인 남성의 실루엣에 겁을 잔뜩 집어먹었다.

"저… 저리 가!"

연희는 힘없이 수현의 손을 쳐냈다. 나름대로 마지막 남은 힘을 그러모은 것이었으나, 보잘것없는 저항이었다. 하지만 수현에게는 효과가 있었다. 수현은 재빠르게 손길을 거둬들였다. 그리고 다시 한번 연희를 불렀다. 이번에는 조금 더 나긋한 어조였다.

"하 기자님. 괜찮아요. 나예요, 윤수현."

"수현 씨…? 부, 분명 119에 신고했는데……?" 그제야 수현을 알아본 연희가 입술을 달싹였다.

"신고가 갑작스레 늘어서, 구급대 인력이 부족하댔어요."

"그… 그랬구나……."

연희가 옅게 웃으며 웅얼거렸다. 그는 자리에서 일어서기 위해, 다리에 힘을 주었다. 그러자 수현이 급히 연희를 부축하며 말했다.

"빨리 응급실로 가요, 기자님."

"……수현 씨가, 치료해 줄 수 있지 않나요?"

연희가 아주 작은 목소리로, 오로지 수현만이 들을 수 있도록 속삭이듯이 말했다. 수현은 힘겹게 입을 연 연희를 물끄러미 바라보았다. 아무래도, 연희는 응급실을 꺼리는 것 같았다.

“내가 치료해버리면, 상처가 흔적도 없이 사라져 버려요. 기자님은 범죄 피해자잖아요? 조사받을 때, 어디를 얼마나 다쳤는지 이야기해야 할 텐데.” 수현이 아주 작은 목소리로 조곤조곤 연희를 설득했다.
“…생각해 보니 그렇네요.”

연희가 한숨을 폭 내쉬었다. 그는 병원에 가는 것을 탐탁지 않게 여겼으나, 깔끔하게 고집을 물렸다.

“좋아요. 그럼 곧장 병원으로 가도록 하죠.”

말을 마친 수현이, 조심스레 연희를 부축하며 자신의 전기자동차를 향해 걸어갔다. 그런 다음 뒷좌석의 문을 연 뒤, 연희가 자리에 앉을 수 있도록 도왔다. 이렇게 수현의 도움을 받아 자리에 앉은 연희는 안전벨트를 향해 손을 뻗었다. 하지만 안전벨트를 매는 것은 생각보다 힘겨웠다.

“도와줄까요?” 수현이 물었다.
“아니요… 내가 할게요.” 연희가 안전벨트와 씨름하며 답했다.
“알겠어요.”

수현은 묵묵히 연희를 기다려 주었다. 연희는 느리지만 확실하게 안전벨트를 맸다. 이를 확인한 수현은 뒷좌석의 문을 닫았다. 그리고 곧바로 운전석으로 향했다.
이윽고 수현과 연희를 태운 전기차가 지하 주차장을 벗어나, 가까운 병원의 응급실로 향했다. 하지만 도착하자마자 진료를 받을 수는 없었다. 갑작스레 밀려든 응급환자 때문이었다. 연희의 상태는 비교적 양호했던지라, 당연히 진료 순서가 밀릴 수밖에 없었다.

"기자님. 지금 지원 요청이 와서… 가봐야 할 것 같거든요. 어때요, 혼자서도 괜찮겠어요?"

수현이 묻자, 응급실 앞 대기 구역의 의자에 늘어져 있던 연희의 눈동자가 일순간 흔들렸다. 그는 지방에 정착한 부모님을 떠올렸다. 연희의 친부모는, 어린 연희에게 관심 한 톨 주지 않았다. 이는 지금도 마찬가지여서, 그는 부모에게서 그 어떠한 관심과 지원도 받을 수 없는 상황이었다. 물리적으로도 그리고 심리적으로도 말이다.

"그게……."

연희가 눈을 찌푸리며 웅얼거렸다. 수현은 그런 그의 표정과 말투에서 서러움과 사무치는 외로움을 감지했다.

"옆에 있어 줄까요?"

걱정이 담긴 따스한 말에, 연희는 순간 감정을 내보일 뻔했다. 하지만 그는 감정을 숨기는 데 익숙한, 베테랑 기자였다. 그렇기에 각계각층의 다양한 사람들과 인연을 쌓고, 낯선 이와 금방 친숙해질 수 있는 능력이 탁월했다. 하지만 이렇게 쌓은 친분은 얕디얕았다. 애초에 기자와 취재원이 깊은 우정을 나눌 수 없는 사이였다. 이런 탓에, 연희는 지금과 같은 상황에 손을 내밀어 줄 사람을 사귀지 못했다.

물론 그에게도 절친한 친우가 한 명 있기는 했다. 하지만 연희는 그 친우, 그러니까 유 진 역시 바쁘리라는 것을 직감했다. 수현이 119구급대원 대신 투입될 정도이니, 진 또한 마찬가지일 터였다.

"…아니요. 나는 괜찮으니까, 어서 가세요. 수현 씨처럼 바쁜 사람을 붙잡아 놓으면 안 되죠."

연희가 애써 능청맞은 웃음을 지으며 말했다. 하지만 수현은 연희가 눈에 밟히는지, 쉬이 발걸음을 떼지 못했다. 그는 연희를 앞에 둔 채, 잠시 생각에 잠겼다. 그리고 이내 입을 열었다.

"진료받을 때쯤 연락해 줘요. 걱정돼서, 그냥은 못 가겠거든요."

말을 마친 수현이 싱긋 웃었다. 그러고는 도움이 필요한 사건을 찾아 떠났다. 이렇게 수현과 진은 각자의 위치에서 최선을 다했다. 하지만 두 사람에게 날아드는 지원 요청은 끝이 없었다. 수현은 쉴 필요가 없었기에 모든 지원 요청에 응할 수 있었으나, 진은 그럴 수 없었다. 그는 정신적으로나 육체적으로나 완전히 지친 상태였다.

결국, 진은 날이 밝기 전에 전담팀 회의실을 찾았다. 그는 집에 가는 대신, 전담팀에서 잠깐 눈을 붙일 생각이었다. 휴가를 내려면 경일의 허가를 받아야 하기에, 집과 광수대를 오가며 시간을 허비할 바에는 차라리 전담팀에서 몇 시간이라도 더 자는 편이 나았다.

그 순간, 진의 스마트폰이 진동했다. 이에 진은 스마트폰을 꺼내 들었고, 도윤의 집에서 입수한 행주와 밑창이 제거된 신발에서 신원 미상자들의 DNA가 검출되었다는 소식 그리고 도윤이 제출한 물건들에서 남 의원과 강하나의 DNA가 검출되었다는 소식을 전달받았다. 여기에, 도윤이 제출한 하드디스크에는 남 의원의 지역 사무소에서 관리하는 CCTV의 영상이 들어 있다는 소식이 더해졌다. 이에 진은 감사하다는 말을 끝으로 전화를 끊었다. 그런 다음, 방금 전달받은 소식을 수현에게도 알려주었다.

수현과 통화를 마친 그는 정신을 갉아먹는 두통에 표정을 구기며, 입고 있던 코트를 벗었다. 그리고 회의실 구석에 있던 소파 위에 누운 다음, 이불로 삼은 코트를 머리끝까지 뒤집어썼다.

'대체… 어째서 무차별 피습 사건이 급증한 거지…?'

진은 멍하니 생각에 잠겼다. 그러나 추리를 이어 나갈 수는 없었다. 그의 사고회로는 과부하 상태였다. 게다가 누적된 피로가 정신과 육체를 잠식했다. 지금의 그에게 추리나 고찰과 같은 고차원적인 사고는 무리였다. 결국 그는 눈을 감으며 머릿속에 떠오른 모든 생각을 잠시 밀어놓았다. 그러자 순식간에 졸음이 밀려들었다.

*

날이 완전히 밝고, 오전 9시 무렵. 창근은 여느 때처럼 국회의사당으로 향했다. 하지만, 국회의사당 앞에 펼쳐진 광경은 여느 때와 확연히 달랐다. 의사당 앞에는 국회에서 일하는 직원들이 모여 있었다. 이를 본 창근은 얼굴을 잔뜩 일그러뜨렸다.

"비켜!"

창근이 직원들을 거칠게 밀쳤다. 하지만 그들은 단 한마디도 하지 않고 눈만 흘겼다. 그들은 창근이 무례한 사람이라는 사실을 잘 알고 있었다. 그리고 이 무례함이 공평하지 않다는 것도 알고 있었다. 창근은 사람을 대할 때 '존중해야 할 사람'과 '함부로 대해도 되는 사람'을 명확히 구분하는 성격이었고, 이는 다선 국회의원이나 장관을 대할 때와 일반적인 노동자나 소수자 혹은 사회적 약자 그리고 영향력이 미미한 젊은 초선 의원을 대할 때 명확히 드러났다.
창근의 성격을 그 누구보다 많이 겪었던 국회 직원들은 재빠르게 길을 내주었다. 봉변을 당할 바에는, 차라리 피하는 것이 나았으므로. 한편, 창근은 제 비위를 맞춰주는 직원들을 보며 만족함을 느꼈다. 그러나 뒤틀린 만족감은 오래가지 못했다.

"이, 이게 뭐야!?"

창근이 본 것은, 분신자살한 시민의 시신이었다. 시신 곁에는 "직장 내 괴롭힘을 부추기는 국회는 대체 누구의 편이란 말인가?"라는 글귀가 적힌 유서가 덩그러니 놓여있었다.

“이거 당장 치우지 못해?!”

겁에 질린 창근이 직원들을 향해 소리를 빽 질렀다. 그리고 뒤도 돌아보지 않고 자신의 사무실로 향했다. 그러나 사무실 안에 있던 보좌관 중, 문을 열고 들어온 그에게 깍듯이 인사하는 사람은 한 명도 없었다. 아침부터 날아든 항의 전화 때문이었다.

창근은 보좌관들에게 재교육이 필요하다고 생각하며, 자신의 자리로 향했다. 그러자 오늘 아침에 발행된 따끈따끈한 신문들이 그를 맞이했다. 그는 손을 뻗어, 보좌관들이 모아온 신문 하나를 집어 들었다.

‘이… 이게 뭐야. 대체 왜?!’

「밤새 자살자 급증」이라는 헤드라인을 본 창근의 눈빛이 흔들렸다. 그는 다른 언론사의 신문을 살폈다. 그러자 「묻지마 범죄로 인해, 119 구급대 업무 마비」, 「국회의 선부른 선언? 표현의 자유, 어디까지인가」 등의 심각한 내용이 시야에 들어왔다.

‘서… 설마, 이게 다 어제 기자회견 때문이라고?’

창근이 마른침을 삼켰다. 그는 당황하다 못해 공포에 질린 상태였다. 그는 덜덜 떨리는 손으로 스마트폰을 꺼내 들었다. 그리고 성욱에게 전화를 걸었다. 이 나라 굴지의 대기업 중 하나이자 존경받는 재벌인 성욱의 도움을 받기 위해서였다. 그가 보기에, 이 사태를 진정시킬 수 있는 사람은 최성욱뿐이었다.

"회… 회장님. 저희가 실수를 한 것 같습니다. 이렇게 될 줄 누가 알았겠습니까? 저희는 그저, 차별을 이용해 자진 퇴사를 유도하려던 것뿐입니다!"

창근이 인사도 없이, 다짜고짜 용건을 내뱉었다. 그러자 당혹스러움이 깃든 성욱의 음성이 스마트폰의 스피커에서 흘러나왔다.

"……예? 차별? 자진 퇴사? 대체 무슨 이야기를 하시는 겁니까?"
"그때 회장님께서 말씀하셨잖습니까? '자진 퇴사를 유도할 수 있는 다른 방법이 있으면 좋을 텐데요.'라고 말입니다!"

참다못한 창근이 소리를 빽 질렀다. 그러자 성욱이 남몰래 뒤틀린 웃음을 지었다. 그리고 조금 전 창근의 말을 토대로 상황 파악에 나선 것처럼 철저히 연기했다.

"…김창근 대표님. 설마, 직장 내 괴롭힘을 부추겨서… 피해자의 사직을 유도할 생각이었습니까?!"
"예… 최저임금은 높고, 그렇다고 해고가 쉬운 것도 아니고… 그래서……."

창근이 우물거렸다. 그러더니, 쥐어짜듯이 목소리를 냈다.

"…회장님. 저희 좀 살려주십시오. 제발, 이렇게 부탁드리겠습니다."

그러나, 창근의 바람은 부질없었다. 전화기 너머의 성욱은, 자존심을 내려놓고 애걸복걸하는 다선 국회의원의 몰락을 즐기고 있었다. 그는 터져 나오는 웃음을 억누르며, 말없이 전화를 끊었다. 그리고 바로 병길에게 전화를 걸었다.

"안녕하십니까, 총장님. 잘 지내셨습니까? 다름이 아니라, 때가 와서 전화드렸습니다. 지금 기자회견을 열 예정입니다. 회견이 끝나면… 인화 제약 수사를 재개해 주십시오. 최대주주인 유 진을, 연구원 살해 혐의로 소환해 조사하시면 될 겁니다. 하시는 김에, 검경 수사권 조정 이슈에 활용하시는 게 어떨는지요? 상황을 검찰에 유리하게 끌고 가는 데 도움이 될 것 같습니다만."

성욱은 요구 사항과 선물을 넘기고는 통화를 마쳤다. 이로써 성욱은 완벽한 설계도를 완성했다. 상황도, 인맥도 모두 그의 편이었다. 그는 옆에 있던 유리를 향해 말했다.

"긴급 기자회견 준비해. 기자들 불러 모으고."
"알겠습니다, 회장님."

유리가 고개를 꾸벅 숙이며 대답했다. 그렇게 그들은 기자회견장으로 향했다. 오랫동안 갈고 닦았던 성욱의 야망이, 드디어 베일을 벗을 시간이 되었다.

한편, 성욱의 속내를 알 리 없는 창근은 망연자실한 표정으로 스마트폰의 화면을 내려다보았다. 그는 성욱이 실망했다고 생각했다. 하지만 창근은 희망의 끈을 놓지 않았다. 최선이 물 건너갔다면, 차선을 택해야 했다.

'그래… 이 나라에 존경받는 재벌가가 성일 그룹 하나만 있는 게 아니지.'

인화 그룹을 떠올린 창근의 눈에 희망의 빛이 깃들었다. 대한민국의 파란만장한 근현대사와 함께 성장해 온 인화 그룹이라면, 필시 이 사태를 진정시킬 수 있으리라. 그는 그리 생각했다. 그러나 문제가 있었다. 인화 그룹의 총수인 유인영은 아직 입원 중이었다. 다짜고짜 찾아가 자초지종을 설명한 뒤, 지금 상황을 수습해달라고 부탁하는 것은 매우 무례한 행동이었다. 전화로 부탁하는 것 역시 매한가지였다. 하지만 하늘은 노력하는 자를 외면하지 않는다고 했던가. 열심히 방도를 탐색하던 창근은 마침내 돌파구를 찾아냈다. 인영을 직접 마주하는 것이 부담스럽다면, 유일한 후계자를 통해 제 뜻을 전하면 되지 않겠는가! 물론 그 인화 그룹의 후계자가 최근 구설에 오르내리고 있었으나, 지푸라기라도 잡고 싶었던 창근은 망설임 없이 서울청 광수대에 전화를 걸었다. 그리고 전담팀 회의실에 진이 있다는 확답을 받은 즉시 발걸음을 옮겼다.

국회의원, 그것도 여당 대표의 갑작스러운 방문에 광수대가 발칵 뒤집혔다. 박경일 계장을 포함한 형사들은 그를 막아보려 애썼으나, 이는 부질없는 저항이었다. 창근은 성큼성큼 발걸음을 옮겨, 전담팀 회의실로 향했다. 그러고는 노크도 없이 문을 열고 회의실 안에 발을 들였다. 그러자 소파 위에 누워있는 진이 보였다. 그는 코트를 이불 삼아 누워있는 진을 향해 성큼성큼 다가가더니, 다짜고짜 진의 어깨를 잡아 흔들었다.

"형사님! 지금 이렇게 한가하게 주무실 때가 아닙니다! 저 좀 살려주십시오!"

창근의 다급한 목소리가, 수마의 늪에 빠져있던 진을 거칠게 건져 올렸다. 진은 눈을 번쩍 뜨며 상체를 일으켜 세운 뒤, 등을 소파의 등받이에 기대며 바르게 앉았다. 그리고 뉴스를 통해 보아왔던 얼굴을 노려보았다. 이토록 무례한 사람이 여당 대표라니. 최악의 첫 만남에, 그는 불쾌감을 찍어 눌렀다. 그런 그의 서슬 퍼런 눈빛에, 창근은 저도 모르게 마른침을 삼켰다. 그런 다음 진의 어깨를 붙잡았던 두 손을 슬그머니 거둬들였다. 그러나 그것도 한순간이었다. 그에게는 진의 날 선 태도보다, 제 발등에 떨어진 불이 먼저였다.

"밤새 있었던 묻지마 범죄들… 아무래도 어제 국회에서 있었던 긴급 기자회견 때문인 것 같습니다."

서론을 모조리 생략한 말에, 진이 표정을 구겼다. 진은 수현과 함께 도윤을 상대하고, 밤새 밀려든 지원 요청에 응하느라 숨 돌릴 겨를도 없었다. 그렇기에 창근이 말한 긴급 기자회견이 무엇이고, 문제의 회견에서 어떠한 말이 오갔는지 알 리 만무했다.

"…대체 뭐라고 하신 겁니까?"
"남정웅 의원이 발의했던 포괄적 차별금지법이… 헌법에서 보장하는 표현의 자유를 침해한다고 말했습니다."

창근의 설명을 들은 진이 입술을 강하게 짓씹었다. 그의 머릿속은 이루 말할 수 없는 격노로 가득 찼다. 하지만 이를 알아채지 못한 창근이 진의 인내심을 들쑤셨다.

"사실 틀린 말도 아니지 않습니까? 싫어하는 사람에게 싫다는 말 한마디 못 하는 게 정상입니까?"

진은 여전히 아무 말도 하지 않았다. 그저 들어 올린 두 손으로, 제 얼굴을 완전히 감싸 쥐듯 덮어서 가릴 뿐이었다. 잠들기 전에 떠올린 질문에 대한 답을 의도치 않게 찾아버린 그는, 벽돌로 피해자의 머리를 사정없이 내려치던 가해자를 떠올렸다. 역겨운 벌레, 일자리를 빼앗았다, 한국 경찰이 왜 내 편을 들어주지 않느냐는 말까지. 이 모든 것의 근원은, 이 나라의 입법 기관인 국회였다.

"하여튼. 정말 가관이었습니다. 우는 소리도 적당히 해야지요. 세상에, 국회 앞에서 분신자살이라니!"

창근이 혀를 차며 속마음을 가감 없이 드러냈다. 그러자 줄곧 얼굴을 가린 채로 침묵하던 진이, 얼굴을 가렸던 두 손을 내렸다. 그러고는 주먹을 꽉 쥐며 입을 열었다.

"멸시당했으니까요."

진의 목소리에서는 시커먼 먹이 뚝뚝 떨어지는 것만 같았다. 그는 형형한 눈빛으로 창근을 올려다보며 말을 이어갔다.

"존재를 부정당했으니, 죽고 싶었겠죠. 언제 자살해도 이상하지 않은 사람들에게, 어제 있었던 기자회견은 기폭제였을 겁니다."

날카로운 분석에, 창근은 할 말을 잃었다. 진은 그런 그를 노려보며 물었다.

"대체 무슨 생각으로 그런 소리를 지껄인 겁니까?"

창근은 어떤 의도로 회견을 열었는지 낱낱이 고했다. 그리고 이 사태를 수습할 수 있는 존재는 인화 그룹의 유인영 회장뿐이라며, 도움을 청했다.

"제발 한 번만 도와주십시오, 형사님. 사실 성일 그룹의 최 회장님께도 부탁드렸지만, 확답이 없으셔서……."

진은 한숨을 내쉬었다. 그는 성욱이 확답하지 않은 이유를 짐작할 수 있었다. 창근의 부탁은 말이 좋아 부탁이지, 실질적으로는 언제 터질지 모르는 폭탄을 떠넘기려는 것에 가까웠다.

"소용없을 겁니다."

진이 고개를 저으며 단호히 말했다. 그는 절망한 창근을 향해, 논리적인 어조로 자신의 의견을 밝혔다.

"차별을 조장하기 위해, 이 나라의 최고법이자 기본법인 헌법을 동원하셨잖습니까. 그럼 끝난 거예요. 구제할 방법 따위, 없습니다. 그리고… 적극적으로 나서지 않은 성일 그룹 대신, 인화 그룹이 전면에 나서게 된다면…… 어머니와 인화 그룹이 차별을 조장한 국회와 손을 잡았다는 오명을 쓰게 될 겁니다. 결과적으로, 정의로운 성일 그룹과 차별에 찬성하는 인화 그룹의 대리전이 되어버리겠네요."

진의 설명이 계속될수록, 창근의 낯빛이 새하얗게 물들었다. 진의 논리는 탄탄하기 그지없어, 반박할 여지가 없었다.
그때, 창근의 스마트폰에서 노래가 흘러나왔다. 창근은 희망이라고는 찾아볼 수 없는 얼굴로, 야당 대표이자 친한 동생인 규혁의 전화를 받았다. 그러자 스피커에서 다급한 목소리가 흘러나왔다. 얼마 지나지 않아, 창근의 얼굴에 당혹스러움과 희망이 빛이 뒤섞이며 퍼졌다.

"성일 그룹이 긴급 기자회견을 연다고?!"

창근이 목소리를 높였다. 얼마 전까지만 해도, 성욱은 부탁을 들어주지 않을 것처럼 굴었다. 그러나 결국 마음을 바꾼 게 틀림없었다.

진은 방금까지만 해도 절망에 잠식되어 있던 창근을 물끄러미 올려다보았다. 그러고는 스마트폰을 꺼내, 실시간 방송 중인 뉴스를 확인했다. 뉴스 진행자는 조금 뒤에 성욱의 긴급 발표가 있을 예정이라며, 기자들로 가득한 회견장을 보여주었다. 이에 진은 화면을 뚫어지게 응시하며 회견이 시작되기만을 기다렸다. 과연, 성욱은 이 절체절명의 순간을 어떻게 구제할 것인가.

이로부터 몇 분의 시간이 흐르고, 드디어 성욱이 모습을 드러냈다. 그는 특유의 널찍한 보폭으로 연단을 향해 걸어가더니, 설치된 마이크 앞에 섰다. 그리고 좌중을 향해 깍듯이 인사한 다음, 운을 뗐다.

"밤새, 많은 분께서 자살했다는 소식을 들었습니다. 혐오 범죄가 기승을 부렸다는 소식 역시 들려오더군요. 필시, 어제 있었던 국회의 긴급 기자회견 때문이라고 생각합니다. 국회가 표현의 자유를 빌미로, 차별을 옹호했으니 말입니다."

담담하면서도 비통함이 서린 어조였다. 기자들은 숨소리 하나 내지 않은 채, 연단 위의 성욱을 올려다보았다. 한편, 스마트폰을 통해 성욱을 보던 진은 그의 입에서 나온 서론이 나쁘지 않다고 생각했다. 진의 스마트폰을 흘끗거리던 창근 역시 그리 생각했다.

"하지만! 여기서 쓰러지면 안 됩니다. 우리 한민족(韓民族)은 항일 투쟁을 통해 첫 번째 희망을 마주했고, 민주화 운동을 통해 두 번째 희망을 쟁취했습니다. 이제! 불평등과 부조리를 넘어…… 세 번째 희망을 향해 나아갈 차례입니다. 우리 대한민국, 위대한 나라!

위대한 국민의 힘을! 지금, 한곳으로 모을 때입니다!"

성욱이 포효하듯이 연설을 마쳤다. 그러자 현장에 있던 모든 사람이 우레와 같은 박수갈채를 보냈다. 그들은 성욱의 명연설에 감동한 듯했다. 이렇게 기자회견장은 순식간에 연설회장으로 변모했다.

"역시 최 회장님! 도와주실 줄 알았습니다!"

창근이 울먹거리며 환호했다. 그러나, 진은 창근과 달리 잔뜩 굳은 모습이었다.
진은 성욱의 연설에서 기시감을 느꼈다. 오늘 처음 들은 연설인데도, 익숙한 느낌을 떨칠 수 없었다.

'우리 민족, 위대한 우리 국민. 그리고… 세 번째 희망? 설마……!'

성욱의 연설을 곱씹던 진이, 눈을 크게 떴다. 그는 드디어 기시감의 원인을 알아냈다.

"나치오날조치알리스티셰 도이체 아르바이터파르타이(Nationalsozialistische Deutsche Arbeiterpartei)."

진은 무의식을 비집고 나온 단어를 입 밖으로 냈다. 그러자 창근이 무슨 소리냐는 표정으로 진을 바라보았다.

"한국어로는, 국가사회주의 독일 노동자당. 흔히…… 나치당이라고 합니다."

스마트폰의 화면 속 성욱을 노려보던 진은, 창근의 시선을 느꼈는지 즉답했다. 그리고 화면에서 시선을 거두더니, 창근을 노려보며 말을 이었다.

"나치 독일. 혹은 제3제국. 아돌프 히틀러. 전체주의와 파시즘."

진의 입에서, 인간이 인간을 가차 없이 폐기하던 시절의 역사가 되살아났다.

<Part 1. 끝>

선의 해부 Part 1

지은이 : 이린

펴낸이 : 이제현

발행일 : 2024년 07월 10일

ISBN(단권) : 979-11-93256-29-9(04810)

ISBN(세트) : 979-11-93256-28-2(04810)

펴낸곳 : 창작공간 잇스토리

마케팅 : 매드플랙션

출판신고 : 제 2023-000021호

이메일 : it-story@b-camp.net

잇스토리는 영상 IP 전문 프러덕션입니다.

영화/드라마와 소설의 경계선에서 이야기를 찾아가고 있습니다.

문을 두드려 주세요. 문의와 제안은 언제나 즐겁습니다.

홈페이지 : http://itsastory.modoo.at

인스타그램 : http://instagram.com/it_story.kr

블로그 : http://blog.naver.com/it-story